PAUL WYCZYNSKI

Originaire de Pologne, Paul Wyczynski a eu une longue carrière de professeur à l'Université d'Ottawa, où il a notamment fondé le Centre de recherche en civilisation canadienne-française qu'il a dirigé pendant 15 ans. Il a collaboré à plus d'une cinquantaine d'ouvrages et a signé une centaine d'articles publiés en plusieurs langues au Canada et à l'étranger. Certains de ses livres ont atteint une grande renommée, dont *Poésie et symbole* (1965), *Nelligan et la musique* (1971), l'édition critique de *La Scouine* d'Albert Laberge (1986) et le *Dictionnaire des auteurs de langue française en Amérique du Nord* (1989), réalisé avec Réginald Hamel et John Hare. Paul Wyczynski a mérité de nombreuses distinctions, dont quatre doctorats honorifiques.

ÉMILE NELLIGAN
BIOGRAPHIE

Paul Wyczynski a publié chez Fides en 1987 (deuxième édition en 1990) *Nelligan 1879-1941. Biographie*. Le volume de plus de 650 pages a connu dès sa première parution un succès retentissant. L'ouvrage se nourrit d'une riche documentation et de la réflexion du chercheur poursuivie au fil d'une dizaine de livres consacrés à Nelligan. De toute évidence, une biographie synthétique de Nelligan s'imposait à l'intention des étudiants, des professeurs, des lecteurs de poésie et de tous ceux et celles qui s'intéressent aux figures marquantes de l'histoire culturelle du Québec. Aussi le présent ouvrage offre-t-il, en quelque trois cents pages, l'essentiel sur la vie et l'œuvre du poète le plus célèbre du Québec. Publiée à l'occasion du 40e anniversaire de fondation du Centre de recherche en civilisation canadienne-française de l'Université d'Ottawa, cette biographie montre un Nelligan vrai, créateur d'une poésie unique qui ne cesse de parler aux générations montantes.

D0320384

Émile Nelligan
Biographie

Émile Nelligan à dix-neuf ans
Photo Laprés et Lavergne, Montréal, avril 1899,
exécutée d'après l'original. (Collection Wyczynski)

Paul Wyczynski

Émile Nelligan
Biographie

BIBLIOTHÈQUE QUÉBÉCOISE est une société d'édition administrée conjointement par les Éditions Fides, les Éditions Hurtubise HMH et Leméac Éditeur. Bibliothèque québécoise remercie le ministère du Patrimoine canadien du soutien qui lui est accordé dans le cadre du Programme d'aide au développement de l'industrie de l'édition. BQ remercie également le Conseil des Arts du Canada et la Société de développement des entreprises culturelles du Québec (SODEC).

Couverture :
Gianni Caccia

Typographie et montage :
Dürer *et al.* (MONTRÉAL)

Données de catalogage avant publication (Canada)

Wyczynski, Paul, 1921-
Émile Nelligan: biographie
Publié à l'origine dans la coll. «Le Vaisseau d'Or», 1987.

ISBN: 2-89406-150-1

1. Nelligan, Émile, 1879-1941.
2. Poètes canadiens-français — Québec (Province) — Biographies.
3. Poètes canadiens-français — XIXe siècle — Biographies.
I. Titre.
PS8477.E4Z94 1998   C841'.4   C98-941513-9
PS9477.E4Z94 1998   PQ3919.N4Z942 1998

Dépôt légal : 1er trimestre 1999
Bibliothèque nationale du Québec

Liminaire

Grâce à une bourse Killam (1984-1986), j'ai pu rédiger et publier chez Fides, en 1987 (2ᵉ édition en 1990), *Nelligan 1879-1941. Biographie*, ouvrage d'envergure que j'appellerai désormais la «Grande Biographie de Nelligan» [GBN]. Fruit d'une trentaine d'années de recherches, elle met en pleine lumière la vie et l'œuvre de l'auteur du «Vaisseau d'Or» et présente quasiment toute la documentation qu'on attend aujourd'hui d'une biographie de qualité.

L'ouvrage qu'on met aujourd'hui entre les mains du lecteur reprend en la synthétisant, il va de soi, la GBN, sans pourtant occulter l'essentiel du destin de l'auteur montréalais. Il a cependant l'avantage d'apporter au récit biographique de 1987 quelques détails nouveaux, découverts depuis. Ce livre sera désormais désigné sous l'appellation «Biographie synthétique de Nelligan» [BSN].

Facile d'accès, la BSN offre une information biographique condensée accompagnée d'un apparat critique réduit à l'essentiel grâce à un système simplifié de sigles et d'abréviations.

Je remercie toutes les personnes qui ont bien voulu m'accorder leur aimable collaboration, particulièrement mesdames Régine Delabit-Wyczynski et Yolande Grisé, et monsieur Réjean Robidoux. Je souligne avec reconnaissance l'aide qu'a apportée le Centre de recherche en civilisation canadienne-française à l'édification de cet ouvrage, surtout l'aimable dévouement de madame Francine Dufort-Thérien et le doigté de madame Monique Parisien-Légaré qui a effectué la saisie du texte. Je sais gré aux Éditions Fides pour leur concours à la publication de ce livre qui souligne l'importance toujours grandissante d'Émile Nelligan dans le monde de la poésie et s'inscrit déjà, comme un hommage singulier, dans la trame des commémorations marquant le 120e anniversaire de naissance de celui qui récita avec brio, le 26 mai 1899, l'inoubliable «Romance du Vin».

P. W.

Introduction

Qu'est-ce qu'une biographie ?

Parmi les travaux littéraires, la biographie est devenue un genre que chaque époque peaufine et dont elle perfectionne les méthodes. S'il faut en croire le *Greek-English Lexicon*, le mot « biographie » aurait été inventé dans la première moitié du VIᵉ siècle par Damaskios, dernier chef de l'école philosophique d'Athènes, auteur de la *Vie d'Isidore*. Littré y voit « une sorte d'histoire qui a pour objet la vie d'un seul personnage ». Les dictionnaires *Larousse* et *Robert* élargissent quelque peu cette définition, la « biographie » ayant pour objectif premier d'étudier l'histoire d'un personnage. Daniel Madelénat y voit un « récit qui rythme les invariances et les circonstances de ce module existentiel fondamental, le cours d'une vie humaine » [MDB 9]. Écrire une biographie, c'est donc évoluer à mi-chemin entre l'empirisme et l'intuition, la science et l'art, le document et la vision. Le biographe ne se contente pas simplement de rapporter des faits ; il livre la personnalité d'un être humain uni à son œuvre.

Qu'elle soit intimiste, intellectuelle, narrative, froidement critique ou exagérément flatteuse, « objective » ou « subjective » selon le point de vue retenu, la biographie consiste en un mouvement qui va d'un contexte général vers un individu en particulier. À une époque donnée, dans un milieu circonscrit sur les plans géographique et historique, parmi les gens et les choses, le personnage étudié apparaît comme une « conscience individuée », qui a donc sa façon d'être propre, que singularisent donc ses actes. On entrera graduellement dans le tréfonds de cet être humain, aussi loin que possible dans les couches de ses idées, dans les gangues de ses rêves, dans sa conscience lucide autant que dans son inconscient souvent confus, mais combien révélateur. Dans une coulée de temps, marquée par des événements divers, nous tenterons de saisir, globalement et en détail, sa nature aux résonances multiples, où l'euphorie et la tristesse, la quiétude bienfaisante et le vertige hallucinatoire alternent.

Il reste que dans une biographie qui se veut bien équilibrée, deux éléments s'entrecroisent et se complètent. D'abord, il y a la présence du personnage même : ses antécédents, sa vie, sa carrière, ses traits physiques et moraux, les actes significatifs qui ponctuent son existence. En deuxième lieu, pour ne pas dire parallèlement, le monde extérieur est évoqué : famille, école, Église, associations, événements d'ordre culturel, social, politique... L'histoire des ancêtres renseigne sur ses racines ethniques ; sa personnalité se précise souvent dans sa fortune *post mortem*. Tout découvrir et tout expliquer serait trop demander à un biographe. Que la biographie devienne donc une authentique image humaine sur le fond d'une époque ; qu'elle rende justice au personnage évoqué et soit fidèle à sa singularité ; qu'elle narre avec rigueur le récit d'une vie en s'appuyant toujours sur des documents et en ne rapportant que des événements choisis et vérifiables, voilà ce à quoi elle doit tendre. La biographie n'est pas un conte : c'est une relation nuancée d'un destin humain.

Perspectives du sujet

Sur la vie de Nelligan, qu'avons-nous au juste à notre disposition jusqu'en 1987? L'étude de Louis Dantin, «Émile Nelligan», publiée chaque semaine en feuilleton dans *Les Débats* du 17 août au 28 septembre 1902, constitue le vrai début d'une réflexion sur Nelligan poète. Étude hautement appréciée à l'époque, et avec raison, elle figurera en tête de la première édition des poésies de Nelligan: *Émile Nelligan et son Œuvre* [NEO-D], publiée en 1904. En réalité, l'adolescent ne s'y manifeste qu'en filigrane: allusions, rappels, comparaisons, quelques traits physiques et moraux... Les références biographiques, rapides et intentionnellement vagues, respectaient l'aliénation du poète, interné déjà depuis deux ans à l'asile Saint-Benoît-Joseph-Labre. Il reste que l'étude de Louis Dantin allait libérer de la mémoire de quelques amis de Nelligan d'intéressants souvenirs: Albert Laberge, Madeleine, Charles Gill, Albert Lozeau, Françoise, Louvigny de Montigny, Ernest Choquette, Jean Charbonneau, Robert de Roquebrune, Édouard-Zotique Massicotte évoquent, chacun selon ses souvenances, à grands traits, rapidement, le portrait d'un bohème, d'un schizophrène, d'un rêveur parnassien et symboliste dont la carrière fulgurante — à peine trois ans — en fait un Rimbaud canadien.

Puis s'écoule un demi-siècle. Certes, à l'heure de la mort de Nelligan — en novembre 1941 — plusieurs articles de journaux rappellent aux Montréalais le destin tragique de l'auteur de «La Romance du Vin» et louent l'œuvre publiée par Dantin à l'aube du siècle que trois rééditions (1925, 1932, 1945) transmettaient d'une génération à l'autre. Mais c'est vers 1950 que Luc Lacourcière, folkloriste de l'Université Laval, fera progresser les

11

connaissances sur Nelligan de façon sensible. Il publie chez Fides en décembre 1952, dans la collection du « Nénuphar », une édition critique, *Émile Nelligan. Poésies complètes 1896-1899* [NEPC-L], rééditée en 1958 et en 1966. L'ouvrage a le principal mérite d'enrichir l'édition Dantin (contenant 107 pièces) de 55 poèmes de Nelligan, certains inédits, glanés dans des journaux et des archives privées. Une substantielle « Introduction » [NEPC-L 7-29] et une « Chronologie d'Émile Nelligan » [NEPC 31-38] apportent une information précieuse sur la vie et l'œuvre du poète. Entreprise hautement louable que l'édition établie par Lacourcière, du reste la première édition du genre au Canada. Mais le critique lui-même était parfaitement conscient que cette tâche immense — établir l'œuvre et édifier scientifiquement une biographie de Nelligan — restait à faire. Le travail du professeur Lacourcière a suscité toute une série de recherches qui ont donné lieu à des thèses de maîtrise et de doctorat, des livres, des articles, des colloques et des rencontres.

Dans la lignée des efforts de Lacourcière, trois professeurs — Réjean Robidoux, Jacques Michon et moi-même — décident de réunir toute la documentation disponible et de préparer une édition critique des *Œuvres complètes* de Nelligan, qui se veut définitive. L'ouvrage paraît en deux volumes, en 1991, chez Fides, à Montréal, dans la collection du « Vaisseau d'or ». Le premier volume, que je prépare avec Réjean Robidoux, s'intitule *Poésies complètes 1896-1941* [NEPC-RW]; le deuxième volume, préparé par Jacques Michon, regroupe *Poèmes et textes d'asile 1900-1941* [NEPC-M]. Sans apparat critique, accompagné de « Repères chronologiques » et d'une « Bibliographie sélective », le premier volume figure aujourd'hui dans la collection « Bibliothèque québécoise » [NEPC-RW (BQ)].

Ainsi, tous les poèmes de Nelligan, soigneusement établis, sont à la portée de l'école, mais aussi à la disposition de tous ceux qui s'intéressent à l'œuvre poétique de l'auteur du «Vaisseau d'Or».

Après la mort de Nelligan, son nom devient quasi légendaire. Ses amis, déjà courbés par l'âge, cherchent obstinément des souvenirs dans leur mémoire pas toujours fidèle. Les journalistes rappellent la présence du poète à l'occasion de telle ou telle célébration littéraire. Les essais critiques s'engagent dans des voies de recherche pas toujours sûres. Nelligan revit dans l'œuvre des musiciens et des chansonniers, parmi lesquels Monique Leyrac se montre la plus enthousiaste. Des peintres aussi — Jean Paul Lemieux, par exemple — rendent hommage à Nelligan en évoquant sa silhouette d'adolescent, tantôt sur un fond ténébreux, tantôt sur le contour enneigé du carré Saint-Louis. À vrai dire, c'est surtout la photo de 1899, prise à l'atelier photographique Laprés et Lavergne de Montréal, qui immortalise le visage du poète à l'œil mélancolique. Deux événements revalorisent particulièrement cette poésie dont on vit et dont on meurt: les 25e et 50e anniversaires de la mort de Nelligan.

Le 25e anniversaire de la mort de Nelligan a suscité une série de manifestations au Québec et même au-delà: articles, rencontres, conférences, soirées musicales, appositions de plaques commémoratives là où vécut le poète, hommages de toutes sortes... L'Association des amis d'Émile Nelligan, sous la gouverne du docteur Lionel Lafleur, déploie à cette époque une belle énergie pour promouvoir la gloire du poète. D'un colloque organisé à l'Université McGill, sous la direction de Jean Éthier-Blais, résultera un recueil d'études et de commentaires: *Émile Nelligan. Poésie rêvée et poésie vécue* [ENPRV-EB].

Les hommages affluant de toutes parts confirmeront la renommée du poète. Mais si l'on examine objectivement ces témoignages, force est de constater qu'on avance peu dans la connaissance réelle de l'homme. L'enthousiasme, la gratitude, la grandiloquence, les approximations l'emportent sur la nouveauté des renseignements biographiques. Le poète est en quelque sorte figé dans la légende de son naufrage. Dans le volume qui regroupe les travaux du colloque de l'Université McGill, seuls les articles de Luc Lacourcière et du P. Yves Garon apportent quelques éclaircissements sur la vie de Nelligan.

En 1979, le centenaire de la naissance de Nelligan coïncide avec le centenaire de la mort de Crémazie. Les commémorations n'ont peut-être pas l'éclat de celles de 1966, mais on y retrouve le souci d'approfondir les connaissances aussi bien sur le poète du mouvement littéraire de Québec que sur celui de l'École littéraire de Montréal. Une exposition à la Bibliothèque nationale du Canada et, parallèlement, un colloque à l'Université d'Ottawa, en octobre 1979, font revivre les souvenirs de Crémazie et de Nelligan. Issu du colloque, le recueil d'études *Crémazie et Nelligan* [CN-RW] permet de constater une fois encore que ce n'est pas la vie, mais l'œuvre du poète qui se trouve au centre des entretiens. Il en va de même pour la somptueuse soirée commémorative «Émile Nelligan parmi nous», offerte à la mémoire du poète par la Bibliothèque nationale du Québec à Montréal, ainsi que de l'exposition «Émile Nelligan et son temps», organisée pour la circonstance dans le hall d'entrée de la salle Wilfrid-Pelletier, du 27 novembre 1979 au 14 janvier 1980. On ne diminue en rien la signification de ces manifestations en faisant remarquer que si l'étude de l'œuvre de Nelligan a progressé considérablement depuis trois décennies, l'état des connaissances sur sa vie demeure jusque-là à peu près le même.

Le Centre de recherche en civilisation canadienne-française de l'Université d'Ottawa a tenu à rendre hommage à Nelligan, à l'occasion du cinquantenaire de sa mort, sous forme d'un colloque international qui s'est déroulé du 18 au 20 novembre 1991. Les exposés et les discussions ont été répartis en six séances auxquelles devaient s'ajouter une substantielle allocution d'ouverture de Carlos Bazàn, doyen de la faculté des arts de l'Université d'Ottawa, et un discours de Paule Leduc, présidente du Conseil de recherche en sciences humaines du Canada, qui soulignait l'importance de la recherche et de l'édition critique. À côté des critiques venus de tous les coins du pays et de l'étranger, les poètes sont là pour souligner, chacun à sa façon, le rayonnement de la parole nelliganienne. En tout, 26 participants signent un volume de 352 pages, *Émile Nelligan. Cinquante ans après sa mort* [ENCAM], qui impressionne par la richesse des réflexions sur l'œuvre mais étonne par le peu de renseignements sur l'homme. De ce livre commémoratif, on retient surtout l'excellent panorama du «Vaisseau d'Or» en traductions anglaises de Philip Stratford.

Il y eut, certes, des tentatives de déchiffrer — et de plusieurs façons — le destin de Nelligan. Nommons-en trois: Jean Larose, *Le Mythe de Nelligan* (1982) [LJMN], Jacques Michon, *Émile Nelligan. Les racines du rêve* (1983) [MJNRR], Pierre-H. Lemieux, *Nelligan amoureux* (1991) [LPHNA].

Jean Larose tient Nelligan pour un vrai mythe, pérenne, vivant, fixé et populaire. Il y voit, s'inspirant des psychanalystes Nicolas Abraham, Maria Torok et Sandor Ferenczi, un homme s'efforçant de combler «une lacune

15

dans la communication» du Canadien français avec l'Inconscient [LJMN 31-32]. Le travail de Larose vaut pour
son interprétation, lui qui trace un parallèle entre l'abîme
du rêve de Nelligan et la catastrophe des Plaines d'Abraham. Quant aux références strictement biographiques, il
faudra les rectifier à bien des endroits.

L'ouvrage de Jacques Michon, *Émile Nelligan. Les
racines du rêve*, veut porter un regard neuf sur l'œuvre,
utilisant une méthode qui tient à la fois de la sémantique
et de la sémiotique, de la mise en évidence de l'institution
littéraire et de la textologie. Les analyses renvoient à des
faits précis, tant littéraires que sociaux ; elles mettent à
profit la signification d'un certain nombre de pièces de
Nelligan, en particulier les textes asilaires. Le discours
aliénant des manuscrits d'hôpital est présenté comme la
continuation d'un rêve de la conscience créatrice où la
poésie de la folie et la folie de la poésie plongent leurs
racines dans une écriture qui s'impose.

Le *Nelligan amoureux* de Pierre-H. Lemieux est
d'une autre nature : «faire du récit par le texte». Le thème
de l'amour inscrit dans les poèmes de Nelligan sera
soumis à une analyse textuelle que l'auteur qualifie
d'«interne». Classant les poèmes choisis dans un ordre
chronologique approximatif, Lemieux distingue trois périodes : la contestation (d'octobre 1895 à l'automne de
1897) ; la conversion (de l'automne de 1897 à la fin de
1898) ; l'aliénation (la période après l'ovation de «La
Romance du Vin», donc après le 26 mai 1899). L'auteur
voit ainsi dans l'œuvre de Nelligan d'abord la «vierge
blanche et rose», ensuite la «vierge blonde» et, en troisième lieu, la «vierge noire». Si les deux dernières font
revivre le thème de l'amour sous le signe de la blonde
Gretchen et de la brune Françoise, avec toutes les méta-

16

morphoses qui s'imposent, de la première, mi-vierge mi-ange, se dégagent des pièces virgiliennes: «Les Angéliques», «Le Hameau natal», «Un rêve de Watteau», «Premier remords», «Presque berger» et autres textes ruraux. Une jolie fille énigmatique surgit à côté de Fritz, vénérable chevrier dont la demeure se serait trouvée quelque part sur le flanc du mont Royal. La jeune bergère serait d'origine suisse-allemande, morte probablement en octobre 1895, dont le poème «Qu'elle est triste» serait un écho certain. Il faut reconnaître que cette analyse textuelle est habilement menée, mais, finalement, tout demeure — au sens strict de la biographie — au niveau d'une belle hypothèse.

La revue des études consacrées à Nelligan serait incomplète sans mentionner l'apport de Réjean Robidoux. Sa connaissance du monde nelliganien, sa pensée constamment aux aguets se manifestent dans un style à la fois précis et élégant, mordant aussi lorsqu'il le faut. Son volume *Connaissance de Nelligan* [RRCN], publié en 1992, regroupe ses articles antérieurs, qu'on aurait intérêt à relire. On y trouve des évaluations pertinentes de *Nelligan n'était pas fou!* de Bernard Courteau, du *Portrait déchiré de Nelligan*, une fiction dramatique d'Aude Nantais et de Jean-Joseph Tremblay, de même qu'un jugement nuancé sur *Nelligan. Un opéra romantique* d'André Gagnon et de Michel Tremblay. En scrutant attentivement le paysage nelliganien, Robidoux approfondit avec les années sa connaissance de Louis Dantin, de son vrai nom Eugène Seers, auteur de l'édition princeps de Nelligan. Ainsi publie-t-il, en 1997, l'édition critique d'*Émile Nelligan et son Œuvre* [NEO-R], accompagnée d'une «Chronologie» exceptionnelle. Avec la même rigueur scientifique, il fait paraître, en fac-similé, le recueil de poésie collectif que Dantin a publié en 1900: *Franges d'Autel* [FA-R]. Ces deux ouvrages cernent la vie et l'œuvre de Louis Dantin, et ouvrent l'horizon des connaissances historiques et littéraires sur le destin d'Émile Nelligan.

C'est sur un tel fond qu'il faut situer ma *Biographie* de Nelligan, publiée en 1987 à l'occasion du 50e anniversaire des Éditions Fides. En partant de mes recherches poursuivies depuis une trentaine d'années, j'ai commencé à rédiger une biographie de Nelligan après avoir réfléchi au préalable à la grille théorique la sous-tendant. Je l'ai voulue *systématique*, c'est-à-dire construite progressivement dans le temps et l'espace; je l'ai aussi voulue *scientifique*, c'est-à-dire composée de faits ordonnés et commentés, appuyés sur des preuves documentaires solides. Dans ce qui a déjà été dit, il a fallu rectifier et préciser une foule de détails et, à l'occasion, élaguer les à-peu-près ainsi que les témoignages fantaisistes. Il convenait, bien entendu, de mettre au jour des faits nouveaux pour rendre la vie de Nelligan toujours plus complète, plus véridique.

La *Biographie* de Nelligan de 1987 ainsi que celle, synthétique, que je publie aujourd'hui insistent sur les entours du sujet pour la simple raison qu'on ne les a jamais étudiés à fond. C'est donc de propos délibéré que la description des antécédents paternels et maternels de Nelligan est donnée avec force détails relatifs aux personnes, au milieu, à la géographie, à l'histoire. Ce faisant, je crois mettre à jour les vraies racines de Nelligan. Elles tiennent incontestablement aux apports des deux familles, branches contrastantes sinon opposées, prémices d'un destin qu'il a fallu chercher aux abords des voies qui mènent l'une à Dublin, l'autre à Rimouski. L'identité humaine suppose ici deux lignées ancestrales qui produisent, par alliance, un croisement de deux langues, de deux cultures et de deux traditions. Il va sans dire que mon récit biographique englobe le proche et le lointain, un cours existentiel complexe que je trace à l'aide de documents précis et en bonne partie nouveaux.

Environ les deux tiers des renseignements qu'on lira dans la présente biographie concernent Nelligan et son œuvre. Mais j'ai voulu aussi faire revivre son milieu et son époque. L'aventure individuelle du poète s'inscrit en effet dans un contexte socioculturel précis. Sur lui jouent des forces qui lui sont tantôt favorables, tantôt défavorables : tradition familiale, influences religieuses, milieu scolaire, manifestations culturelles, événements politiques, situation économique... Quelles que soient les aspirations d'un individu, il lui faut composer avec les impératifs de son temps ; tantôt il les accepte, tantôt il les rejette. En général, Nelligan nage dans ses rêves en porte à faux avec son environnement immédiat : famille, école, tradition littéraire... Sa destinée se déroule sur trois plans à la fois : individuel, social et artistique. Pour suivre sa vie, il m'a fallu parcourir du regard ces trois zones d'existence. La tâche n'a pas toujours été facile. Faute de documents écrits — il n'existe à peu près pas de lettres signées par le poète, ses parents ou ses amis — nous sommes privés de sources de première importance. Il y a aussi des périodes dans la vie de Nelligan où il m'a été parfois difficile de poursuivre mon récit sans interruption. Quand les moyens de lever les imprécisions manquent, le tableau demeure forcément incomplet.

Il reste que mes recherches en vue de la biographie de Nelligan ont été longues et diverses. J'ai d'abord lu à peu près tout ce qui a été publié sur l'auteur du « Vaisseau d'Or ». J'ai consulté des collections de livres et de-

journaux dans de nombreuses bibliothèques au Canada, aux États-Unis, en France, en Belgique et en Angleterre. J'ai exploré des fonds d'archives publics et privés et examiné des registres d'état civil à Montréal, des registres paroissiaux dans de nombreuses églises du Bas-du-Fleuve, surtout à Rivière-Ouelle, à Kamouraska et à Rimouski. J'ai consacré de longues semaines à fouiller l'héritage socioculturel de Cacouna afin de retrouver les traces de Nelligan dans cette station balnéaire. J'ai fait des recherches en France et en Irlande pour mieux connaître les ancêtres du poète. Je n'exagère pas beaucoup en disant avoir remonté aux lointaines origines de Nelligan en prenant aussi en considération sa fortune *post mortem*, ce qui nous conduit à la fin de notre siècle.

En plus des documents manuscrits et imprimés, j'ai pu interviewer un bon nombre de personnes qui avaient connu le poète : Louvigny de Montigny, Jean Charbonneau, Joseph et Bernard Melançon, Albert Laberge, Louis-Joseph Doucet, les docteurs Gabriel Nadeau, Guillaume Lahaise et Lionel Lafleur. J'ai beaucoup appris chez madame Béatrice Hudon-Campbell, cousine germaine du poète. Les neveux de Nelligan, Maurice et Gilles Corbeil, ont toujours été favorables à mes recherches et m'ont accordé leur entière collaboration. Bien d'autres personnes m'ont prêté leur concours. Ainsi ai-je glané tous les détails possibles, renseignements souvent confrontés entre eux, pour assurer une véracité maximale au discours biographique qu'on va lire.

I

Le jardin de l'enfance

Montréal des années 1880
Vue de la tour de l'église Notre-Dame. Photo Notman.
(Archives photographiques, Musée McCord)

Un enfant est né

La nuit de Noël de 1879 s'annonçait glaciale. Les quartiers de Montréal étaient encombrés de bancs de neige. Sur les trottoirs des rues Notre-Dame et Saint-Paul, les piétons avaient tracé d'étroits sentiers. Pour les hommes affairés et les femmes à la recherche d'étrennes, il ne restait que peu de temps pour passer d'un magasin à l'autre. Le 24 décembre annonçait déjà, dans la somptuosité de ses lumières, la fête imminente de la naissance divine.

Le soir avançait à grands pas. Dans le vieux quartier de Saint-Laurent, au 602 de la rue de La Gauchetière, au creux d'une fenêtre, Mme Patrick Nelligan avait allumé une petite bougie pour voir ses souhaits exaucés. Depuis déjà quelques jours, sa belle-fille Émilie Amanda ressentait des douleurs qui ne cessaient d'augmenter. « Pourvu que ce soit un garçon... Pourvu qu'il naisse avant minuit... », répétait-elle à voix basse. Légèrement courbée, mais encore très alerte, la belle-mère d'Émilie avait tout préparé pour la naissance tant attendue. La sage-femme devait venir bientôt : elle passerait ainsi une troisième nuit chez les Nelligan.

La nuit tombait rapidement. David Nelligan, le mari d'Émilie, était revenu à la maison de bonne heure. Sa voix se mêlait à celle de Mme Patrick Nelligan. Une atmosphère fiévreuse régnait dans l'attente de l'événement. Brusquement, un petit cri se fit entendre, puis un autre, suivis de vagissements de plus en plus perçants, puis des pleurs... Quelques instants plus tard, un voisin aussi curieux qu'amical, Daniel Kearns, frappait. Mme Patrick Nelligan entrebâilla la porte : « *It's a boy!* » s'exclama-t-elle. Le propriétaire de l'immeuble présenta ses félicitations en anglais et, dans un élan de fraternisation, il offrit d'emmener le lendemain le nouveau-né en traîneau à l'église Saint-Patrick pour y être baptisé.

La nuit était étoilée, sans un souffle d'air. Vers minuit, Mme David Nelligan se sentait déjà mieux. Quand les cloches commencèrent à sonner et que les grelots des traîneaux animèrent de leur musique les sentiers menant aux églises, la jeune mère, originaire de Kamouraska, prit le nouveau-né dans ses bras et, le serrant très fort contre sa poitrine, dit à ceux qui l'entouraient : « Il s'appellera Émile ! Sa mère s'appelle Émilie Amanda. Sa grand-mère portait le nom d'Émilie Julie. Oui, il s'appellera Émile. » Et les cloches chantaient gaiement dans le ciel montréalais de Noël 1879. Au 602 de la rue de La Gauchetière, un premier enfant venait de naître à Émilie Amanda Hudon, 23 ans, et à David Nelligan, 30 ans, mariés depuis le 15 juin 1875.

Le lendemain, jour de Noël, la famille Nelligan et ses amis se donnèrent rendez-vous à l'église Saint-Patrick, de la paroisse des Irlandais de Montréal. Imposante, ouverte au culte religieux en 1847, cette église desservait en 1879 quelque 8000 âmes. Après la cérémonie d'usage, l'abbé Bray rédigea en anglais l'acte de baptême (registre B475-1879), dont voici la traduction française :

> Le 25 décembre mil huit cent soixante-dix-neuf, nous soussigné, prêtre, avons baptisé Émile, né hier de l'union légitime de David Nelligan, inspecteur adjoint des Postes, et d'Amélie Amanda Hudon, de cette paroisse. Le parrain et la marraine ont signé avec le père.

Outre la signature du prêtre suivaient, dans l'ordre, celles de David Nelligan et des grands-parents Patrick et Catherine Nelligan, parrain et marraine du nouveau-né. Il est à noter que l'acte de baptême donne mal le prénom de la mère : Amélie Amanda au lieu d'Émilie Amanda. En raison des nombreuses maladies infantiles qui sévissaient à l'époque et du taux très élevé de décès chez les petits enfants, l'Église recommandait de baptiser les nouveau-nés le plus rapidement possible. Le hasard voulut donc que le baptême d'Émile Nelligan coïncidât avec le jour de Noël, qui, en 1879, tombait un jeudi. Qui eût pu prévoir à cet instant la turbulente aventure poétique de ce fils d'un obscur employé des postes du quartier Saint-Laurent ?

*
* *

Pour la postérité, l'année 1879 est doublement importante. Le 16 janvier, au Havre, s'était éteint Octave Crémazie, romantique québécois, exilé en France depuis 1862, représentant d'un mouvement littéraire appelé parfois l'«École patriotique de Québec», admirateur de Hugo, de Musset et de Lamartine. À la fin de cette même année naît Émile Nelligan, un enfant comme tant d'autres, futur membre de l'École littéraire de Montréal, épris de Verlaine, de Baudelaire, de Rimbaud... D'une part, l'écho vient du «Drapeau de Carillon»; de l'autre, du sonnet «Le Vaisseau d'Or». La mort de Crémazie au Havre et la naissance de Nelligan à Montréal font de l'année 1879 un jalon marquant dans la vie littéraire aux bords du Saint-Laurent.

Ancêtres paternels: les Nelligan

En Émile Nelligan, deux cultures, deux peuples, deux traditions s'entrecroisent: gaélique et canadien-français. Par son père, Émile est de souche irlandaise. Ses origines remontent au XIVe siècle; on en trouve des traces dans les comtés de Cork et de Kerry. Le nom même a connu plusieurs formes: O'Niallagáin, Niall, Neil, Neal, Nelgan, Neligan... La grand-mère paternelle de Nelligan, Catherine Flynn, est également de vieille souche irlandaise issue des régions de Cork, de Waterford, aux abords de Connaught et de l'Ulster, et aussi des comtés de Roscommon, de Leitrim et de Cavan. Le nom Flynn dérive du gaélique «flann», qui signifie roux, et connaît au moins trois autres formes: O'Floinn, O'Flynn, et O'Lynn. On le trouve aussi au Canada: un des premiers ministres du Québec (1896-1897) s'appellera justement Edmund James Flynn.

Les grands-parents d'Émile Nelligan, Patrick Neligan et Catherine Flynn, se marient à l'église métropolitaine Saint Mary, à Dublin, le 24 janvier 1847. Le jeune couple appartient d'abord à la paroisse Saint Agathe puis à celle de Saint Mary. Le recensement effectué à Dublin en 1851 prouve que la famille de Patrick Neligan habite le 2, Bayview Parade, entre les routes Ballybough et North Strand, qui allait devenir, en 1866, l'avenue Charleville. Sur la feuille de recensement comme dans le registre du Rotunda Hospital de Dublin de 1848, le nom du grand-père du poète porte un seul «1»: Neligan. Tout tend à prouver que les grands-parents d'Émile Nelligan habitèrent la nouvelle banlieue de la capitale irlandaise, appelée Bayview ou Bayview Development. L'endroit se ressent de la proximité de la mer: l'Atlantique pénètre profondément dans la terre formant une anse qui va de l'île North Bull jusqu'à Fairview Park, là où un cours d'eau, sous le nom de Tolka River, traverse allégrement la ville.

Il est impossible d'établir avec précision la date de naissance des grands-parents paternels du poète. Les indices dont nous disposons nous permettent cependant de supposer que Patrick Neligan serait né le 13 mars 1819, à Buttevant, de Patrick Neligan et de Margaret Daly. Quant à Catherine Flynn, sa femme, elle serait née elle aussi vers 1820, à Milltown, comté de Kerry, de Michael Flynn et de Catherine Moriarity.

Au milieu du XIXe siècle, le nom Neligan était rare à Dublin. Tout porte à croire que les grands-parents du poète ont quitté le sud de l'Irlande pour chercher à Dublin une vie meilleure. Cependant, un simple travail de domestique n'a pu assurer au grand-père d'Émile Nelligan une rémunération intéressante. De plus, la famille grandissait. S'il faut en croire le *Register of Labour Patients* du Rotunda Hospital de Dublin, trois enfants sont nés: David, le 11 juillet 1848; Margaret, le 17 novembre 1850; Patrick, le 20 mars 1855.

Il est impossible de déterminer la date d'arrivée de la famille Patrick Neligan au Canada. Selon toute vraisemblance, il s'agit de l'automne de 1855 ou du printemps de 1856. La deuxième date apparaît comme la plus plausible. Patrick Neligan et sa femme Catherine sont déjà dans la trentaine avancée. David, qu'on appelle parfois au Canada John David, est âgé de huit ans, Margaret, sa sœur, de six ans, Patrick, son frère, appelé parfois Joseph Patrick, d'un an. On ne sait comment la famille Patrick Neligan a passé ses premiers mois au Canada. Les immigrés ont vraisemblablement bénéficié de l'aide de leurs compatriotes groupés autour de l'église Saint-Patrick.

Ce qui est sûr, c'est qu'en mars 1857, Patrick Neligan fait des démarches pour trouver un emploi au bureau de poste de Montréal. Les choses semblent s'améliorer. Le 1er avril 1857, il est engagé à titre de «messager» (*messenger*). Son travail consiste à acheminer les messages là où la poste l'envoie. Son salaire initial, qui était de 365 dollars par an, passe à 590 dollars en 1885. Il ne s'agit certes pas d'émoluments très élevés, mais ils vont permettre à une famille d'immigrés éprouvée par la misère (une effroyable famine a frappé l'Irlande dans les années 1840) d'organiser sa vie d'une manière décente. Une fois engagé par le bureau de poste, le nouvel employé écrira son nom avec deux «l»: «Nelligan».

On ne saurait dire où exactement a habité Patrick Nelligan pendant ces quatre premières années à Montréal. Son adresse paraît pour la première fois dans le *Mackay's Montreal Directory* en 1861: 33, rue Juré. En 1866, il habite 47, rue Hermine et, deux ans après, 17, rue Saint-Germain. Enfin, en 1869, la famille emménage dans un appartement plus grand, au 602 de la rue de La Gauchetière (ce numéro civique devient, en 1887, le numéro 708). Le loyer, fixé à 120 dollars par an, représente à peu près le tiers du salaire de Patrick Nelligan.

C'est donc au cœur du Vieux-Montréal que s'organise tant bien que mal la vie de la famille de Patrick Nelligan. Les enfants — David, Joseph Patrick, Margaret et Cathy (née à Montréal le 1ᵉʳ septembre 1858) — fréquentent des écoles de langue anglaise dans le but de trouver du travail le plus rapidement possible. Les filles commencent à gagner leur vie à l'âge de 15 ans : Margaret est correctrice d'épreuves, tandis que Cathy est vendeuse dans un magasin. Par la force des choses, les fils, très jeunes, deviennent employés : le cadet Patrick obtient un diplôme de comptable avant même d'avoir atteint sa dix-huitième année ; l'aîné, David (futur père d'Émile), commence à travailler à l'âge de 16 ans, au bureau du Grand Tronc de Montréal pour passer ensuite, le 22 novembre 1867, au service des Postes du Canada. D'abord commis de bureau, il avancera d'échelon en échelon dans l'administration pour obtenir, au bout de 25 ans, le poste d'inspecteur adjoint, avec un salaire annuel, en 1895, de 1600 dollars. David Nelligan parvient à maîtriser relativement bien le français et apprend même les rudiments de l'italien. Il s'intègre facilement à son milieu de travail tout en étant fortement attaché à la tradition irlandaise. La vie de la famille Nelligan à Montréal est mêlée à un demi-siècle de l'histoire des Postes au Canada. De 1857 à 1906, Patrick et David Nelligan apportent leur modeste contribution au fonctionnement d'un service postal qui commença de façon primitive sous Talon, se mua en système des postes de relais avec le sieur Nicolas Lanouiller avant d'imiter le modèle britannique et de constituer le ministère des Postes canadiennes indépendantes.

Ancêtres maternels : les Hudon

Par sa mère, le poète Émile Nelligan appartient à la souche des Hudon canadiens, dont les générations se succédèrent dans le Bas-du-fleuve, plus précisément dans la région de Rivière-Ouelle. Les registres de l'église Notre-Dame-de-Liesse sont à cet égard riches en renseignements. C'est là qu'est né, le 13 juin 1821, Joseph-Magloire Hudon, grand-père maternel d'Émile Nelligan: il fait partie de la sixième génération des Hudon canadiens.

Il faut remonter à 1664 pour retrouver les traces de Pierre Hudon, le premier de cette famille à s'installer en Nouvelle-France. Selon le recensement de 1666, le Français venu de Chemillé (autrefois dans l'arrondissement de Cholet, évêché d'Angers, aujourd'hui dans le Maine-et-Loire), travaille au pays comme boulanger à titre de « non-habitant travaillant à Québec ». Par la suite, probablement en 1667, il s'enrôle dans l'armée. Soldat, il fait partie de la compagnie commandée par le chevalier Hector d'Audigné de Grandfontaine, le lieutenant François Prévost et l'enseigne Pierre Bécart de Granville. Cette unité, en poste tantôt à Québec même, tantôt dans les environs, est affectée surtout à la construction et à la consolidation des fortifications. C'est là que le jeune soldat a choisi, selon l'usage qui a cours dans l'armée française, le sobriquet de « Beaulieu ». Ce choix s'explique par le fait que le village ancestral de Pierre Hudon, situé dans une jolie région vallonnée à la frontière de l'Anjou et du Poitou, s'appelle Beaulieu-sur-Layon. Il reste que la carrière militaire de Pierre Hudon est brève: en 1668, il devient colon.

Ainsi, Pierre Hudon dit Beaulieu va regagner, en 1672, la nouvelle concession de la seigneurie de Rivière-Ouelle, accordée par Jean Talon à Jean-Baptiste-François Deschamps de la Bouteillerie. La terre du nouveau colon se situe entre le Roule-Billots et le fleuve, au lieu dit l'Anse aux Iroquois: 8 arpents de large sur 42 de long. Après une période d'essai, cette concession, tout près du domaine seigneurial, lui est officiellement cédée en 1676. La même année, le 13 juillet, Pierre Hudon dit Beaulieu se marie à Québec avec Marie Gobeil, qui va lui donner 12 enfants. C'est précisément là, dans les années 1670, que commence la vie agricole des Hudon canadiens.

La plume n'était pas le fort de ces colons qui maniaient plus volontiers la hache que la charrue. La plupart ne savaient ni lire ni écrire. Plus tard, comme pour résumer cette période besogneuse des pionniers vaillants, on inscrira dans les armoiries de Rivière-Ouelle cette devise combien éloquente : « Labeur et Valeur ». Joseph-Magloire Hudon, le grand-père d'Émile Nelligan, aurait dû labourer les champs sans savoir ni lire ni écrire, mais le destin en a décidé autrement. Depuis 1825, Rivière-Ouelle possédait son école paroissiale, où l'on ne pouvait toutefois suivre tout le cours élémentaire. C'est une réussite certaine si l'on pense que seuls quelques enseignants de passage étaient auparavant venus dans les rangs pour montrer à lire, à chanter et à écrire leur nom à quelques enfants intéressés. Joseph-Magloire suit donc un cours élémentaire à l'école de la fabrique. Il semble que l'élève s'acquitte bien de ses tâches d'écolier, puisque le curé Pierre Viau l'encourage à continuer ses études. Il entre donc, le 16 septembre 1834, au collège Sainte-Anne-de-la-Pocatière, fondé par l'abbé Charles-François Pinchaud en 1827. Le collégien se rend ensuite à Québec pour étudier le droit dans la célèbre étude de Dunbar Ross, située au 59 de la rue Saint-Louis. Joseph-Magloire Hudon y brille par son intelligence. Il suit la même ligne de pensée que le journal *L'Artisan*, animé par James Huston, Charles Bertrand et Stanislas Drapeau. Il est admis au barreau le 17 octobre 1846 et exerce aussitôt sa profession d'avocat, d'abord comme associé d'Aurèle Plamondon (premier président de l'Institut canadien), au 12, rue Saint-Pierre, puis seul, au numéro 38 de la même rue.

Le 21 janvier 1850, le jeune avocat épouse Émilie Julie Morissette, fille d'un commerçant de Saint-Roch. Vers la fin de 1850, les nouveaux mariés s'installent à Kamouraska, où progresse la colonisation aux abords de la route vers Rimouski. L'endroit vient d'être choisi comme chef-lieu de la Cour supérieure et offre des perspectives de travail intéressantes pour le juriste. Sur les anciennes terres des Malécites, des Micmacs et des Abénakis surgit une nouvelle civilisation dont Cabot, Cartier, Roberval et Champlain avaient planté les premiers jalons.

Dans ces circonstances s'ouvrent pour maître Hudon des possibilités d'avancement. En 1858, il prend le chemin de Rimouski. La Cour supérieure y est présidée par l'honorable Jean-Thomas Taschereau, frère de Mgr Elzéar-Alexandre Taschereau (futur cardinal). Magloire Derome y est protonotaire. Le village de Rimouski ne comptait, en 1860, qu'une cinquantaine d'habitations. Mais les progrès furent notables, surtout à partir du moment où Saint-Germain-de-Rimouski est désigné comme cadre administratif pour le territoire couvrant le Bas-Saint-Laurent et la Gaspésie. C'est là que Joseph-Magloire Hudon ouvre son bureau d'avocat. En 1862 s'achève la construction de la cathédrale de Rimouski. En 1869 a lieu l'incorporation de la ville de Saint-Germain-de-Rimouski. La première réunion du conseil municipal se déroule le 10 mai 1869 ; l'avocat Joseph-Magloire Hudon est élu maire. Quatre ans durant, il s'appliquera à organiser cette nouvelle municipalité. Le maire devient aussi président de la première Société Saint-Jean-Baptiste de cette localité.

Joseph-Magloire Hudon et Émilie Julie Morissette ont eu sept enfants. Trois sont nés à Kamouraska : Joseph Adolphe, né le 27 juin 1854, mort en bas âge ; Marie Émilie Amanda, née le 5 mai 1856 (la future mère d'Émile Nelligan), et Joseph Édouard, né le 30 juin 1857. À Rimouski naissent, entre 1858 et 1864, quatre autres enfants : Marie-Louise Elmina, Ernest Édouard, Marie Laure Henriette et Ernest Arthur. Les enfants des Hudon meurent en bas âge à l'exception de Marie Émilie Amanda, Joseph Édouard et Marie-Louise Elmina. En 1871, ils sont âgés respectivement de 14, 13 et 12 ans.

Jouissant en apparence d'une certaine aisance, le maire est pourtant fort endetté. Au printemps de 1871, une épidémie de fièvre typhoïde ébranle fortement la petite communauté de la ville de Rimouski. Le maire et sa femme ne sont pas épargnés et vont se ressentir longtemps des effets néfastes d'une maladie qui devait réapparaître l'année suivante. Le 20 septembre 1873, la nouvelle de la mort subite du maire de la ville de Saint-Germain-de-Rimouski sème la consternation. On loue les qualités du défunt : esprit éclairé, jugement sûr et nuancé, noblesse de cœur, élévation d'âme... Tel fut aux yeux de ses contemporains Joseph-Magloire Hudon, maire exemplaire, avocat sans fortune. Parmi les trois orphelins, Marie Émilie Amanda a 17 ans. Elle aura pour subrogé tuteur Noël Hudon, frère du défunt, cultivateur de Saint-Anaclet. Précaution judicieuse, car, 15 mois plus tard, les enfants perdent aussi leur mère, décédée le 13 décembre 1874. Il faudra envisager une nouvelle vie sans parents.

Les parents d'Émile Nelligan

D'après les souvenirs de Mme Béatrice Hudon-Campbell, Émilie Amanda Hudon et David Nelligan se seraient rencontrés au bureau de poste de Rimouski au cours de l'été de 1874: la jeune fille avait 18 printemps; lui venait de fêter son 25e anniversaire. Tous deux sont jeunes et la différence d'âge semble normale entre futurs époux. Émilie Amanda est de langue et de culture canadiennes-françaises et parle anglais avec un léger accent. David est de langue anglaise, élevé dans la stricte tradition irlandaise; il parle français mais avec un fort accent anglais. Tous deux sont de fervents catholiques, ce qui facilitera leurs rencontres.

Il y a deux ans déjà que l'inspecteur King a confié à David Nelligan certains travaux d'inspection qui l'amènent à travailler en dehors de Montréal. Il espère ainsi que son protégé sera mieux à même d'occuper un jour le poste d'inspecteur adjoint. En attendant, David est toujours commis de bureau, catégorie 2, et à ce titre, il accepte volontiers, quand l'occasion se présente, de travailler à la campagne. Tous les prétextes sont bons pour filer vers le Bas-du-fleuve. Apparemment, David et Émilie Amanda commencent à s'écrire. Il serait intéressant de pouvoir prendre connaissance d'une telle correspondance. Mais tout porte à croire que les lettres échangées sont à jamais perdues. Ce qu'on sait, c'est qu'Émilie Amanda était une jeune fille sensible, timide, trop jeune pour vivre une passion orageuse. Lui était plutôt entreprenant et avait la conviction que passé le cap des 25 ans, il ne restait plus à un homme qu'à se trouver une belle épouse.

Émilie Amanda Hudon a reçu une instruction qui convenait à l'époque à une jeune fille de la bourgeoisie.

Émilie Amanda Hudon à dix-neuf ans
Future mère du poète. À partir du 15 juin 1875,
Mᵐᵉ David Nelligan. Photo L. P. Vallée, Québec.
(Collection Nelligan-Corbeil)

Après l'école primaire, elle passe quatre ans (septembre 1866-1870) au couvent des sœurs de la congrégation de Notre-Dame de Rimouski. Elle y suit des cours variés : instruction religieuse, grammaire, composition et conversation françaises, histoire générale et histoire du Canada, géographie, traduction, théorie musicale, musique instrumentale. On trouve dans *La Voix du Golfe*, journal politique, religieux, agricole et littéraire de Rimouski, quelques échos des succès scolaires d'Émilie Amanda Hudon. Le 4 juillet 1867, lors de la distribution des prix, elle reçoit le premier prix en musique instrumentale (3e division). En 1868, elle se voit de nouveau décerner le même prix, dans la même division, ainsi que le premier prix de vocabulaire et le deuxième prix de traduction. En 1869, l'école lui accorde le premier prix de musique (2e division) et le premier accessit en histoire du Canada. En 1870, elle obtient le premier prix de traduction et le deuxième prix de conversation (2e classe, 1re division), le premier accessit d'arithmétique (3e division) et une mention honorable en musique (2e division). Ces renseignements donnent à penser qu'Émilie Amanda Hudon était une bonne élève et qu'elle excellait surtout dans les cours de musique. Ainsi se confirme l'image de la belle musicienne que son fils Émile chantera dans ses poèmes après 1895.

La mère d'Émilie Amanda, malade au cours des dernières années de sa vie, a vu d'un bon œil les avances que David Nelligan faisait à sa fille. Être à l'emploi du gouvernement fédéral, c'est à ses yeux être assuré d'un travail permanent et d'un salaire convenable. Les événements se précipitent. La mère d'Émilie Amanda meurt en décembre 1874. Au printemps de 1875, les jeunes gens décident de se marier. Les rares photographies qui perpétuent les traits de la jeune Émilie Amanda la montrent

sérieuse, drapée dans une jolie robe noire à col blanc où
se détache une double chaîne de bijoux : son visage ovale
est illuminé par des yeux perdus dans le lointain ; un large
ruban retient une abondante chevelure qui tombe jusqu'à
la ceinture : une vraie beauté dont le portrait doucement
romantique ressemble à ceux que *L'Opinion publique* offrait de temps en temps à ses lecteurs.

Le mariage de David Nelligan avec Émilie Amanda
Hudon est célébré à la cathédrale de Rimouski le 15 juin
1875. L'acte de mariage, rédigé par le vicaire Alphonse
Vigeant, précise que le nouveau marié est « employé des
Postes de la paroisse Saint-Patrick de Montréal » et que la
jeune fille se marie « avec le consentement du subrogé
tuteur, sieur Noël Hudon ». Le document est signé par
David Nelligan et la nouvelle mariée (qui écrit « A.
Hudon »), Noël Hudon, Joseph Hudon, frère de la mariée,
Eugénie Michaud et Joseph Garon.

À la fin d'août 1875, les jeunes mariés se rendent à
Montréal. La grande ville est le théâtre, depuis 1858,
d'une controverse qui oppose Mgr Ignace Bourget à l'Institut canadien, jugé voltairien, impie, et que l'évêque
somme d'expurger sa bibliothèque sous peine d'excom-
munication. La polémique s'est envenimée en 1869,
quand est mort un pauvre typographe, membre de l'Institut, Joseph Guibord dit Archambault, et dont le cimetière
catholique a refusé la dépouille. Le disparu doit être in-
humé au cimetière protestant sur la montagne. À la suite
d'une série de procès qui se rendent jusqu'au Conseil
privé de Londres, favorable à Guibord, les restes du typographe peuvent finalement passer, le 16 novembre 1875,
au lot familial (N 873) du cimetière de la Côte-des-Neiges. Cette histoire est largement rapportée par les journaux, discutée par les fidèles sur la place des églises et

commentée tant par les notables que par les gens du peuple.

À Montréal, David Nelligan et sa femme Émilie Amanda, pour des raisons strictement économiques, partagent l'appartement de Patrick et Catherine Nelligan, pour ainsi économiser un peu d'argent et être à même, d'ici quelques années, de voler de leurs propres ailes. Tout s'annonce d'ailleurs fort bien, car on annonce à David Nelligan une promotion qui sera officiellement approuvée en décembre 1877 : il deviendra alors inspecteur adjoint au bureau de poste de Montréal, moyennant un salaire de 1200 dollars par an. Émile aura deux sœurs : Béatrice Éva, née le 29 octobre 1881, et Gertrude Freda, née le 22 août 1883.

Il va sans dire que la vie commune a ses bons et ses mauvais côtés. À la demeure des Nelligan, 602, rue de La Gauchetière, deux traditions s'affrontent. L'existence qui s'ouvre à la jeune mariée est pleine de découvertes et de contrastes. Le jeune ménage envisage l'avenir avec espoir. Leur premier enfant, Émile, né la veille de Noël de 1879, est prédestiné à porter en lui ces deux sangs et ces deux cultures. Plus tard, Louis Dantin décrira ainsi ce caractère :

> Né d'un père irlandais, d'une mère canadienne-française, il sentait bouillir en lui le mélange de ces deux sangs généreux. C'était l'intelligence, la vivacité, la fougue endiablée d'un Gaulois de race, s'exaspérant du mysticisme rêveur et de la sombre mélancolie d'un barde celtique. Jugez quelle âme de fer et de poudre devait sortir de là ! quelle âme aussi d'élan, d'effort intérieur, de lutte, d'illusion et de souffrance ! [NEO-D v].

On ne saurait ignorer un tel atavisme. Aussi convient-il de mesurer l'esprit et le cœur d'un être humain par ce que ses parents représentent. Impossible toutefois pour un enfant de suivre allégrement deux chemins à la fois. David et Émilie Amanda Nelligan semblent mesurer combien il est difficile de recevoir en héritage deux cultures et deux langues. La mère prévaut : Émile sera élevé en français. Les amis de la famille disent que l'enfant est beau et intelligent. On lui prédit une belle profession libérale. Personne ne s'est aperçu que les étincelles du génie poétique brillent dans ses jolis yeux bleus. *Nascuntur poetæ* : Émile Nelligan est né poète ; il va faire de la poésie le centre de sa vie. Mais d'abord, il lui faut aller à l'école pour apprendre à lire et à écrire.

L'écolier

Doué d'une intelligence supérieure, Émile Nelligan n'est toutefois pas un élève exemplaire. Le cours au programme fixe, strictement obligatoire, enseigné avec rigueur selon la vieille tradition classique, convient mal à un élève peu discipliné et, par surcroît, rêveur. Certes, le jeune Nelligan montre un certain intérêt pour les « humanités », donc pour les langues et la littérature — français, anglais, grec et latin —, mais là encore, il est prisonnier de son émotion et de ses choix faits un peu au hasard, quoique avec beaucoup d'intuition, il faut le dire, de sorte qu'il s'engage presque toujours sur la voie de l'originalité. Sa mère voudrait tant que son fils réussisse bien à l'école. Son père, fortement éprouvé par la misère en Irlande, désire que son fils devienne avocat, médecin peut-être, comptable agréé ou fonctionnaire. Leurs vœux ne seront jamais exaucés. Émile Nelligan n'ignorait certes pas les espérances de ses parents et les encouragements de ses professeurs, mais il a voulu être «quelqu'un d'autre», «quelqu'un d'autre» à l'école, «quelqu'un d'autre» dans la vie.

À l'Académie de l'archevêché

Il est presque certain que Nelligan a commencé son cours primaire chez les frères des Écoles chrétiennes, à l'académie Saint-Antoine, appelée communément l'Académie de l'archevêché. Gérée d'abord par des prêtres et des instituteurs laïques, cette institution existait depuis 1860. En 1873, Mgr Ignace Bourget l'a confiée aux frères des Écoles chrétiennes. Elle faisait alors partie de l'archevêché de Montréal qui, en 1885, était situé au même endroit qu'aujourd'hui, soit au coin des rues de la Cathédrale et de La Gauchetière. Son entrée principale donnait à cette époque sur la rue Sainte-Marguerite (n°s 35-37), donc derrière l'archevêché. La rue Sainte-Marguerite reliait à cet endroit la rue de La Gauchetière et la rue Saint-Jacques. Elle prendra le nom de Sainte-Cécile vers 1907 et disparaîtra de la carte municipale un peu plus tard.

Que Nelligan, âgé de six ans, soit passé par cette école, cela est attesté par ses deux cousins germains : Béatrice Hudon-Campbell et Charles David Nelligan. Sa cousine m'a confié qu'Émile «a commencé son cours primaire dans une école près de l'archevêché». De son côté, le cousin «Charlie» a livré à M. Marcel Séguin le souvenir suivant :

> Émile, Gertrude (sa sœur, décédée en 1925) et moi-même, nous avons fréquenté la même petite école. D'abord une petite école située derrière l'archevêché, où Émile a fait sa première année, puis à l'école

> Olier. Je ne me souviens pas d'avoir fait une année
> complète et ce fut aussi, malheureusement, le cas
> d'Émile [SMEEN 665].

Si l'on prête foi à ces deux témoignages — et je ne vois
pas pourquoi il devrait en être autrement —, on constate
qu'Émile Nelligan commença son cours primaire avant
d'atteindre l'âge de six ans, en septembre 1885, année
assombrie par la pendaison de Louis Riel. L'Académie de
l'archevêché, alors sous la direction du F. Narcissus-
Denis, permettait à l'enfant de cinq ans de fréquenter
l'école à condition qu'il ait six ans à la fin de l'année
scolaire. À l'époque, l'école comptait 200 élèves répartis
en sept classes. On faisait discrètement de la publicité
pour attirer les enfants des environs. On ne sait rien des
notes obtenues par Émile Nelligan à la fin de cette année
scolaire. On peut toutefois présumer qu'elles n'étaient pas
extraordinaires. Son cousin Charles David (fils de Joseph
Patrick Nelligan et de Flavia Victoria Tisdale) affirme
sans ambages que ni lui ni Émile n'ont brillé par excès
d'assiduité à l'Académie de l'archevêché. Il mentionne de
nombreuses absences, ce qui, pour Émile Nelligan, allait
devenir à la longue une habitude.

À l'école Olier

En septembre 1886, Émile Nelligan, sac au dos, se dirige
vers l'école Olier, qui jouit d'une bonne réputation. Cette
institution, appelée au début académie Saint-Denis, a été
fondée en 1875 par L.-A. Primeau. En 1878, elle se fixe
définitivement dans le quartier Saint-Louis, sur un emplacement encadré par les rues Roy, Drolet, Sanguinet et
l'avenue des Pins. À cette époque, son adresse était 216,
rue Roy, où se situait aussi l'entrée principale de l'établis-

sement qui portait fièrement le nom du fondateur du séminaire de Saint-Sulpice, l'abbé Jean-Jacques Olier (1608-1657).

Inscrit à l'école Olier le 31 août 1886, Nelligan y demeurera jusqu'en juin 1890. Pendant quatre ans, de peine et de misère, l'écolier étudie sans trop de succès et parvient à terminer sa troisième année. Il est souvent absent. Est-il malade ou tout simplement nonchalant? Difficile à dire. En 1886, il manque une partie du mois de décembre, reste à la maison en janvier et manque les mois de mai et de juin. Après des vacances d'été à Cacouna et l'emménagement de sa famille dans une nouvelle demeure au 112 de l'avenue Laval (aujourd'hui n° 3686), tout près du carré Saint-Louis, Émile passe en deuxième année: une nouvelle inscription à l'école Olier porte la date du 31 août 1887. Cette année sera marquée par la maladie de son grand-père paternel, qui meurt le 5 mars 1888. Ce départ le bouleverse profondément. Émile ne parvient pas à terminer sa deuxième année: il brille de nouveau par son absence en mai et juin. Après un séjour d'été à Cacouna, il entreprend sa troisième année le 3 septembre 1888. Mais de nouveau il flanche au printemps de 1889: il est absent de l'école en mars, avril, mai et juin. Il manque pratiquement une demi-année. Le deuil frappe de nouveau la famille: sa grand-mère, Catherine Flynn Nelligan, s'éteint le 12 juin 1889 à l'âge de 67 ans. L'insuccès d'Émile à l'école Olier devient une habitude. Mais cette fois, le principal, L.-A. Primeau, se montre ferme: l'écolier doit reprendre en septembre sa troisième année. Il s'exécute sans enthousiasme et manque de nouveau plusieurs semaines de classe. Cependant, le 20 avril 1890, l'inspecteur de l'école inscrit le nom d'Émile Nelligan sur la liste des écoliers récompensés pour leur application et leur bonne conduite. Il semble, au mieux, qu'Émile travaille par saccades et que ses efforts ne sont pas soutenus. Les rapports deviennent tendus entre l'écolier et les instituteurs, et les parents d'Émile sont inquiets. Quant à lui, il lit toutes sortes de livres mais manifeste peu d'intérêt pour les études. On lui conseille de changer d'école. En attendant, il part avec sa mère et ses sœurs à Cacouna pour y rêver à sa guise.

À 11 ans, Émile Nelligan donne des signes évidents de manque d'assiduité. Il flanche toujours aux deuxième et troisième trimestres, au point d'abandonner ses études au printemps. S'agit-il ici d'un manque de persévérance, ou bien les forces physiques nécessaires à l'épanouissement progressif de son intelligence lui font-elles défaut? À la maison, l'enfant est tiraillé entre une mère sensible et un père de plus en plus intransigeant... L'été de 1890, passé à Cacouna, n'est pas de tout repos pour Émile, de plus en plus songeur. Que fera-t-il? Où ira-t-il? Un malaise règne au sein du foyer où le père hausse le ton. Le conflit qui se dessine entre le père et le fils s'exacerbe. La mère joue, dans la mesure du possible, le rôle de conciliatrice. La sœur d'Émile, Éva, dira un jour à sa tante Victoria que son frère était le «chouchou» de maman.

Au Mont-Saint-Louis

En 1888, les frères des Écoles chrétiennes fondent une institution d'enseignement qui se propose d'offrir aux enfants, selon leurs inclinations et leurs besoins, les cours élémentaire, commercial et scientifique. Les trois premiers directeurs de l'institution — les frères André (1888-1889), Narcissus-Denis (1889-1891) et Stephens (1891-1893) — organisent en peu de temps des programmes nouveaux qui attirent un grand nombre d'élèves à cette nouvelle école, située au point le plus élevé de la rue Sherbrooke. Le cours commercial, en particulier, constitue un attrait certain pour les parents qui souhaitent assurer à leurs enfants un avenir prospère dans le domaine des affaires.

C'est dans cette école que les parents d'Émile Nelligan veulent que leur fils termine son cours primaire. Il entre donc au Mont-Saint-Louis comme externe, le 2 septembre 1890, et fait partie de la classe «première C». Il y étudiera jusqu'au 22 juin 1893. Les renseignements nous manquent pour porter un jugement sur ces trois années d'études. On devine cependant que sans être brillant, l'écolier s'efforcera de faire mieux qu'à l'école Olier, espérant terminer son primaire en juin 1893.

On pourrait même dire que l'atmosphère au Mont-Saint-Louis plaît au jeune Émile Nelligan. Les activités parascolaires y sont nombreuses : lectures commentées, création littéraire, discussions, excursions, expositions... Avec le consentement du directeur, une société littéraire est fondée en 1891 : l'académie Saint-Louis. Aux écoliers intéressés à la littérature, elle sert de foyer de culture où se pratiquent plus librement lectures, discussions et exercices littéraires. Les réunions dominicales deviennent populaires auprès des jeunes à l'affût des nouveautés artistiques. Les écoliers préparent des esquisses biographiques sur Montcalm, Crémazie, Fréchette. On lit et commente les œuvres de Hugo, de Musset et de Casimir Delavigne... On échange des livres en vue d'une culture générale plus vaste. On écrit également des poèmes en vers et en prose que l'on soumet à la critique de ses pairs. En 1891-1892, l'académie Saint-Louis compte 15 membres recrutés parmi les élèves plus avancés dans leurs études.

La cheville ouvrière de l'académie Saint-Louis est Louis-Joseph Béliveau, qui fait son cours commercial entre 1888 et 1893. Il occupe d'abord le poste de secrétaire de cette académie et, à partir du 1er octobre 1892, il en devient le président. Le rapport annuel pour l'année scolaire 1891-1892, signé par Béliveau le 6 juin 1892, décrit dans ses grandes lignes cette société littéraire et permet aussi de dégager certains traits qui distinguent ces élèves épris d'art et de littérature :

> Ici nous avons exhibé tour à tour nos peines et nos joies, nos misères et nos consolations, quelques-uns même ont chanté au doux accord de leur lyre naissante, et de leurs rêves dorés, et de vieilles espérances trop longtemps caressées. Nous apportions ici chaque dimanche nos humbles travaux littéraires qui n'étaient autres que le résumé ou plutôt l'écho de nos sentiments et de nos inclinations, ou encore : le reflet de notre cœur et de notre esprit. Et comme dirait Musset, « nous venions chanter, vivre, pleurer, seuls sans but, au hasard d'un sourire, d'un mot, d'un soupir, d'un regard ».

Témoignage éloquent et révélateur si l'on se rappelle que dans les années 1890, le romantisme de Hugo et de Musset n'était abordé qu'avec beaucoup de retenue dans les écoles montréalaises. Les membres de l'académie Saint-Louis ont à coup sûr devancé les habitudes littéraires de leur temps et ont frayé le chemin à l'École littéraire de Montréal, dont les origines remontent à 1895.

Émile Nelligan ne figure pas parmi les membres de l'académie Saint-Louis. Mais il a connu ce cercle très actif lors de brillantes fêtes scolaires, fêtes marquées par des chants, des discours et des poèmes souvent composés par des élèves qui se frottaient ainsi à la création littéraire. De cinq ans le cadet de Louis-Joseph Béliveau, Nelligan n'était pas encore mûr pour cette chapelle réservée plutôt aux écoliers avancés et aux finissants. Il est certain, toutefois, que Nelligan a pris part à une séance dramatique et musicale organisée le 27 décembre 1892 en l'honneur du F. Stephens, directeur du Mont-Saint-Louis. Ce fut un après-midi grandiose, d'après les comptes rendus de la presse : juges, échevins, avocats, journalistes, membres du clergé se sont mêlés aux parents pour applaudir les pièces de chant et de musique exécutées par ces écoliers. La représentation de « La prière des naufragés », drame en cinq actes dont l'action se passe entre 1705 et 1715 et qui se termine par le naufrage de la corvette du capitaine Raoul, est un succès en complément de programme, et on mentionne la tenue de « chant, musique et récitations par MM. É. Nelligan, M. More et Fitzgibbon ». C'est la preuve qu'Émile a goûté à la chose littéraire au Mont-Saint-Louis : pour qu'il soit invité à réciter des poèmes devant cette auguste assemblée avec deux autres collégiens, il fallait sans aucun doute que ses professeurs notent son intérêt pour la poésie et son talent pour déclamer les vers. On pourrait même avancer l'hypothèse que c'est à peu près à ce moment-là que s'est éveillé chez lui l'amour de la poésie et qu'il a lu au hasard quelques poèmes romantiques. Le 24 décembre 1892, Émile fête son 13e anniversaire.

* *
*

Il convient de dire quelques mots sur l'espace géographique et familial dans lequel évoluent Émile et sa famille. Depuis 1886, la famille David Nelligan habite au 112, avenue Laval (aujourd'hui le n° 3686); à partir de 1892, elle occupe un logement dans la même avenue, un peu plus au nord, près de la rue Napoléon, au numéro 260 (aujourd'hui le n° 3958). On s'est donc sensiblement éloigné de la rue de La Gauchetière, de ce Vieux-Montréal avec la rue Saint-Paul, ses magasins et ses boutiques. Dans le quartier Saint-Laurent se concentrent à l'époque l'industrie et le commerce. Dans le quartier Saint-Louis, où habitent maintenant les Nelligan, la nature est là et, au nord, le chemin mène aux concessions. La maison en pierre que la famille Nelligan habite est relativement neuve. Chaque jour, Émile fait le trajet entre sa résidence et le Mont-Saint-Louis en suivant l'avenue Laval vers la rue Sherbrooke. En revenant, surtout quand il fait beau, il aime s'arrêter dans le parc, tout près de sa demeure : une fontaine y répand une fraîcheur agréable et les arbres, ces vieux arbres au feuillage abondant, ombragent les bancs et les espaces verts où jouent des groupes d'enfants. Le quartier que la famille Nelligan habite s'appelle alors village Saint-Jean-Baptiste. En effet, au nord de la rue Sherbrooke, il n'y a, vers 1870, que des tronçons de rues et quelques maisons isolées. L'urbanisation a rapidement progressé.

Comme partout ailleurs au Québec, la vie religieuse d'un quartier s'établit parallèlement à la vie sociale et économique. Depuis 1850, une chapelle desservait la population du quartier Saint-Louis, chapelle « ambulante » qui changeait de place selon les circonstances et qui fut située quelque temps à l'école Olier. La paroisse est érigée canoniquement le 17 mai 1888 par Mgr Édouard-

Charles Fabre, devenu en 1886 le premier archevêque de Montréal. Le curé fondateur en est l'abbé Charles LaRocque, un Franco-Américain, né à Bridgeport (Vermont) le 18 mai 1852, très dévoué à sa paroisse. Tandis que la nouvelle communauté chrétienne s'organise dans le quartier Saint-Louis, on décide que l'église sera placée sous l'égide de saint Louis de France. On construit d'abord le soubassement qui va servir pendant environ sept ans de lieu de culte aux paroissiens. L'église ne sera terminée qu'en 1897. Le 23 mai 1897, l'évêque de Sherbrooke, Mgr Paul Larocque, assisté de l'évêque de Nicolet, Mgr Elphège Gravel, l'inaugure officiellement. À l'intérieur de ce temple, construit en pierre, on peut contempler 40 magnifiques verrières achetées à Reims, œuvre de l'artiste A. Vermont. Le peintre montréalais Georges Delfosse dote la nouvelle église d'une fresque imposante et de deux tableaux.

Au moment où se décide la construction de la nouvelle église, Nelligan se prépare à la communion solennelle. L'événement a lieu au printemps de 1890. Par ailleurs, les archives de l'archevêché de Montréal contiennent l'acte de confirmation d'Émile Nelligan. Il a reçu le sacrement, lisons-nous, à Saint-Louis-de-France, le 22 mai 1890, de Mgr Édouard-Charles Fabre, archevêque de Montréal. Son parrain de confirmation est son oncle, Joseph Édouard Hudon. Étant donné qu'à l'époque la confirmation suivait de près la communion solennelle, il est plausible que Nelligan ait fait sa communion le dimanche 18 mai avant d'être confirmé le jeudi suivant, 22 mai.

À l'été de 1890, Émile a dix ans et demi. Il est grand pour son âge et beau avec ses yeux tantôt rêveurs, tantôt espiègles, et son abondante chevelure châtain clair. À la maison, c'est le train-train quotidien : il est réveillé par sa mère, prend son petit déjeuner, s'en va à l'école, revient à la maison, parfois avec un peu de retard, en compagnie d'un ami, se querelle pour un oui pour un non avec ses sœurs. Le dimanche, on va régulièrement à la messe, on reçoit la parenté, on va aussi en visite. On soupe, on fait ses devoirs, on joue parfois aux dames et, après, c'est la prière en famille et une petite séance de musique que les enfants adorent. La mère se plaît dans son rôle d'ange gardien. Quand le père est là, le souper dure plus longtemps : il raconte ce qu'il a fait à Kamouraska, à Rivière-du-Loup, à Cacouna, à Rimouski. Il interroge les enfants sur leurs progrès à l'école. Il parle presque toujours en anglais, car pour lui, il est clair que l'anglais est la première langue du pays, la langue des affaires, la langue de communication au chantier et au bureau. Il a toujours soutenu que parler anglais est un atout, presque un signe de supériorité. La mère ne partage pas cette opinion. Bien qu'elle n'ose pas contredire ouvertement son mari, elle est profondément attachée à ses origines françaises et le signifie de maintes façons dans sa famille et dans son milieu. Un jour, pour égayer un peu son mari, raconte Béatrice Hudon-Campbell, voyant qu'il se versait une grande rasade de scotch, elle se met à jouer au piano une mélodie languissante. Qu'est-ce que c'est que cette musique qui coule comme de l'eau et ne sait pas où s'en aller ? remarque David Nelligan. C'est *À la claire fontaine*, rétorque sa femme avec un malin sourire ; elle vaut, explique-t-elle, toutes les mélodies irlandaises de Thomas Moore. Là-dessus, elle se met à jouer du Chopin.

On a pu remarquer très tôt deux courants parallèles dans la vie familiale des Nelligan, courants que sous-tendent deux langues et deux cultures. Émile, dès sa tendre enfance, s'est attaché d'abord à sa mère, et le français est devenu sa première langue. Par contre, Éva aimait beaucoup son père et, progressivement, elle ne s'est plus exprimée qu'en anglais. Gertrude, la plus jeune et la plus timide, ne savait pas très bien où se situer, mais, m'a-t-on dit, elle penchait plutôt vers sa mère et le français est devenu, chez elle aussi, la langue dominante.

Durant ses loisirs, Émile aime fréquenter le carré Saint-Louis où, à l'heure du couchant, les enfants vont s'amuser. Émile se joint souvent aux autres. L'endroit est romantique : il a l'air d'un petit parc en forme de quadrilatère, situé entre l'avenue Laval et les rues Saint-Denis, Albina et Ernest. Aux abords poussent de grands arbres au-dessus desquels la belle nuit d'été agrafe des étoiles. Au milieu, de juin à octobre, une grande fontaine, telle une plante épanouie, haute de quelque trois mètres, se déverse dans un petit bassin. De la base de la fontaine s'élèvent deux étages de feuilles sculptées qui, à leur tour, soutiennent trois cônes inversés sur lesquels prend appui un tube d'où l'eau s'échappe jour et nuit. Tout autour, quatre naïades se dressent et projettent un jet d'eau en forme de triangle isocèle renversé. De vieilles cartes postales montrent les arabesques qui courent autour de la grande fontaine appelée aussi « vasque » par les gens qui viennent s'asseoir sur les bancs sous les arbres. Émile aime contempler les jeux de lumière dans l'eau murmurante. Quand la fenêtre de sa chambre est ouverte, il peut entendre ce bruit d'eau, le langage des gouttes qui tombent en émettant toujours les mêmes sons. Le carré Saint-Louis, ce petit parc perdu au nord de la rue Sherbrooke, coin de nature humanisé, est vite devenu pour Émile Nelligan ce qu'il appellera un peu plus tard « le jardin de son enfance ». Jardin d'abord de ses jeux d'enfant mais aussi, progressivement, abri propice à sa rêverie où sa pensée, selon sa propre expression, couleur de lumières lointaines, courra à jamais les blanches prétentaines. L'attrayante oasis de verdure nichée en plein Montréal à laquelle s'associeront les contours de Cacouna, voilà déjà un espace poétique qui donnera aux futurs poèmes de Nelligan ce caractère intime où la nature s'accorde à une mélancolie juvénile tenace.

Au Collège de Montréal

En septembre 1893, Nelligan entre en éléments latins au Collège de Montréal, que certains appellent Petit Séminaire, par opposition au Grand Séminaire, tous deux situés rue Sherbrooke et reliés par une chapelle. Cette institution a déjà une longue histoire si l'on pense qu'elle est l'héritière d'une simple école du village de Longue-Pointe ouverte par l'abbé Jean-Baptiste Curatteau, venu de Nantes en 1766. L'institution qui grandissait fut transférée à Montréal en 1773, installée au château de Vaudreuil qui passa aux Sulpiciens en 1774. Il a fallu un siècle d'efforts soutenus pour que le collège de Montréal s'organisât, étape par étape, dans un emplacement situé au nord de la rue Sherbrooke. L'immeuble offrait aux élèves des classes confortables, un grand parloir, une salle de récréation moderne, un cabinet de physique, d'histoire naturelle et de minéralogie et une spacieuse chapelle décorée par le peintre montréalais Joseph Saint-Charles. Autour du collège, de vastes espaces verts s'étendaient vers le haut de la montagne qui offrait, vers le sud, une vue panoramique du pittoresque Vieux-Montréal et du fleuve Saint-Laurent. L'air y était salubre et la nature belle, surtout au printemps. Nelligan y étudiera de septembre 1893 à juin 1895.

Nelligan entre au Collège de Montréal comme externe et, de ce fait, doit se plier aux règlements propres à cette catégorie. Ainsi, il est tenu d'assister à la messe au collège à 7 h 30 tous les jours de fête, d'aller au catéchisme et de se conformer, à la maison, à diverses pratiques religieuses : prière du soir, lecture spirituelle, chapelet... Il doit apporter un billet de confession mensuel et avoir un comportement exemplaire à l'école et dans la rue : ne pas « brailler », ne pas « se colleter », ne pas lancer de boules de neige, ne pas pratiquer le tir à l'arc... Il doit éviter les lieux peu recommandables (les remparts, les casernes, le Champ-de-Mars, les jeux de paume, les lieux d'attroupements, les environs du port). On exige que sa tenue soit toujours soignée. Les documents du collège nous révèlent qu'entre 1850 et 1905, les élèves portent un pantalon bleu marine, un habit en forme de redingote de la même étoffe descendant jusqu'aux genoux, une ceinture bleue, beaucoup plus pâle que l'habit, et un képi rond très simple avec monogramme du collège. Les professeurs et l'administration surveillent rigoureusement l'application de la discipline établie. Au XIXe siècle, le Collège de Montréal jouit d'une renommée enviable parmi les institutions scolaires. Au moment où Nelligan fréquente le Collège de Montréal, celui-ci est dirigé par Ferdinand-Louis Lelandais, un sulpicien consciencieux, originaire de Paris. Sous sa direction, de 1889 à 1903, on note un fort attachement à la tradition classique. Les parents d'Émile doivent payer deux shillings par an en frais de scolarité.

Le cours qu'Émile Nelligan entreprend en 1893 s'étale sur six années : éléments (appelés aussi « éléments latins »), syntaxe, méthode, versification, belles-lettres et rhétorique. Le collégien paie ses frais de scolarité, assume le coût des manuels, mais il peut aussi profiter des volumes que l'institution met à sa disposition. Depuis un siècle, la bibliothèque du Collège de Montréal collectionne des livres, parmi lesquels figurent plusieurs manuels imprimés à Montréal : *Éléments de grammaire latine*, publié par Louis Roy, *La syntaxe* de Lhomond et une *Grammaire française* plusieurs fois éditée par ces Messieurs du Séminaire, ainsi qu'un *Abrégé de rhétorique à l'usage du Collège de Montréal* de Pierre-Louis Panet. Vers 1890, à l'initiative du supérieur Lelandais, on allie la théorie dans l'étude du latin, du grec et du français à davantage d'exercices. Ainsi, on met au programme l'explication de textes et on insiste sur l'étude raisonnée du vocabulaire et de la grammaire sous la forme améliorée de la version et du thème. Le cours de français, qui se borne dans les années 1850 à l'apprentissage de l'orthographe, prend de l'ampleur vers 1890 : lecture, composition, grammaire française, analyse orale de phrases détachées, de morceaux choisis. Parmi les auteurs prime La Fontaine ; la fable l'emporte sur le théâtre classique. Les grammaires française et latine occupent le tiers du programme. L'histoire ecclésiastique et la géographie prennent, après 1890, de plus en plus d'importance. L'étude du catéchisme, la réflexion sur les Évangiles et l'*Épitomé* figurent toujours au programme des éléments latins. Les élèves sont suivis de près. Leur travail, leur conduite et leur rendement sont soigneusement évalués : notes hebdomadaires, billets d'honneur, bulletins trimestriels.

Comment se comporte Émile au Collège de Montréal ? Il fait partie de la « première section de la première division », qui comptait au début 39 élèves, mais qui ne sont plus, vers la fin de septembre 1893, que 34. Le titulaire de la classe est M. Julien Simon, p.s.s., professeur d'origine bretonne. M. Justin Mouly, p.s.s., est chargé de la discipline des externes, tandis que M. Louis Regaudie, p.s.s., agit comme préfet de discipline des Petits. Des notes hebdomadaires et trimestrielles attestent que l'application d'Émile aux études pendant l'année scolaire 1893-1894 n'a pas été exemplaire. L'évaluation se faisait à l'époque de deux façons. Chaque semaine, le programme comportait l'étude d'un sujet : composition en orthographe, composition en thème latin, composition en version latine, composition en analyse grammaticale, instruction religieuse, histoire, géographie... Les notes des élèves étaient inscrites sur cinq colonnes intitulées : « leçons », « devoirs », « conduite en classe », « travail » et « conduite générale ». L'année scolaire était divisée en trois trimestres et, à la fin de chacun, l'élève recevait une évaluation globale résumée en deux notes : « Récitation » et « Explication ». Plus le chiffre est élevé, plus la note est mauvaise. Le 21 septembre 1893, les premières notes de Nelligan se lisent comme suit : 4, 5, 3, 4, 4. Le 28 mai 1894, ses dernières notes sont : 7, 9, 8, 5, 4. Cette dégringolade se manifeste également dans ses notes trimestrielles lorsqu'il obtient, le 7 décembre 1893 : 6, 7 ; le 16 mars 1894 : 8, 8, celles-là mêmes qui apparaîtront dans son bulletin du 23 juin de la même année. Émile est le dernier de sa section. Il lui faudra donc redoubler. On comprend pourquoi sur la photographie collective de sa classe, prise le 25 juin, le fils de David Nelligan, âgé de quatorze ans et demi, a un air songeur.

Après les vacances d'été, les remontrances probables de son père et les supplications de sa mère, Émile reprend donc les éléments latins, mais il change de section : il fait maintenant partie de la deuxième section dans la première division. Son titulaire de classe est M. Jean-Baptiste Porcher, p.s.s. ; son professeur de français s'appelle M. Philippe Lajoie, p.s.s., qui enseigne aussi en syntaxe. Cette fois, le collégien semble bien démarrer. Les notes des premières semaines laissent présager une amélioration certaine. Il s'applique et fait preuve de beaucoup de bonne volonté. Il arrive en classe à l'heure, se concentre sur ses travaux et fait soigneusement ses devoirs. Ses notes trimestrielles peuvent être jugées excellentes ; le 7 décembre 1894, il obtient 2 pour la récitation et 1 pour l'explication ; le 16 mars 1895, il fléchit un peu : 5 et 3 ; enfin, le 21 juin, il a 5 et 2. Au chapitre de l'assiduité, on remarque cependant plusieurs absences qui coïncident généralement avec des jours où l'on fait une composition en classe. Du 10 au 16 mai, il est malade. On constate aussi que sa tenue en classe et sa conduite en général font osciller les notes entre 3 et 7. Néanmoins, à la fin de l'année, Émile se voit décerner quelques prix et mentions. C'est une année de reprise, de sorte que la même matière a été étudiée deux fois sous l'œil vigilant de deux professeurs. Malgré des efforts louables, les évaluations hebdomadaires dénotent un manque de motivation pour les études chez un Émile de plus en plus rêveur, distrait et, somme toute, trop peu discipliné. Le titulaire de classe lui conseille de changer d'école.

Au collège Sainte-Marie

On connaît l'extraordinaire expansion du collège Sainte-Marie autour de 1892 : plus de 500 élèves fréquentent alors cette institution dirigée par des jésuites venus de France et des États-Unis. Depuis que Mgr Lartigue a de nouveau fait appel au service de la Compagnie de Jésus et grâce au travail inlassable du P. Félix Martin et de ses successeurs, le collège Sainte-Marie, béni par Mgr Bourget le 31 juillet 1852, a connu un développement rapide. Situé au centre de la ville, rue Bleury, utilisant des méthodes constamment améliorées, le collège dispense un enseignement classique où l'étude des grammaires (latine, grecque, française et anglaise) est à l'honneur ; l'éloquence et la rhétorique sont pratiquées d'une façon remarquable. Chaque année, les élèves ont l'occasion de briller aux examens et aux séances publiques : on vise ainsi à l'excellence de la langue et du discours. Les méthodes préconisées dans le *Ratio studiorum* privilégient l'argumentation logique et le dialogue bien articulé dans les compositions d'imitation et les joutes oratoires.

Nelligan aurait dû entrer au collège Sainte-Marie en septembre 1895. Mais pour des raisons que j'ignore — probablement son manque de motivation — l'élève n'entre dans cette institution qu'en mars 1896. En échangeant les Sulpiciens contre les Jésuites, il fallait s'attendre à plus de discipline, à plus de rigueur dans les études. Il y a cependant d'autres raisons qui déterminèrent l'inscription d'Émile au collège Sainte-Marie. À l'époque de son arrivée dans cette institution, celle-ci a pour recteur le P. Hyacinthe Hudon, un lointain parent de sa mère. De plus, il y a encore un autre parent avec lequel Mme David Nelligan entretient des relations cordiales : le P. Théophile Hudon. Né à Saint-Roch le 8 octobre 1865, celui-ci est le fils du marchand Théophile Hudon et de Clarisse Roy, mariés à Saint-Arsène, paroisse voisine de Cacouna, le 31 juillet 1855. Son père était le fils du frère de l'arrière-grand-père d'Émile Nelligan, Alexandre Pascal Hudon dit Beaulieu, ou, si l'on veut, il est le cousin au deuxième degré d'Émilie Amanda Hudon, mère du poète. Remarqué par ses supérieurs, il est admis à la Compagnie de Jésus le 12 novembre 1887. Après deux années de noviciat et deux années d'études littéraires au Sault-au-Récollet, il est envoyé à l'île de Jersey, dans une maison des Jésuites de Paris, afin d'approfondir ses connaissances philosophiques et littéraires. Il joint le collège Sainte-Marie en 1893 et, abstraction faite d'un bref séjour au Scolasticat de l'Immaculée-Conception en 1896, il y enseigne jusqu'en 1899. C'est donc lui qui aura pour mission de guider le jeune Émile dans ses études et de le remettre discrètement, selon les vœux de Mme Nelligan, dans le droit chemin.

Il existe dans les archives du collège Sainte-Marie un vieux registre où les professeurs inscrivaient à la main les notes des élèves et les remarques sur leur conduite et leur application. Dans les pages non numérotées se rapportant au second semestre de l'année scolaire 1895-1896, paraît pour la première fois le nom d'Émile Nelligan. Celui-ci clôt une liste d'élèves appelée «Étude 2, Externes II». Le passage en question n'est que le relevé des notes que Nelligan a successivement obtenues pendant les 14 dernières semaines du second semestre de l'année scolaire 1895-1896.

A	AE	AE	AE	A	AE	AE	E	E	E	EI	I	EI	EI
A	A		AE	AE	AE	AE	E	E	E	E	E	E	E
A	A	AE	AE	AE	AE	AE	AE	E	E	EI	I	I	I

Selon le système de notation, la meilleure note correspond à la lettre A. On constate ici la dégringolade du collégien qui, dans la dernière semaine du second semestre, n'a obtenu que des E et des I.

La situation ne change guère au cours du premier semestre de 1896-1897, lorsque Émile double sa classe de syntaxe (section A). Dans le même registre, 23 pages plus loin, on le trouve parmi les 14 externes. Nelligan occupe la neuvième place sur la liste des élèves et son nom est suivi, on ne sait trop pourquoi, des initiales J.-B.

AE	AE	E	EI	I	E	EI	AE	EI	E	E	E	E	E	E	E	E	E
	AE	E	EI	IO	IO	IO	AE	AE	AE	AE	EI	EI	EI	EI	I	E	IO
AE	AE	E	EI	I	I	IO	IO	E	E	E	E	E	I	EI	I	I	EI

On imagine facilement la déception des parents devant ces notes. Émile va tout droit à l'échec.

Et pourtant, le programme d'études en syntaxe A n'était pas surchargé à l'époque. Nelligan a dû apprendre le petit catéchisme, les grammaires grecque, latine et française ; il a lu des extraits de Cicéron, de Phèdre, de Cornelius Nepos, d'Ésope. Au programme, figuraient aussi les *Dialogues des morts* de Fénelon, les *Fables* de La Fontaine, l'histoire ancienne, la géographie et l'anglais. De vieux registres du collège Sainte-Marie contiennent les programmes détaillés de français élaborés à la main par les pères Théophile Hudon et Hermas Lalande, professeurs de Nelligan. Ainsi, nous savons qu'Émile étudia, pendant le second semestre de l'année scolaire 1895-1896, 72 pages de grammaire française et dut en principe apprendre par cœur dix fables de La Fontaine tirées des livres III et IV. En anglais, on lisait alors la deuxième partie de l'*Elementary Reader*. Le P. Hermas Lalande signa, à l'automne de 1896, un programme semblable, où il se proposait d'étudier la grammaire française dans le manuel de P. Duguay et la syntaxe, «du commencement au verbe». Il y inscrivit en outre des extraits de Fénelon et les fables 5, 6, 9, 14, 15 du cinquième livre de La Fontaine. Le programme de français n'était à mon avis ni trop chargé ni difficile. On insistait beaucoup sur l'ana-

Émile Nelligan — collégien
D'après une photo originale de la bibliothèque du Gesù.

lyse grammaticale et sur la connaissance de la littérature classique.

Le notaire Bernard Melançon m'a communiqué oralement et par écrit plusieurs faits intéressants concernant le comportement d'Émile Nelligan : ils datent de l'époque où le jeune garçon partageait son banc avec lui au collège Sainte-Marie. Selon lui, son ami aimait participer aux activités théâtrales, qui faisaient d'ailleurs partie du programme scolaire. Un jour, Nelligan fut chargé d'interpréter un rôle secondaire de soldat et, à la grande satisfaction du public, il se révéla par la voix et par le geste excellent déclamateur. Bien que Bernard Melançon n'ait pu me dire le titre de cette pièce, il est presque certain qu'il s'agit soit de *L'affaire de la rue Chapon*, soit du *Grondeur*, deux courtes comédies jouées par les élèves du collège Sainte-Marie lors d'une soirée dramatique et musicale le dimanche 21 juin 1896.

Un autre souvenir de Bernard Melançon porte sur un incident qui a eu lieu à l'automne de 1896. Son professeur, le P. Hermas Lalande, s.j., ayant appris que Nelligan écrivait déjà des poèmes, en saisit un et en fit devant toute la classe une critique sévère, sinon injuste. Nelligan resta d'abord immobile, figé dans sa rêverie ; il posa ensuite sa tête sur le pupitre et, au moment où le professeur terminait sa diatribe, il se leva et, d'une voix ferme, répliqua : « Monsieur, faites-en autant. » L'attitude du professeur avait profondément blessé l'orgueil du jeune Émile. Toute la classe venait d'apprendre que ce confrère, rêveur, d'humeur changeante, comique pour certains, cancre aux yeux des autres, avait déjà fait connaissance avec les Muses. Ce n'étaient pas les programmes scolaires qui dictaient sa voie, mais bien plutôt Apollon, dieu de la poésie. Tenant tête désormais ouvertement à son maître, Nelligan perdit graduellement tout ce qui pouvait lui rester d'intérêt pour ses études en vue du baccalauréat. Et ce processus, en définitive, avait déjà commencé à l'école Olier.

Il existe aux archives des pères jésuites de Saint-Jérôme une « fiche du catalogue » sur laquelle figure l'évaluation globale d'Émile Nelligan. La voici *in extenso* :

Nelligan, Émile.

Son séjour au collège : mars 1896 à mars 1897. Inscrit en syntaxe à son arrivée, il obtient en juin 273 points sur 900.

En septembre suivant, il est encore en syntaxe et n'obtient aux examens de février que 379 points sur 900. En mars 1897, il quitte définitivement le collège. Son professeur fut le P. Théophile Hudon qui a conservé de lui une narration sur l'automne, publiée dans l'*Album-Souvenir de 1921*, pp. 34-35.

Ses notes hebdomadaires manifestent une grande inconstance d'humeur. Ses examens oraux sont toujours nuls : indice d'un esprit trop concentré pour s'extérioriser, indice aussi peut-être d'une insurmontable timidité.

Ce document révèle plusieurs choses. Émile n'a passé qu'une année au collège Sainte-Marie. Ses notes sont franchement mauvaises ; l'élève est loin de la moyenne. On décèle chez lui une incapacité à communiquer et on le soupçonne d'être accablé d'une « insurmontable timidité ». Mais ce que la fiche ne dit pas, c'est que ce collégien trop concentré, trop timide, peu enclin au dialogue devait chercher une autre façon de communiquer, soit l'écriture. Souvent, la parole intime née des abîmes de la rêverie mûrit lentement — ou rapidement —, fuyant le discours oral, privilégiant le discours écrit. Mauvais élève selon la rigoureuse évaluation de ses maîtres — messieurs les sulpiciens ou les pères jésuites — Nelligan apparaît à 16 ans tout voué à sa propre solitude, à sa propre tristesse, à son propre instinct d'artiste. Il écrit.

Après une absence de quelques semaines en 1896, le P. Théophile Hudon revient au collège Sainte-Marie et s'occupe de la classe de syntaxe A où se trouve Nelligan. Si les rapports de celui-ci avec le P. Hermas Lalande ont été tendus, ils sont tout autres avec le P. Hudon, dont la culture littéraire et la connaissance de la littérature romantique sont remarquables. Selon Bernard Melançon, il se permettait souvent une digression après l'analyse d'une fable de La Fontaine, lisant aux élèves un «bel extrait d'André Chénier ou une poésie de Lamartine». Alors, Nelligan se réveillait et, rayonnant, il se permit même de dire une fois que «le monde est beau parce qu'il est rempli de poésie et s'il paraît triste, c'est parce que les gens ne la voient pas».

Il est à noter que parmi les travaux que les élèves de syntaxe avaient à faire à la maison, figuraient ceux qu'on appelait alors «les devoirs d'imitation». Le procédé en était simple : à partir d'un texte lu plusieurs fois — fable, poème, extrait de prose —, l'élève devait composer sa fable, son poème ou son morceau de prose en introduisant dans la composition ses propres trouvailles. Cet exercice se faisait selon la célèbre devise de Millevoye chère aux Jésuites : «Tout en imitant, sois original!» C'est dans cette perspective qu'il faut situer le devoir qu'Émile Nelligan a signé le 8 mars 1896 pour le soumettre à son professeur, le P. Théophile Hudon.

L'angélus sonnait, et l'enfant sur sa couche de douleur souffrait d'atroces maux ; il avait à peine quinze ans, et les froids autans contribuaient beaucoup à empirer son mal.

Mais pourtant sa mère qui se lamentait au pied du lit, l'attristait encore plus profondément et augmentait en quelque sorte sa douleur.

Soudain, joignant ses mains pâles en une céleste supplication, et portant sur le crucifix noir de la chambre ses yeux presque éteints, il fit une humble et douce prière qui monta vers Dieu comme un parfum langoureux.

Et dehors, dans la nuit froide, les faibles coups de la cloche de la petite église voisine montaient tristement, elle semblait tinter d'avance le glas funèbre du jeune malade.

La chaumière, perdue au fond de la campagne, était ombragée par de hauts peupliers qui lui voilaient le lointain.

De belles montagnes bleues une à une se déroulaient là-bas, mais elles paraissaient maintenant plutôt noires, car les horizons s'assombrissaient de plus en plus.

Les oiseaux dans les bocages ne chantaient plus, et toutes ces jolies fauvettes qui avaient égayé le printemps et l'été s'étaient envolées vers des parages inconnus.

Les feuilles tombent et la brise d'automne gémit dans la ramure ; il fait sombre dehors ; mais ces tristes plaintes de la nature, ces gémissements prolongés du vent, ne sont que les faibles échos de cette immense douleur qui veille au chevet du malade que Dieu redemande à la mère...

Onze heures sonnent à la vieille horloge de la chaumière ; l'enfant vient de faire un mouvement qui appelle encore plus près de lui celle qui lui a prodigué ses soins pendant tant de jours et pendant tant de nuits.

Elle approche, défaillante, et écoute attentivement les paroles que le mourant lui murmure faiblement à l'oreille : « Mère, dit-il, je m'en vais... mais je ne t'oublierai pas là... haut... où... j'espère... de te... retrouver un jour... Ne pleure pas... approche encore une dernière fois le crucifix de mes lèvres... car je n'ai plus que quelques instants à vivre... Adieu, mère chérie... tu sais la place où je m'asseyais l'été dernier... sous le grand chêne... eh bien ! c'est là... que je désire... qu'on m'enterre... Mère adieu, prends courage... »

La mère ne pleure pas, comme Marie au pied du calvaire elle embrasse sa croix... souffre... et fait généreusement son sacrifice...

Cependant les feuilles tombent, tombent toujours, le sol est jonché de ces présages à la fois tristes et lugubres ; dans la chaumière le silence est solennel, la lampe jette dans l'appartement mortuaire une lueur funèbre qui se projette sur la figure blanche du cadavre à peine froid ; la vitre est toute mouillée des embruns de la nuit et la brise plaintive continue à pleurer dans les clairières. La jeunesse hélas ! du malade, s'est évanouie comme la fleur des champs qui se meurt, faute de pluie, sous les ardents rayons d'un soleil lumineux.

Que la nature, le bois, les arbres, la vallée paraissaient tristes ce jour-là, car c'était l'automne... et les feuilles tombaient toujours.

Émile-Edwin Nelligan

Dimanche, le 8 mars 1896.

Voilà un devoir de français — texte de création littéraire, dirait-on aujourd'hui — signé par un élève qui vient d'avoir 16 ans. Il est important de se rappeler son âge pour constater combien l'adolescent prend les choses à cœur et donne, tête baissée, dans les lieux communs romantiques. Une sensibilité propre à René ou à Oberman s'accorde ici sans peine avec les charmes de la nature automnale. La description se fait à la troisième personne. La mélancolie d'un jeune malade, associée au motif des feuilles agitées par le vent, devient une note éminemment lyrique dans un paysage triste. Le tableau a un encadrement musical (feuilles bruissantes, angélus), un panorama ouvert sur le lointain (montagnes et bocages), mais il a aussi un centre, une chaumière ombragée par de hauts peupliers, perdue au fond d'une campagne et, à l'intérieur, une mère écrasée par la douleur devant son fils mourant. À lire attentivement l'avant-dernier paragraphe de la composition de Nelligan, on s'aperçoit que la mort du protagoniste équivaut à l'évanouissement de la jeunesse qui, comme la fleur des champs, « se meurt, faute de pluie, sous les ardents rayons d'un soleil lumineux ». Cette métaphore n'est point neuve pour qui fréquente la poésie romantique. Pour Nelligan, cependant, non seulement elle est neuve, mais elle est significative parce qu'elle traduit l'éternel thème de la fuite du temps, sans nul doute la cause de sa mélancolie, de sa tristesse sans nom, de son angoisse de plus en plus obsédante, de son appréhension de la mort.

Le drame évoqué, qui se déroule dans quelque chaumière, n'est-il pas en réalité celui qui se joue entre le jeune Émile et sa mère souffrante? Il n'est pas exclu non plus qu'après les vacances d'été à Cacouna, qui durent d'habitude de juillet à septembre, Nelligan ait trouvé le moyen, à l'automne de 1895, de prolonger de quelques semaines son repos au sein du paysage rustique du Bas-du-fleuve, afin d'éviter la rentrée au collège, et aussi pour méditer à son gré sur «la Fuite de l'Enfance au vaisseau des Vingt ans», motif qui très tôt deviendra le symbole de sa mélancolie juvénile. Il se peut également que l'évocation champêtre soit une allusion à son escapade à Sainte-Cunégonde, endroit cher aux frères Massicotte, et qu'adoraient les élèves en promenade le dimanche. En tout cas, le mauvais comportement d'Émile à l'école et les rapports souvent tendus entre le fils et la mère sont à l'origine d'un état d'âme douloureux, qui alla en s'intensifiant avec les années et qu'on pourrait appeler désespoir. Il en parlera éloquemment dans son poème «La Fuite de l'Enfance».

Si l'élément personnel — souvenir ou évocation — apparaît selon toute vraisemblance dans la composition scolaire de Nelligan, qui est à la fois narration et description, l'élément strictement littéraire est à la base même de cet exercice. Tout porte à croire que le premier maître de Nelligan fut Charles Millevoye, suivi d'André Chénier et de Lamartine. Nelligan aimait vraiment Millevoye. Il possédait ses œuvres et les relisait souvent. Il en connaissait plusieurs pages par cœur. Comme dit Nodier, «Millevoye parut romantique parmi les classiques, et classique parmi les romantiques [...], point d'intersection entre les deux écoles prêtes à se confondre». D'après Autran, «Millevoye marcha des premiers dans les voies de la mélancolie moderne». En effet, d'une part, épris d'Antiquité, il ressemble à Chénier et à Parny et, d'autre part, par son lyrisme émouvant, par sa tristesse surtout, il est tout près de Chateaubriand et de Lamartine. Trois poèmes de Millevoye semblent plaire au Nelligan âgé de 17 ans: «La Chute des feuilles», «Le Poète mourant» et «Priez pour moi».

Tristesse, inquiétude, mélancolie, voilà autant de sentiments symbolisés par la feuille qui tombe, motif romantique signifiant une vie qui s'en va. Avant l'«Isolement» de Lamartine, «Les Feuilles mortes» de Laprade, «La Valse des feuilles» de Juillerat et la «Chanson d'automne» de Verlaine, Millevoye fit de la feuille qui tombe le symbole évoquant la fuite du temps. Il convient de rappeler qu'un poème de Lamartine, dans les *Méditations poétiques*, porte le même titre et dénote une tristesse semblable. Aussi, le poème «Le Jeune Malade» d'André Chénier — un adieu pathétique adressé à la mère en pleurs — aurait dû émouvoir l'élève de Théophile Hudon. Sans pousser ici trop loin le dépistage des sources, on se rend compte aujourd'hui qu'en 1896 — et peut-être même plus tôt — Nelligan était déjà fortement marqué par les romantiques: Millevoye, Lamartine, Musset sont ses auteurs de prédilection. Il a trouvé chez eux bien des pièces à son goût qu'il va apprendre par cœur. Il restera d'ailleurs longtemps sous l'emprise des romantiques. Une trentaine d'années plus tard, à l'hôpital, Nelligan inscrira de mémoire, dans un calepin de malade, «Priez pour moi» de Millevoye, «L'Automne» de Lamartine et «La

Nuit de décembre » de Musset. Certes, il a pu les apprendre par cœur plus tard, mais il est certain qu'en 1896, il connaissait le caractère général de la poésie romantique. À l'époque du collège, Nelligan a pu se reconnaître dans la mélancolie romantique et comprendre la beauté des formes de la poésie élégiaque.

Au pays du porc-épic

On connaît la route qu'avaient suivie les Hudon : Québec, Rivière-Ouelle, Kamouraska, Fraserville (aujourd'hui Rivière-du-Loup), Rimouski... Or, tout près de Fraserville, au bord du Saint-Laurent, sur le territoire de l'ancienne seigneurie Lachesnaye, s'organisait lentement, dans la première moitié du XIXe siècle, une petite colonie de pêcheurs, d'agriculteurs et de navigateurs, rattachée d'abord à l'église de l'Isle-Verte. Mais rapidement, tant sur les plans civil que religieux, la localité avait progressé. Les champs s'étendaient, et bientôt, une petite chapelle fut construite en 1809. Une desserte de Rivière-du-Loup fut mise en place en 1813, puis érigée en paroisse en octobre 1825. Vingt ans plus tard, on poserait la première pierre à l'église Saint-Georges. Kakona, devenu Cacouna, signifie en langue crie « porc-épic », animal bien connu des Malécites migrateurs et qui abondait dans la région.

Coup du sort tout à fait inattendu, Cacouna devint, dans la seconde moitié du XIXe siècle, un centre touristique important qui supplanta en peu d'années Kamouraska. Son renom fut assuré par sa belle situation géographique, ses falaises pittoresques, ses jardins à la végétation luxuriante. L'espace largement ouvert sur le grand fleuve permet de porter la vue jusqu'au majestueux Saguenay.

Après 1860, les touristes anglais et américains y affluèrent en grand nombre. Plusieurs hôtels offraient aux vacanciers des installations de luxe : Saint Lawrence Hall, Mansion House, Dufferin Hotel et bien d'autres encore. Le premier surtout attirait les touristes riches, en mettant à leur disposition quelque 600 chambres ; sa magnifique salle à manger et ses terrains de jeu fort bien aménagés jouissaient d'une grande réputation. Les gens venaient de partout, cherchant le soleil, l'air pur et les paysages ouverts sur un vaste horizon. Les couchers du soleil y étaient splendides. Si la plage n'était pas sablonneuse, elle changeait sans cesse au fil des heures et des marées. On attribuait même à Cacouna le pouvoir de guérir certains malaises et maladies.

Avec l'expansion du tourisme, les agriculteurs à faible revenu, les pêcheurs habitués à « boucaner » leurs harengs et leurs flétans, les petits commerçants toujours à la recherche de nouvelles pratiques ont vite compris que de nouvelles possibilités de commerce s'offraient à eux et que l'argent affluait avec les riches touristes. Ces derniers qui s'étaient d'abord contentés de cottages, choisirent bientôt Cacouna pour bâtir leurs somptueuses résidences, les « villas », comme on les appelait alors. Ils y revenaient chaque été. C'est ainsi que cette région vit s'établir les Galary, les Yates, les Molson, les Howe, les Hamilton, les Rioux et surtout les Allen, célèbres propriétaires de la ligne maritime Allen Line et dont les deux représentants, Andrew et Montagu, investiront beaucoup d'argent dans le développement de cette station balnéaire. Les extravagants ne manquaient certes pas parmi les touristes venus de tous les coins du continent nord-américain. Les gens de Cacouna se souviennent d'une riche célibataire surnommée « la Poilue » qui, tous les après-midi, accompagnée de son chauffeur, promenait ses 18 chiens dans les rues du village. C'était un concert de jappements et une procession multicolore, car chaque chien avait son papillon et chaque chienne une grande cocarde bariolée. Après la promenade, c'étaient de vraies agapes canines : les serviteurs devaient nourrir chaque chien en lui offrant de la viande dans un plat gravé à son nom.

Parmi les Anglais, les Américains et les Français, il y avait aussi des touristes canadiens-français, riches et moins riches, médecins, commerçants, fonctionnaires. Bientôt, les hôtels ne parvinrent plus à absorber le flot des vacanciers. C'est alors que les cultivateurs inventèrent un ingénieux système d'hébergement qui allait leur permettre de faire des profits considérables : ils commencèrent à construire pour eux-mêmes une petite maison à côté de leur grande demeure, demeure qu'ils louèrent aux touristes pour la saison estivale. Celle-ci durait d'habitude deux mois — juillet et août — mais parfois, elle débutait vers le 15 juin et se prolongeait jusqu'à la fin de septembre. La petite maison, appelée dans le langage populaire «fournil», n'avait qu'une chambre au rez-de-chaussée et une chambre à l'étage ; elle permettait à la famille du cultivateur de passer l'été sur la ferme et d'en vendre chaque jour les produits — viande, œufs, pain, poissons, légumes, bois — aux locataires venus de près ou de loin. Être cocher signifiait aussi gagner de l'argent en faisant des voyages dans les environs dans une voiture à cheval. La location d'un logis pour l'été coûtait de 100 à 300 dollars. Le commerce que le cultivateur avait pu développer en même temps faisait doubler ou même tripler son revenu. Les Michaud, Lebel, Sirois, Dionne, Landry, Gagnon, Bélanger, Lévesque, Bouchard, Paradis, Dumas, Ouellet, Talbot, Lindon, Beaulieu, Vaillancourt et des dizaines d'autres, producteurs de farine, de légumes et de viande, étaient aussi cochers, charretiers, colporteurs, hommes à tout faire et, enfin, pêcheurs. Leurs «coffres», au bord du fleuve, contenaient toutes sortes de poissons : le hareng, l'alose, l'éperlan, la loche, la plie, le petit flétan, le caplan et, pour les riches, le saumon, l'anguille et l'esturgeon. Ainsi, les habitants du pays du porc-épic se sont vite enrichis ou, du moins, ont atteint à une certaine aisance. Les «étrangers» y viennent d'abord par bateaux qui accostaient à la Pointe-de-la-Rivière-du-Loup ou au quai de Cacouna. Plus tard, à partir de 1873, quand l'Intercolonial eut prolongé ses voies ferrées toujours plus loin vers l'est, les touristes descendaient à la gare de Cacouna, établie au nord-ouest de l'église Saint-Georges. Au centre du village, à Cacouna House, une pièce servait de bureau de poste.

*

* *

Depuis l'âge de six ans, Émile Nelligan passe quasiment chaque année ses vacances d'été à Cacouna en compagnie de ses parents et de ses sœurs, Éva et Gertrude. Parfois, sa tante, Victoria Aubry-Hudon, accompagnée de sa fille Béatrice, loue une petite «maison blanche» d'une certaine madame Chassé pour passer ses jours au bord du fleuve. L'endroit est reposant. David Nelligan, chargé de l'inspection des bureaux de postes dans le district de la Gaspésie, s'arrange pour rejoindre les siens à Cacouna. Quant à Émile, il adore la campagne. Il connaît Cacouna et ses environs. Une fois, on a même organisé un voyage à Trois-Pistoles, à Rimouski et, plus loin encore, à Saint-Anaclet, où son grand-oncle, Noël, cultive toujours son lopin de terre. En général, cependant, les journées s'écoulent à Cacouna dans les délices du farniente : grasses matinées, veillées avec chants et musique et interminables balades sur la plage, au pied des falaises, alors qu'on cherche les traces des Indiens près de l'anse aux Malécites ou qu'on file en barque vers Gros-Cacouna, quand le fleuve est calme. Pendant les journées chaudes, ensoleillées, tout le monde prend plaisir à se baigner.

Ô baignades des temps anciens ! Nelligan les connaît bien et les scènes qu'il garde sous la paupière tiennent du mélodrame plutôt que de l'églogue avec nymphes et sirènes. On trouve aujourd'hui cocasses les photographies de la fin du XIXe siècle montrant des femmes qui se baignent dans le Saint-Laurent en robes longues, chapeau sur la tête, afin de préserver la blancheur de leur peau. De même, les hommes, chapeau haut de forme, chemise blanche et bretelles bien tendues, montaient dans la barque avec des enfants endimanchés, comme pour une soirée de gala. Celui qui aurait eu l'audace de se montrer en culotte courte portée à la plage dans une rue de la municipalité se serait fait sévèrement réprimander : là-dessus, les catholiques, les anglicans et les presbytériens étaient d'accord. C'est pourquoi les familles plus riches, pour éviter toutes sortes d'inconvénients, en habillant les fillettes en robe de plage (un peu plus courtes !), louaient un charretier pour la journée, un cocher habillé et casqué comme un jockey anglais, qui connaissait la route menant de la rue Principale vers le chemin du Roy. Ce guide était capable de choisir un endroit pittoresque : sable, joli rocher, banc pour se reposer, accès facile à l'eau. Et pendant que la petite société s'amusait dans l'eau et sur le sable, lui, le charretier d'occasion, faisait les cent pas, chiquait le varech rouge et observait parfois les chasseurs venus de Saint-François-de-Viger pour tirer sur les goélands dont les poitrines étaient fort recherchées par les restaurateurs.

Cacouna rappelait parfois à Nelligan une immense kermesse où la langue anglaise dominait. Les promenades, les courses de chevaux, les parties de cricket, les cris des colporteurs, les repas en plein air, les *five o'clock teas*, les veillées, les soirées musicales à l'hôtel Saint Lawrence Hall faisaient partie du programme quotidien. Il ne faut pas non plus oublier les messes solennelles à l'église Saint-Georges, les vêpres chantées à trois voix, les oratorios exécutés par la chorale Sainte-Cécile et les soirées artistiques organisées au couvent des sœurs de la Charité. À l'époque, Cacouna jouissait donc d'une grande renommée et était vantée par les journalistes comme une station balnéaire unique. Arthur Buies, dans ses articles de 1871, publiés dans *Le Pays*, *L'Événement* et *L'Opinion publique*, salue Cacouna comme le Saratoga canadien et s'extasie, dans ses observations mordantes, devant ce « petit Éden artificiel ».

Ici, Émile Nelligan rêve dans sa chambre à Cacouna House, cette chambre à l'étage dont la fenêtre est toujours ombragée de grands érables et dont les branches sont comme des mains fraternelles, tendues, pleines de feuilles ruisselantes. Et on aperçoit à travers les branches, si on regarde vers l'est, le « toit en dentelle » de la maison des Sirois. Nelligan a esquissé un jour un poème « Toits en dentelle » qu'une jeune fille aurait emporté avec elle et qu'on ne lira probablement jamais. La famille Nelligan louait dans les années 1880 un logis à l'hôtel Cacouna qui, pour fin de publicité, fut appelé en anglais Cacouna House ou Cacouna Hotel. C'était une auberge accueillante avec un rez-de-chaussée, deux étages, une clôture et un perron, située au cœur du village, pas loin de la rue de l'Église et presque en face de l'hôtel Mansion House, juste à côté du magasin général de Joe Sirois. La famille Nelligan occupait un logement au premier étage et la fenêtre d'Émile donnait sur la rue Principale.

Des étés passés à Cacouna, le jeune Émile conserva le souvenir de plusieurs événements agréables. Mais celui qui revenait le plus souvent était la visite de la ferme de Thomas Michaud, dont le fils Ulric, de trois ans son aîné, lui servait de guide dans les champs et dans les prairies. La ferme de Thomas Michaud, deux arpents de front sur quarante de profondeur, s'étendait «jusqu'à l'eau au poitrail d'un cheval blanc à la marée la plus basse de mai jusqu'à l'about» des terres du deuxième rang. Située au cœur du village, elle a vu s'ériger plusieurs immeubles sur son terrain, notamment Cacouna House et Mansion House; une bonne partie de la terre a été louée «en constitue». Thomas Michaud possédait trois, parfois quatre chevaux, sept ou huit vaches, quelques cochons et beaucoup de poules. Près de la maison, un grand potager et plusieurs arbres fruitiers. Les clients de Cacouna House n'empruntaient que rarement la route du quai pour aller à la plage; en vertu d'une entente verbale avec Adolphe Sirois, propriétaire de l'établissement, il leur était permis de prendre tout simplement la petite route de ferme qui conduisait à la grève. Plusieurs fois par jour, Émile passait par le champ de ce sympathique fermier, regardait son petit «fournil», tapotait le cou d'un cheval et faisait parfois la route avec Ulric pour cueillir le poisson retenu dans les «coffres».

À vrai dire, Émile n'aimait pas trop les travaux de la ferme, qui commençaient très tôt chaque jour et se terminaient très tard. Mais il éprouvait un vif plaisir quand le père Michaud donnait l'ordre à Ulric d'atteler

Cacouna à l'heure du couchant
Photo Yvan Bouchard d'après une vieille carte postale.
(Collection Wyczynski)

« le Noir sur le tombereau » et d'aller au champ pour faire les foins. Émile, « sans être comme les autres », selon Ulric et son frère Amédée, profitait d'un bel après-midi pour s'amuser dans le foin. Il prenait alors place dans la voiture de charge, confortablement assis entre les barreaux qui servaient de ridelles. Arrivé à la prairie, les fourches des Michaud s'attaquaient aussitôt aux « vailloches » (les « veillottes », c'est-à-dire les gerbes de foin) et, à la pause, quand la cruche était sortie de l'ombre du fossé pour « mouiller » les gosiers secs et qu'on s'apercevait de la disparition d'Émile, Amédée s'exclamait : « Je l'ai vu couché dans le foin, les deux mains derrière la tête, y avait l'air de parler aux hirondelles. » À la brunante, on voyait Émile revenir lentement de la plage, les bottines trempées et le pantalon mouillé jusqu'à mi-jambe. Il tenait un grand papillon dans la main. On n'avait cependant pas envie d'engager la conversation, la fatigue forçait Thomas Michaud à étendre les jambes sur la banquette devant son « fournil ».

Parmi les séjours à Cacouna, il y en a deux qui semblent particulièrement agréables à Émile : ceux de 1896 et de 1898. À l'été de 1896, la famille Nelligan choisit la maison d'un cultivateur, plus à l'ouest du village, située au bord de la rue Principale, nichée dans les grands arbres : on l'appelle « Peek-a-boo Villa ». L'expression n'est rien d'autre qu'un surnom donné à cette jolie demeure. Selon les caprices de la route, elle surgit, disparaît et resurgit aux yeux de qui s'en rapproche. Ici, Émile retrouve son ami de Montréal, Denys Lanctôt, avec qui il a étudié au Mont-Saint-Louis et au Collège de Montréal. Denys se prépare à étudier la philosophie chez les Rédemptoristes de Beauplateau, en Belgique. En attendant, il entraîne Nelligan, déjà fortement épris de poésie, dans des discussions littéraires sans fin : Pierre Dupont, Eugène Fayolle, Verlaine, Mallarmé, Rimbaud et surtout Baudelaire seront leurs sujets préférés.

Deux ans plus tard, en juillet-août 1898, les deux amis se retrouvent à Cacouna. Ils auront pour compagnon Lucien Lemieux, étudiant à l'époque, plus tard bibliothécaire adjoint de l'Assemblée législative. Dans son « Journal », ce dernier a noté avec exactitude l'emploi du temps des joyeux compagnons : promenade sur la grève, repas entre amis, excursions en barque et en voiture, veillées et récitations de poèmes. Au bal costumé au Saint Lawrence Hall, le 20 août, se réunit une bande de jeunes : Nelligan, Lanctôt, Lemieux, mesdemoiselles Prendergast et Sullivan, Idola Saint-Jean, Marie Beaupré, Béatrice Hudon, Éva et Gertrude Nelligan. Moment de gaieté toutefois entaché d'un triste souvenir. Lucien Lemieux a décrit une tragédie qui bouleversa les gens du Bas-du-fleuve. C'est le sinistre naufrage de *La Bourgogne*, le 4 juillet 1898, à cinq heures du matin, à 60 milles de l'île au Sable : quelque 600 personnes périrent dans les flots, 200 autres s'en tirèrent avec beaucoup de peine ; parmi les rescapés une seule femme, madame Lacassé. Le capitaine Delouche se suicida sur la passerelle de son navire au moment de couler. Il est triste de voir sombrer un vaisseau dans les profondeurs du gouffre.

*
* *

Le « Jardin de l'Enfance » est, dans l'œuvre poétique de Nelligan, une métaphore à double résonance : gaieté et tristesse, villanelles et névroses, blanc et noir. L'image renvoie à la fuite du temps. Ce « Jardin de l'Enfance » est le titre qui coiffe la première section de l'édition princeps (1904), qui regroupe 14 poèmes de Nelligan, dont «Le Jardin d'antan», complainte significative, chanson-souvenir, expressive mélodie, cumulant dans sa tonalité mélancolique les mirages du carré Saint-Louis et de la «vieille villa» de Cacouna. Le jardin? C'est l'espace onirique dans lequel «s'éternise avec ses charmes, notre jeunesse en larmes».

II

À la recherche de l'art

Le jeune Ignace Paderewski
Lithographie anonyme parue dans *Le Journal
de la Jeunesse*, Paris, n° 160, 1892, p. 158.

Âme, poésie et musique

À quel moment Nelligan a-t-il été attiré par la poésie ? Y a-t-il des indices d'un « déclic » créateur de cet éveil de l'esprit où l'être agit tout à coup sous l'emprise de la Muse ? Est-il possible d'identifier un événement singulier qui serait à l'origine de cette prise de conscience qui pousse à aller du mot à la parole, de l'énoncé au poème ? De telles questions sont certes valables et la critique ne les méconnaît pas, surtout lorsqu'il s'agit de brosser le bilan d'une œuvre bâtie au fil d'une vie. Si l'écriture n'échappe pas à l'espace socio-culturel, à l'histoire dans laquelle le poète et la collectivité qui l'entoure sont enchevêtrés, il reste que cette écriture a sa façon de mûrir dans une durée intime avant de se cristalliser sous la forme de rythmes, d'images, de musique, de structures d'ensemble... Il y a des êtres qui, à la suite de tel ou tel événement, deviennent poètes ; il y en a d'autres qui naissent poètes, qui de tout temps ont été destinés à être poètes, à vivre la poésie envers et contre tout : comme la grâce, le don poétique est ici une force infuse. C'est à cette dernière catégorie qu'appartient Émile Nelligan.

Parmi les facultés de sa nature, une vive sensibilité allait devenir une force envahissante, dominatrice. Émile n'était jamais sous l'emprise des idées. Dès sa tendre enfance, la sensibilité devint le berceau de ses rêves. Elle déterminait l'épanouissement hâtif de son esprit. Louis Dantin, ami de Nelligan et son guide littéraire, voyait en lui un être sensitif dont l'impulsivité était soumise aux impressions et aux caprices, un être capable de se mettre à l'unisson des textes rencontrés au hasard, mais aussi un être très réservé avec son entourage, figé lorsqu'il fallait communiquer avec autrui, aborder des sujets précis. Les rares amis d'Émile ont toujours été choisis parmi ceux qui affichaient une foi indéfectible en l'Art, avec un grand A. Jamais l'adolescent n'a envisagé d'être astreint à un travail terre à terre ni à une discipline stricte. Ne concevait-il pas les écoles des sulpiciens et des jésuites comme des entraves brimant sa liberté de jeune artiste ?

> [...] Nelligan croyait au règne souverain de l'art sur la vile matière. La vie telle qu'il se la faisait, devait être une longue rêverie, une longue fusée d'enthousiasme, une mélancolie voulue et cultivée, interrompue seulement par les éclats momentanés d'une gaieté bohème [NEO-D VII].

Et la bohème, trop faite d'imitations et de poses, était pour lui une forme de réaction contre la grisaille de la vie. Poète solitaire, il se voyait rêver aux antipodes des convenances sociales. « Des cheveux ébouriffés, une redingote en désordre ou des doigts tachés d'encre, voilà surtout en quoi elle [la bohème] consistait » [*Ibid.*].

Il reste que ce jeune bohème, trop sensible pour son âge, trop rêveur pour le milieu où seule sa mère lui inspirait confiance par ses larmes et ses pardons, ce jeune solitaire caressa très tôt, dans son for intérieur, le désir ardent de se consacrer tout entier à la poésie. Pendant que ses confrères au collège bâtissaient des projets d'avenir en rêvant de professions rémunératrices, Nelligan se laissait envahir par une mélancolie toute romantique. Tout convergeait dans ses contemplations au lointain noir ; l'horizon de son enfance fut marqué par la douloureuse et irrémédiable fuite du temps.

C'est dans une telle atmosphère qu'est né et s'est développé le don poétique de Nelligan. L'adolescent s'évadait dans des rêveries et, dès son jeune âge, les mots chantaient en lui au rythme de sa mélancolie précoce. Tous les témoignages s'accordent sur le fait qu'Émile savait apprécier la musique qui s'envolait du piano sous la caresse des doigts de sa mère. La musique, bien plus que la peinture ou la sculpture, le touchait particulièrement, et cela jusqu'à l'extase. Toutes les références que ce jeune épris des Muses allait faire aux pianistes, violonistes et guitaristes seront vibrantes d'émotion.

Il est presque certain que l'intérêt de Nelligan pour la poésie s'est éveillé lors des années passées au Mont-Saint-Louis, où le cercle littéraire présidé par son collègue Louis-Joseph Béliveau déployait une activité littéraire fébrile, souvent agrémentée de musique. Il bouquinait à l'occasion dans les librairies, fréquentait avec son père le Fraser Institute, qui s'était enrichi, en 1885, d'un riche fonds de livres français provenant de l'ancien Institut canadien. À l'époque, de nombreuses pièces de théâtre étaient représentées. On sait que le jeune Émile s'extasia à l'Académie de musique devant l'incomparable Sarah Bernhardt, dont l'interprétation d'Adrienne Lecouvreur, de la dame aux Camélias, de Fedora et de Tosca de Sardou était sans pareille. Il participait occasionnellement en compagnie de sa mère aux soirées littéraires, aux bazars et kermesses, où le chant, la musique et la littérature faisaient bon ménage.

Le début de 1896 constitue pour Nelligan une heureuse période riche en grandes émotions artistiques. Un mois avant la représentation de Sarah Bernhardt, madame Albani (Emma Lajeunesse) chante, le 1er février, au Monument national, *L'Amour est pur*, *Vella Calma*, *Home Sweet Home* et plusieurs extraits des opéras de Wagner, de Meyerbeer, d'Arditi et de Verdi. Et voilà que le fougueux Ignace Paderewski vient à Montréal et donne un concert hors pair à la salle Windsor, le lundi 6 avril 1896. Le programme de la soirée comprenait 13 numéros : une sonate de Beethoven, opus 57 ; un *Impromptu* de Schubert ; deux *Romances sans paroles* de Mendelssohn ; une *Fantaisie* de Liszt sur des thèmes du *Songe d'une nuit d'été* ; de Chopin un nocturne en sol majeur, une mazurka en si mineur, deux études, une berceuse et une valse en la bémol ; un nocturne de Paderewski et la deuxième *Rhapsodie hongroise* de Liszt. Avec sa mère, Nelligan assiste au concert que le journaliste de *La Presse* (8 avril 1896) qualifie d'«événement musical qui ne sera pas de sitôt oublié ».

> Pendant deux heures qui ont semblé des minutes, cet admirable artiste a tenu son auditoire sous le charme de son merveilleux génie. Il s'est essayé dans tous les genres, depuis l'austère et grave sonate de Beethoven jusqu'au gracieux et délicat menuet qui a rendu Paderewski presque aussi populaire comme compositeur que comme exécuteur, depuis les mélodies rêveuses et tristes de Chopin jusqu'aux prodigieuses variations de Liszt sur la « marche nuptiale » de Mendelssohn. [...] Ces différents morceaux, choisis exclusivement parmi les œuvres des grands maîtres, ont tous été interprétés

par le grand pianiste d'une manière inimitable. [...]
Paderewski semble jouer avec une prédilection
toute particulière les œuvres de son illustre compa-
triote, Frédéric Chopin. C'est là, suivant nous, que
se manifeste le plus sensiblement le génie du pianiste, la maestria de son jeu, la délicatesse de sa
touche, sa manière admirable de détailler les moin-
dres paysages, et par-dessus tout, l'âme et le sentiment de celui qui, depuis la mort de Rubinstein, est
le roi incontesté du piano.

Nelligan, qui, depuis son jeune âge, tonifiait sa sensibilité
de mélodies jouées par sa mère, éprouva le 6 avril 1896
une sorte d'éblouissement. Bien plus! Collégien déjà
épris de poésie, il sentait émerger en lui la conviction que
la musique se joint aux mots et y opère des modulations
merveilleuses. Paderewski fut pour Nelligan à la fois
une révélation et une libération. Le jeune élève, qui avait
à peine seize ans et demi, saisit du coup la grandeur et
la beauté de la musique, celle de Chopin surtout et,
en même temps, acquit la ferme conviction que l'art possède un pouvoir libérateur. Dans la gangue d'une conscience ébranlée, l'adolescent sentait agir sa personnalité
d'artiste.

Que l'impression subie eût été forte, nous en avons
au moins deux preuves. À Gilles Corbeil, son neveu, lors
d'une visite à l'hôpital, peu de temps après la mort du
musicien polonais survenue le 29 juin 1941, Nelligan a
fait cette confidence : «Paderewski, que j'ai vu jouer à la
salle Windsor, est un homme de génie : c'est un très, très
grand artiste.» Nelligan dédia un sonnet, intitulé «Pour
Ignace Paderewski», au célèbre pianiste polonais, où
transparaît une vive admiration :

Maître, quand j'entendis, de par tes doigts magiques,
Vibrer ce grand Nocturne, à des bruits d'or pareil ;
Quand j'entendis, en un sonore et pur éveil,
Monter sa voix, parfum des astrales musiques ;

Je crus que, revivant ses rythmes séraphiques
Sous l'éclat merveilleux de quelque bleu soleil,
En toi, ressuscité du funèbre sommeil,
Passait le grand vol blanc du Cygne des phtisiques.

Car tu sus ranimer son puissant piano,
Et ton âme à la sienne en un mystique anneau
S'enchaîne étrangement par des causes secrètes.

Sois fier, Paderewski, du prestige divin
Que le ciel te donna, pour que chez les poètes
Tu fisses frissonner l'âme du grand Chopin !

Il n'est pas possible de dater exactement ce sonnet, mais son thème renvoie au concert de Paderewski. Si l'on prête foi aux souvenirs de Louvigny de Montigny, en plus d'être présent au concert du 6 avril 1896, Nelligan aurait aussi assisté au récital donné le 8 avril en matinée, au programme duquel, entre autres pièces, figurèrent des variations sur un thème de Paganini et la *Marche funèbre* de Chopin. Il reste un fait certain : au printemps de 1896, Nelligan entrevoit deux avenues parallèles qui semblent conduire vers son idéal d'artiste : la poésie et la musique.

Les concerts de Paderewski couronnent à merveille un an d'efforts pour instaurer à Montréal un véritable renouveau musical. Depuis janvier 1895, il existe une Société artistique dont Mme Nelligan fait partie. Cette société est entièrement vouée à la musique ; son bureau est situé au numéro 1866 de la rue Sainte-Catherine. Elle s'est fixé un triple but : la recherche de talents, l'aide au

Conservatoire de Montréal et l'organisation de concerts. Le premier concert de ce genre a eu lieu le lundi 18 mars 1895, dans la salle de spectacles du Monument national. On a organisé d'autres concerts dits « populaires » avec l'aide des professeurs Martel et Letondal. Nombreux ont été aussi les concerts tenus en plein air aux parcs Sohmer et Amherst. Cette heureuse initiative a permis au Conservatoire de Montréal de rayonner et d'inviter des artistes de l'extérieur pour le plus grand bien de la vie musicale dans la métropole.

Au cours de ses promenades à travers la ville, Nelligan avait l'habitude de s'arrêter devant les ateliers des peintres et des sculpteurs et même, m'a-t-on dit, devant la boutique d'un fabricant de cercueils. Il saluait assez souvent le sculpteur italien Casimiro Mariotti, ami de la famille et parrain de sa sœur Gertrude. L'atelier de celui-ci fournira même l'arrière-plan d'un poème de Nelligan, écrit probablement en 1897, et dont nous connaissons deux versions sous deux titres différents : « Sculpteur sur marbre » et « Le Chef-d'œuvre posthume ». Mais l'événement qui a marqué l'épanouissement du don créateur chez le poète est à coup sûr l'amitié entre Émile Nelligan et Joseph et Bernard Melançon, autour desquels se groupent plusieurs jeunes artistes, notamment Jean Charbonneau, Charles Gill et Arthur de Bussières.

La première rencontre avec les frères Melançon se situe en mars 1896, au moment où Nelligan entre au collège Sainte-Marie. Il fait partie du même groupe d'externes 5 que Bernard Melançon. Celui-ci est de deux années le cadet d'Émile. Le fait qu'ils se retrouvent l'un et l'autre au même niveau chez les Jésuites s'explique par les retards scolaires de Nelligan : nous avons vu qu'il a été obligé de redoubler les classes d'éléments latins et de syntaxe. À vrai dire, Bernard Melançon avait peu d'inclination pour la poésie, mais son frère Joseph, né le 15 octobre 1877, élève en philosophie, taquinait les Muses depuis 1894. C'est donc lui qui devint en peu de temps l'ami intime de Nelligan et surtout son interlocuteur en matière de poésie. Bernard Melançon a évoqué les longues conversations sur la littérature et la musique qu'avaient son frère et Nelligan, tantôt en faisant ensemble le trajet vers le collège, tantôt en se voyant au domicile des Melançon, situé d'abord rue Saint-Charles-Borromée, ensuite rue Sainte-Élisabeth, près de Sainte-Catherine. À cette époque, Joseph Melançon avait déjà écrit un grand nombre de poèmes dont onze ont paru dans *Le Monde illustré* et dans *Le Samedi* sous le pseudonyme de Léon Manc, orthographié aussi Léon Man et Léon M. À partir du 7 décembre, il signe des textes de son propre nom et les envoie au *Monde illustré*. Il est certainement beaucoup plus avancé que Nelligan dans la connaissance de la prosodie, mais pas aussi doué que son jeune ami, chez qui la spontanéité et l'intuition rachètent le peu de connaissances théoriques.

Joseph Melançon ne tient pas en grande estime les balbutiements poétiques de Nelligan dans lesquels, remarque-t-il, il se trouve trop de rêverie, trop de musique et pas assez d'idées. Mais cela ne décourage pas le jeune apprenti poète. Nelligan aime feuilleter les recueils de poésies que contient la petite bibliothèque de son ami bien plus que décortiquer les poésies que celui-ci lui montre très souvent. Malgré tout, Nelligan est fortement impressionné par un sonnet de Joseph Melançon intitulé « Somnium ». L'auteur a travaillé ce texte pendant l'hiver de 1895-1896 et l'a terminé au mois de mai 1896.

Le «Somnium» de Melançon, sorte d'allégorie sur la mort, a marqué à jamais la sensibilité de Nelligan, et on en trouvera les échos dans plusieurs de ses poèmes: «Le Saxe de famille», «La Terrasse aux spectres», «Les Carmélites» et surtout le sonnet «Le Salon», dont les tercets constituent une allusion nette au poème de Melançon. Jusqu'à sa mort, Nelligan se rappellera ce poème. Quelque temps après 1931, il écrira pour mademoiselle Casaubon cinq vers qui sont justement, avec quelques changements, le premier quatrain et la chute du sonnet de Melançon.

La rencontre avec Joseph Melançon a permis à Nelligan de connaître Charles Gill, dont la beauté était proverbiale et la bohème légendaire. Il avait vécu quelques années à Paris, y étudiant sporadiquement la peinture chez Jean-Léon Gérôme. Revenu pour de bon à Montréal en 1894, il se dévoue avec une ardeur égale à la peinture et à la poésie. Il se vante d'avoir eu l'honneur de connaître personnellement Verlaine et François Coppée et d'avoir vécu les grandeurs et les misères dont parle Baudelaire dans ses *Fleurs du mal*. Ceux qui ont eu le privilège de visiter son étrange atelier, 42, rue Chambord, se sont longtemps rappelé les murs couleur de nuit et le plafond parsemé d'étoiles. Or ce peintre-poète, futur auteur du *Cap Éternité*, devint l'ami de Nelligan en 1896 et cette amitié demeurera indéfectible.

À la même époque, Nelligan fait la connaissance d'Arthur de Bussières, qui fréquente assidûment Joseph Melançon. La vie de bohème et la profession de peintre en bâtiments de Bussières n'ont rien de commun avec la vie de collégien de Joseph Melançon. On admire chez lui la touche parnassienne fort perceptible dans ses premières esquisses poétiques. Nelligan porte une attention particulière à cet artiste autodidacte épris de liberté et qui n'a que deux maîtres: les poètes Leconte de Lisle et Heredia. De trois ans l'aîné de Nelligan (il est né le 20 janvier 1877), Arthur de Bussières est à la recherche de sa vocation autant que Nelligan, qui deviendra son ami fidèle. Dans sa pitoyable manière de vivre, alors qu'il tente d'oublier la pauvreté dans l'alcool, il ne cessera de penser à «la grande poésie parnassienne».

Les rencontres de Nelligan avec l'art sont en somme des contacts avec des œuvres au service de la poésie, de la peinture, de la sculpture, de la musique... Ce sont aussi des découvertes d'actes où l'élan créateur s'exprime en paroles, en couleurs, en lignes, en sons, toutes formes où éclate une nouvelle dimension de la beauté. Nelligan est à l'affût d'œuvres d'art, de manifestations culturelles où pointent des significations nouvelles. Chercher la poésie hors de soi, c'est (pour lui) quêter une confirmation de sa vraie vocation. Trouver la poésie dans son être, la libérer et lui donner une forme originale, c'est pour Émile conquérir un nouvel espace où il est bon de vivre en poète.

Émile Kovar : la découverte de Verlaine

Lorsque paraissent dans *Le Samedi* de Montréal, entre le 13 juin et le 19 septembre 1896, des poèmes signés Émile Kovar, peu de gens savent que sous ce pseudonyme emprunté à la littérature américaine se cache Émile Nelligan. C'est ainsi qu'il se protège de ses ennemis et de ses professeurs, le P. Lalande et autres censeurs ; il éprouve trop de méfiance à leur égard pour leur livrer son vrai nom et sa vocation de poète. Ainsi paraissent neuf pièces, les premières à être publiées, dont cinq sont des sonnets et les autres possèdent une structure strophique, dans chaque cas, différente. Ce sont : « Rêve fantasque », « Silvio Corelli pleure », « Nuit d'été », « La Chanson de l'ouvrière », « Nocturne », « Cœurs blasés », « Mélodie de Rubinstein », « Charles Baudelaire », « Béatrice ».

Les neufs poèmes constituent un petit bloc poétique que réunit, en plus du pseudonyme qui leur sert de signature commune, la petite étiquette « Pour *Le Samedi* », mise entre parenthèses sous le titre. D'apparence insignifiante, cette petite inscription indique clairement que Nelligan a décidé de participer à un concours littéraire organisé par *Le Samedi*. Depuis sa fondation, le 15 juin 1889, cet hebdomadaire, parmi tant d'autres publications montréalaises, se veut une revue d'actualité illustrée, « sous la forme charmante d'un délassement sérieux et d'une philosophie légère ». Son deuxième rédacteur en chef, Louis Perron, succédant à Lionel Dansereau le 9 mars 1895, lance un concours littéraire visant à stimuler la création chez les jeunes. Le premier concours se termine le 15 juin 1895. Les gagnants sont : Églantine (premier prix), Laberge (deuxième prix) pour la prose ; Delagny (premier prix) pour la poésie. Au terme du second concours, le 19 octobre, les prix de poésie sont partagés : le premier entre Jean Ga-Hu et Léon Manc, le second, entre Louvigny et Delagny. À la fin du troisième concours, en février 1896, Jean Ga-Hu se voit décerner le premier prix en poésie et le second revient au baron Baudoin de Flandre. On constate qu'à peu d'exceptions près, les participants aux concours se servent de pseudonymes. Les quatre principaux aspirants sont Jean Ga-Hu (Henry Desjardins), Louvigny (Louvigny de Montigny), Delagny (Jean Charbonneau) et Léon Manc (Joseph Melançon), dont le nom de plume n'est que l'anagramme de son véritable nom.

Nelligan suit attentivement ces compétitions et, une fois le quatrième concours ouvert, il décide d'y participer. Mais l'échéance, cette fois, est reportée et finalement les résultats ne furent jamais publiés, peut-être à cause du départ du rédacteur Louis Perron à la fin d'avril 1896, qui ne reviendra à son poste qu'en juin 1897. Ce que montre l'étiquette « Pour *Le Samedi* » au-dessous du titre de chacun des neuf poèmes, c'est que Nelligan, élève du collège Sainte-Marie, a bel et bien voulu décrocher un prix. Comme tant d'autres, il a choisi un pseudonyme dont il était probablement fier : Émile Kovar.

Ce nom de Kovar a tout simplement été emprunté à une œuvre de Steele Mackay (1842-1894), écrivain américain. Auteur de plusieurs pièces, Mackay écrivit, en 1887, un drame à succès, *Paul Kauvar*, connu aussi sous le titre *Paul Kauvar or Anarchy*. Il s'agit d'une pièce en cinq actes dont l'action mélodramatique a pour toile de fond la Révolution française et pour thème les agissements contradictoires de Paul Kauvar et l'histoire d'amour entre le héros et Diane de Beaumont. Créée à Buffalo en mai 1887, la pièce fut jouée, l'année suivante, au New National Theatre à Washington. En février 1889, elle fut applaudie au Queen's Theatre de Montréal et reprise sur la même scène en 1891, 1892, 1893 et 1894. Toutes les chroniques artistiques de l'époque soulignent le succès des représentations et l'excellent jeu des acteurs Joseph Haworth et Carrie Turner. Le journaliste Joseph Genest voit en *Paul Kauvar* « une des meilleures pièces du théâtre américain ». Il est quasiment certain que Nelligan a assisté à une représentation de cette pièce. Rien de plus facile que d'emprunter son nom à l'extravagant révolutionnaire français, tout en en changeant l'orthographe sans en modifier la phonie, et de l'accoler ainsi à son prénom.

Le « Rêve fantasque », le premier poème de Nelligan publié, vit le jour dans *Le Samedi* du 13 juin 1896. L'auteur n'a que seize ans et demi. Naïvement, sa joie éclate ; sa voix prend son essor. Peu importent les études ! À quoi bon reprendre la syntaxe ! La voie de la poésie s'ouvre toute grande. Dans les colonnes du journal que tout le monde feuillette, son nom, caché sous le pseudonyme d'Émile Kovar, se trouve maintenant parmi ceux de ses amis plus âgés. Composé de 36 vers regroupés en neuf quatrains isométriques, le « Rêve fantasque » de Nelligan possède sa petite histoire, qui n'est nulle autre que celle de ses lectures et de ses exercices littéraires.

Nelligan connaissait-il Verlaine ? Sans aucun doute. Après les romantiques commentés en classe par le P. Théophile Hudon, voici donc que le jeune collégien découvre les décadents grâce aux journaux et livres empruntés. Déjà, à la fin de 1891, la revue *L'Écho des jeunes* avait manifesté ouvertement son intérêt pour le monde de Verlaine, dont elle reproduit quatre poèmes en 1892 : « Il Baccio », « Lassitude », « Intérieur » et « Tête de Faune ». Entre le 27 avril 1895 et le 5 septembre 1896, *Le Samedi* publie de son côté, dans sa rubrique destinée aux meilleures poésies de tous les pays et de toutes les époques, huit poèmes de Verlaine : « Pluie et Fleurs » avec son incipit (« Il pleure dans mon cœur... »), « Nuit du Walpurgis », « Gaspar Hauser chante », « Le Rossignol », « Dernier Espoir », « Ariette » (titre forgé par la rédaction du journal), « Cantilène », « L'Amour par terre ». On y trouve aussi plusieurs contes et essais ayant trait à la vie du poète français. La mort de Verlaine, le 8 janvier 1896, est l'occasion d'autres parutions. Dans *La Minerve*, G. D'Azambuja qualifie l'auteur des *Romances sans paroles* d'« individualité la plus puissante d'une école impuissante, l'incarnation

douloureuse des efforts maladifs de toute une génération». C'est aussi à ce moment-là qu'Henry Desjardins
esquisse un hommage au pauvre Lelian, mais le poème ne
paraîtra que plus d'un an plus tard. Par ailleurs, Édouard-
Zotique Massicotte, à 29 ans, le plus connu des écrivains
de la génération montante, publie au printemps de 1896,
dans *La Feuille d'érable*, un article inachevé où il précise
qu'il a découvert Verlaine en 1890 en feuilletant *Paul
Verlaine*, un opuscule de Charles Morice publié à Paris,
chez Léon Vanier, en 1889. Massicotte a l'air de bien
connaître Verlaine, qui, d'après lui, «passe sa vie à rêver,
à caresser des illusions chères, puis à les voir s'évanouir
devant la réalité, comme s'évanouit la rosée du matin sous
l'effet du soleil levant».

Après la mort de Verlaine, les œuvres de ce «prince
des poètes» allaient gagner en popularité. Depuis la fin de
1895, la maison Beauchemin offrait à sa clientèle tous les
recueils du célèbre poète français. Les amateurs qui vou-
laient parcourir plus rapidement l'œuvre de Verlaine
n'avaient qu'à se procurer un choix de ses poésies, publié
par la Bibliothèque Charpentier, avec une préface de
François Coppée. Cette poésie décadente, héritière de la
mélancolie romantique, de la tristesse de Musset surtout,
s'est vite trouvé des adeptes à Montréal. À sa façon, un
certain Jules Fagnant a imaginé «Il pleure dans mon cœur
comme il pleut sur la ville» et Jean Ga-Hu (Henry Desjardins) a proposé en 1895 aux lecteurs du *Samedi* ses
propres variations sur la «Chanson d'automne». C'est
dans une telle atmosphère littéraire que Nelligan compose,
en avril-mai 1896, son «Rêve fantasque», qu'il avait
souhaité sans doute sous le signe de la modernité poétique
la plus raffinée et que le *Courrier du Canada* taxa d'irré-
vérence et d'irréligion.

Il n'y a aucun doute que le «Rêve fantasque» fut conçu sous la forte influence de Verlaine. Il est devenu, pourrait-on dire, la version nelliganienne de la «Nuit du Walpurgis classique» des *Poëmes saturniens*. D'après certains critiques français, Y.-G. Le Dantec entre autres, Verlaine, en composant ce poème, avait été influencé par *Sabbat*, lithographie de L. Boulanger, qui renvoie à son tour au célèbre *Faust* de Goethe, lequel fut aussi popularisé par l'opéra du même titre de Charles Gounod, en 1859, où «La Nuit du Walpurgis» devient un ballet fantastique, au début du cinquième acte : nuit de sorciers et de spectres, sous l'égide de Méphistophélès, véritable sabbat à la veille du 1er mai, dans l'esprit du grand rituel démoniaque. Verlaine créa son poème en relation avec le *Second Faust* (1832), qui avait permis à Goethe (frisant alors les 80 ans !) d'introduire son héros dans le monde de l'Hellade (auprès de la belle Hélène remplaçant Marguerite) et de rechercher le rapport parfait entre l'idéal antique et l'idéal moderne, entre l'homme et la nature. C'est ainsi que la nuit du Walpurgis devient classique — harmonie, rythme, équilibre —, ordonné comme un jardin de Lenôtre. Le poète français écrit :

> C'est plutôt le sabbat du second Faust que l'autre,
> Un rythmique sabbat, rythmique, extrêmement
> Rythmique. — Imaginez un jardin de Lenôtre,
> Correct, ridicule et charmant.

Nelligan imagine son jardin moins grandiose que celui tracé par Lenôtre. Sa nuit d'été est plutôt celle du carré Saint-Louis, un paysage fantasque à sa façon, sans allusion à Goethe, espace vert rempli de la lune douce, orné de quelques cupidons d'argent et d'un cerf bronzé d'après Rosa Bonheur. À Verlaine, il emprunte le canevas du poème. La structure strophique se présente donc ainsi :

12a, 12b, 12a, 8b, exception faite du troisième quatrain à rimes embrassées. Dans les deux cas, la première strophe est aussi celle qui clôt le poème, et elle est modulée de façon semblable. En deuxième lieu, il s'approprie, sous des formes légèrement variées, certaines expressions et images de Verlaine : « D'un mouvement rythmique » (chez Verlaine : « un rythmique sabbat ») ; « jets d'eau moirés » (« des jets d'eau ») ; « les plants taillés en cœur [...] les beaux ifs langoureux » (« des ifs taillés en triangles », « des plants en fleurs ») ; « Aux chants des violons, un écho se réveille » (« des chants voilés de cors flottaient [...], minuit sonne et réveille ») ; « harmonieusement résonnant » (« harmonieusement dissonant ») ; « L'opaline nuit marche » (« opaline parmi l'ombre ») ; « un cuisant remords » (« ton remords »). Cet échantillon suffit pour constater l'importance de la source littéraire chez le jeune Nelligan, habitué d'ailleurs à cette sorte d'exercices dans sa classe de littérature au collège. On remarque également chez ce poète de 16 ans que les rimes sont parfois laborieuses (cinquième strophe : « réveille », « n'est plus », « l'éveille », « de plus »), que les simples éléments descriptifs abondent au détriment de l'image poétique, limitée ici à une seule personnification (« L'opaline nuit marche »), de même que les adjectifs « romantiques » (première strophe : « bruns chêneaux altiers », « ciel triste », « mouvement rythmique », « sombre contour », « beaux ifs langoureux », « verts nids d'amour »), ou encore les plaintes nostalgiques non exemptes de clichés : « j'entends gémir une voix », « ce qu'il est doux de mourir », « je me rappelle encore ». Mais le profit que Nelligan tire de la lecture de Verlaine, c'est la découverte de l'importance de la musique dans le discours descriptif, musique qui est tantôt orchestration du réel et du fantastique, tantôt ensemble phonique où l'adverbe contribue à l'harmonie de la phrase et du rythme. On remarquera enfin, dans ce paysage nocturne, les «cygnes blancs et noirs», couleurs particulièrement chères à Nelligan et qui deviendront un peu plus tard l'axe de sa symbolique.

La rencontre avec Verlaine s'avère décisive dans la façon de concevoir la poésie, et Nelligan profite de ses impressions livresques pour construire d'autres poèmes, toujours signés du pseudonyme Kovar. Sa complainte «Silvio Corelli pleure», publiée dans *Le Samedi* du 11 juillet (reproduite dans *Les Débats* du 26 août 1900 sous le titre abrégé «Silvio pleure»), n'est que sa version du «Gaspar Hauser chante», poème de Verlaine qui fait partie de *Sagesse*, version que la revue dirigée par Louis Perron publia le 29 juin 1895. Le titre semble fantaisiste et renvoyer à la fois à Arcangelo Corelli et à Silvio Pellico, musicien et écrivain italiens. Mais chose certaine, le thème du jeune violoniste pauvre, dont le sort se confond avec celui de Nelligan, se moule dans une forme indéniablement verlainienne.

Verlaine est pour Émile Nelligan une véritable révélation en 1896 et ses effets seront durables. D'autres poèmes — «Nuit d'été», «Nocturne» — seront aussi conçus selon les préceptes de l'art verlainien, bien que le ton y devienne plus contemplatif. Verlaine est pour Nelligan le premier vrai sourcier de son don poétique, avant même Baudelaire, que Luc Lacourcière citait en tête de ses sources d'inspiration. Après avoir lu des classiques, goûté quelques poèmes de Millevoye et de Lamartine, Nelligan se fait poète, guidé par Paul Verlaine. Et même s'il se fait disciple, il vise aussi à l'originalité. La formule de T.S. Eliot est à cet égard significative: «Le poète inexpérimenté imite, le poète d'expérience vole; le mauvais poète massacre ce qu'il emprunte, le bon poète en fait quelque chose de meilleur, du moins quelque chose de différent.» À n'en pas douter, en imitant Verlaine, Nelligan en a fait quelque chose de différent. Somme toute, il a fallu commencer par l'imitation des maîtres.

On dirait que l'apprentissage de la poésie se fait chez Nelligan sous le signe du hasard et de l'exercice. Les artistes auxquels il s'attache ne sont pas toujours des sommités. Un jour, à Cacouna, chez Denys Lanctôt, il découvre Pierre Dupont, auteur des *Chants et chansons*, poésie et musique en quatre volumes. C'est une poésie réaliste qui louange le travail du petit peuple. Elle doit avoir une valeur certaine, car Baudelaire, préfacier de l'ouvrage, qualifie ces chants d'«admirable cri de douleur et de mélancolie». On ne sait pas comment Nelligan a lu ce volumineux ouvrage doté d'excellentes gravures. Mais ce que l'on sait, c'est qu'il a appris par cœur deux pièces : «L'Aiguille» et «Le Tisserand». Aussitôt, il s'est mis à composer sa «Chanson de l'ouvrière» avec l'intention de la dédier à Denys Lanctôt. Mais en même temps il fredonne «La Chanson du rouet» d'Eugène Fayolle, qui a paru dans *Le Samedi* du 26 octobre 1895. (Nelligan avait une mémoire phénoménale, ce qui lui a permis d'apprendre une quantité de poèmes par cœur.) C'est dire que pour sa «Chanson de l'ouvrière», le thème vient de Dupont et la versification de Fayolle.

Comparons :

Nelligan :   *Ici-bas tout geint, casse ou pleure ;*
                Rien de possible ne demeure
                À ce qui demeurait avant.

                Pique aiguille ! assez piqué, piquant !
                Ici-bas tout geint, casse ou pleure.

Fayolle :   Dans leur cortège où l'ennui pleure
             Et la plus douce et la meilleure
             L'heure qui nous tient maintenant.

             Tourne rouet ! tourné, tournant
             Dans le cortège où l'ennui pleure.

Le texte de Nelligan présente une dépendance évidente par rapport à celui de Fayolle. En imitant les autres, il cherche sa propre voie de poète. Il ne reviendra plus à Dupont. Il se croit content d'avoir entrevu la beauté simple de la chanson. Plus tard, il composera d'autres chansons telles que « Fantaisie créole », « Le Mai d'amour », « Violon de villanelle », « L'Idiote aux cloches »...

À l'École littéraire de Montréal

S'il y a eu un automne triste pour Émile Nelligan, c'est certainement celui de 1896. L'adolescent se sent humilié d'être obligé de reprendre le cours de syntaxe au collège Sainte-Marie. Aussi y retournera-t-il sans l'ombre d'une motivation, poussé par ses parents qui ne savent vraiment plus comment faire sortir leur fils de plus en plus rêveur de sa léthargie. Émile rencontre fréquemment Joseph Melançon pour parler surtout de poésie et oublier ainsi la monotonie des cours. Melançon est bien triste depuis la mort de son père, dépressif même par moments ; il semble se livrer de plus en plus à de longues méditations sur le destin et le rôle de la religion dans la vie des hommes. Émile s'arrête aussi chez Arthur de Bussières, beau garçon blond aux cheveux frisés, mais pauvre comme Job, qui a terminé de justesse son cours primaire. Il aligne, depuis quelque temps déjà, des vers à la façon des parnassiens. À partir de 1895, il habite seul au 543 $^1/_4$ du boulevard Saint-Laurent, dans une petite pièce au milieu de laquelle un poêle réchauffe la friture, tandis que sur la table, près de la fenêtre, traînent quelques bouteilles de bière ; les jours de paye, on peut y trouver un flacon d'absinthe entouré de quatre petits verres. Maladif, l'adolescent travaille tantôt comme apprenti confiseur, tantôt comme peintre en bâtiments (métier appris chez son père, Fabien), moyennant quelques sous par-ci par-là, pour survivre. Quand il le peut, il écrit des vers que Nelligan trouve « tout simplement divins », selon un témoignage de Louis-Joseph Doucet. Émile admire ce garçon qui sait voyager en rêveur dans l'exotique géographie des pays lointains et chez qui se réunit parfois la bohème du milieu : Charles Gill, Louis-Joseph Paradis, Gaston de Montigny (presque toujours ivre) et Ernest Martel, dont la gaieté sait réconforter les tristes promeneurs solitaires.

Noël 1896 s'annonce mal pour le pauvre Émile. Ses études au collège ne le mènent nulle part. À la fin du premier trimestre, il obtient à peine 379 points sur 900. Le seul sujet qui l'intéresse, c'est le français : 66 sur 75 ; en versions latine et grecque, les notes sont également passables. Mais le reste est à l'abandon. En janvier et février 1897, Émile manque souvent l'école et en mars, il n'y va plus. Ainsi se terminera la formation scolaire d'Émile Nelligan, au grand désespoir de sa mère et au grand mécontentement de son père, dont les foudres n'arrangent cependant rien. L'adolescent semble désemparé, irrémédiablement possédé par le dessein de vivre pleinement son destin de poète.

Le collège Sainte-Marie, c'est fini, et à jamais ! Mais Émile sait — Joseph Melançon et Arthur de Bussières lui en ont déjà maintes fois parlé — qu'une autre « école » existe, vouée au culte de la langue française, à l'art, à la poésie : c'est l'École littéraire de Montréal. Elle regroupe, dit-on, de jeunes artistes enthousiastes : poètes, conteurs, essayistes, historiens, peintres... Nelligan avait déjà été approché, à l'automne de 1896, pour y donner une conférence : son nom clôt une liste de 15 conférenciers éventuels, dressée par Louvigny de Montigny. Au début de 1897, Émile songe sérieusement à devenir membre de cette association littéraire. Pour ce faire, il doit soumettre un échantillon de ses œuvres au comité d'approbation, ce qu'il fait au début de février. Le 10 du même mois, le secrétaire de l'École précise : « M. Émile Lennigan [*sic*] est accepté comme membre de l'École littéraire. Les deux pièces, "Berceuse" et "Le Voyageur", ont été acceptées à l'unanimité. » Il assistera pour la première fois aux délibérations du cénacle le 25 février 1897, y lisant trois de ses pièces : « Tristia », « Sonnet d'une villageoise », « Carl Vohnder est mourant ». Ce soir-là, Joseph Melançon a évoqué sur le vif le portrait de son ami :

> Émile Nelligan, un tout jeune en poésie, lit des vers de sa composition, d'une belle voix grave, un peu emphatique qui sonne les rimes. Il lit debout, lentement, avec âme. La tristesse de ses poèmes assombrit son regard. Il y a de la beauté dans son attitude, c'est sûr. Mais ses vers ? De la musique, de la musique et rien d'autre ; exemple :

> > Quelqu'un pleure dans le silence
> > Morne des nuits d'avril ;
> > Quelqu'un pleure la somnolence
> > Longue de son exil ;
> > Quelqu'un pleure sa douleur
> > Et c'est mon cœur.

> Arthur de Bussières a donné quelques sonnets du
> même acabit. Pourquoi parler, même en vers, si l'on
> ne peut s'exprimer clairement? Ce qui n'est pas
> clair n'est pas français.

Témoignage personnel et combien révélateur, car il prouve que la plupart de ces jeunes littérateurs sont encore loin de Verlaine. La pensée de Joseph Melançon accuse un demi-siècle de retard sur la poésie du jeune Nelligan. Mais est-il sincère? Le meilleur poème de Melançon, «Musique», s'inscrit en faux contre son jugement dogmatique sur l'essence de la poésie.

Au moment où Nelligan entre à l'École littéraire de Montréal, celle-ci a à peine un an et demi d'existence. Dans ce laps de temps, elle a accueilli dans ses rangs 20 membres, tous membres fondateurs, à l'exception de Charles Gill et d'Arthur de Bussières. On remarque parmi eux quatre avocats, un médecin, trois peintres, deux libraires-éditeurs, trois journalistes, sept étudiants en droit et en philosophie qui collaborent à l'occasion aux revues et journaux. Le plus âgé, Georges-A. Dumont, a 39 ans; le plus jeune, Arthur de Bussières, en a 20. Lorsqu'il se joint à ce groupe de l'intelligentsia montréalaise, Nelligan, âgé à l'époque de 16 ans et deux mois, se trouve en être le benjamin et détonne étrangement dans les réunions. En tant que groupe humain, l'École littéraire est forcément une société hybride. Indépendamment des professions exercées, des études poursuivies, cependant, tous n'ont qu'un seul désir, celui de servir, chacun selon ses talents et ses moyens, la langue française et la littérature du pays.

Tous les critiques qui se sont intéressés à l'École littéraire de Montréal se sont plu à répéter l'anecdote rapportée par Jean Charbonneau, à savoir que la fondation de cette société était le résultat d'une discussion qui avait eu lieu au café Ayotte, rue Sainte-Catherine, entre lui et Paul de Martigny. Leur réunion aurait suivi un banquet politique au Saint Lawrence Hall où s'étaient succédé, pendant quatre heures, « d'interminables discours assaisonnés de "canadianismes", d'anglicismes et de lieux communs ». Qu'il s'en soit trouvé pour réagir contre les tortionnaires de la langue française un soir de novembre 1895, cela nous semble plausible. Mais rappelons-nous que cela s'est produit dans un contexte plus large où se manifeste la volonté de promouvoir l'amélioration à la fois du parler canadien-français et de sa littérature. En vérité, déjà depuis les années 1890, ce désir de rénover les domaines linguistique et littéraire est perceptible. Plusieurs cercles et cénacles littéraires — de même que des « académies littéraires » organisées dans les écoles — voient le jour à Montréal. La Pléiade, inspirée par Édouard-Zotique Massicotte, et le Club Sans Souci, de tendance décadente, sont bien connus. Mais les vraies racines de l'École littéraire de Montréal plongent dans l'activité du Groupe des six éponges, dont l'histoire commence au restaurant Ayotte, durant l'hiver de 1894-1895. Là, les six éponges arrosent leurs rêves et complaintes de bière blonde, d'absinthe et de cognac. Ce sont Paul Phyr, dit Jean Ga-Hu (Henry Desjardins), Carolus Glatigny (Louvigny de Montigny), Casimir Girardin, Philémon du Baucis, Albain Garnier (Alban Germain) et Paulo del Ruggieri (probablement Paul de Martigny). Henry Desjardins et Louvigny de Montigny semblent jouer les premiers violons au cours de ces joyeuses soirées qui se tiennent chaque samedi et qu'on appelle tout simplement « saturnales ». Lisons ce texte signé A.D.L., paru dans *Le Samedi* du 24 août 1895.

Eh oui, des bohèmes canadiens qui existent en chair et en os. Que n'ai-je la plume endiablée d'Henry Murger pour écrire des fastes mémorables !!! Donc, il était une fois six éponges. On appelle éponges, en termes du métier, une institution où des hommes ressemblent à une institution d'anti-buveurs d'eau, et qu'une goutte de Saint-Laurent dans un verre de cognac fait tomber en pâmoison. Ces six éponges avaient adopté un coin de prédilection, où ils aimaient à rêver et à pondre une suite d'articles pour *Le Samedi*. Ils avaient [les éponges au masculin, c'est-à-dire les individus surnommés ainsi], ils avaient baptisé leur lieu de réunion « Le petit Procope » en mémoire du grand café parisien, si célèbre aujourd'hui ; c'était le cabinet particulier d'un restaurant bien connu de la rue Sainte-Catherine [il s'agit du café Ayotte où se trouve aujourd'hui la Banque canadienne-française]. [...] Le P. Mariotte [Ayotte], propriétaire et patron attitré de la bohème les recevait à bras ouverts.

C'est dans cette atmosphère imprégnée de l'odeur des cigarettes et de l'alcool qu'est née l'École littéraire de Montréal : l'ambiance du café Ayotte subsistera pendant quelques mois dans la mansarde de Louvigny de Montigny — avec toutefois plus de sérieux ! — après que les éponges seront devenues les membres fondateurs du nouveau cénacle.

L'École littéraire de Montréal vit officiellement le jour le jeudi 7 novembre 1895, à la suite d'une invitation lancée par Louvigny de Montigny et Jean Charbonneau. La réunion eut lieu dans la salle des audiences de la Cour du Recorder, mise à la disposition des jeunes par le chevalier et juge B.-A. Testard de Montigny, père de Louvigny. Si l'on connaît aujourd'hui la date exacte et l'atmosphère qui y régnait, c'est grâce à une note de Joseph Melançon, datée du jeudi 7 novembre 1895.

> Je reviens d'un essai de commencement d'académie ou bien d'école littéraire. Ils ont nommé un président et des conseillers après beaucoup de temps perdu en discussions de toutes sortes. Discours inutiles, notions sans buts, futilités. L'assemblée s'est tenue dans l'enceinte de la cour du «Recorder» de Montréal. Louvigny de Montigny, un des organisateurs, est le fils du «Recorder». Et il y avait bien là une soixantaine d'étudiants... qui ont fait les fous.

Ces renseignements sont complétés par un entrefilet de *La Presse* du 23 novembre, où sont nommés les membres du bureau: président, M. Germain Beaulieu, avocat; vice-président, J.-W. Poitras, avocat; secrétaire-archiviste, Louvigny de Montigny; secrétaire correspondant, Jean Charbonneau; trésorier, G. Dumont. Conseillers: Gustave Comte, Alban Germain, É.-Z. Massicotte, Jules Leclerc. L'assemblée a aussi nommé un comité de critiques composé de Gonzalve Desaulniers, Albert Ferland, É.-Z. Massicotte et Joseph Melançon. Certes, l'association est entre bonnes mains, en l'occurrence celles des avocats, les idées sont lancées, les perspectives largement ouvertes, mais l'École devra s'accommoder pendant environ un an de la mansarde de Louvigny de Montigny (montée des Zouaves), tenir sobrement ses réunions dans la demeure des membres, avant d'obtenir un local convenable à l'Université Laval de Montréal et ensuite au Château de Ramezay.

Jusqu'au 24 septembre 1896, l'École se réunit tous les quinze jours. À partir de l'automne de 1896, les réunions auront lieu toutes les semaines, le jeudi soir à 8 h 30. En général, une réunion comprend une conférence (parfois deux) suivie d'une discussion, d'une lecture d'œuvres en vers et en prose et de l'examen de textes soumis par les nouveaux candidats. Parmi les sujets, la littérature occupe une place privilégiée, mais on s'intéresse aussi à l'histoire, à la peinture, et on se penche tant sur la civilisation canadienne-française que sur celle de France.

L'École littéraire de Montréal, qui se veut «mouvement libérateur» et champion du «renouveau littéraire», est en réalité un «cénacle» aux tendances variées. Parmi ses membres, nombreux sont ceux dont les yeux se tournent vers l'avenir mais dont les pensées plongent encore dans le passé. Même si Dantin y voit un réveil artistique notable, un effort décisif pour faire progresser la littérature et la langue françaises au Canada, il faut convenir qu'on n'a pas encore franchi la frontière qui sépare les anciens des modernes. Le mérite de l'École réside plutôt dans le désir collectif de travailler : écrire des poèmes, des contes, lire et s'instruire mutuellement, stimuler les vocations littéraires par des concours et des prix, écouter des conférenciers et les critiquer intelligemment. L'École envisage timidement de devenir un jour une grande Société des gens de lettres du Canada et de produire, le plus tôt possible, un «livre d'or» où s'inscrira, dans une écriture neuve, la personnalité des écrivains modernes du Canada français.

En devenant membre d'une telle société, Émile Nelligan devait, du même coup, épouser tant bien que mal les aspirations de cette nouvelle École qui semblait rendre possibles ses rêves. Le jeune poète est certainement attiré par l'esprit d'ouverture d'un Massicotte, d'un Montigny, d'un Desloges. Il adhère pleinement à l'esthétique parnassienne de son ami Arthur de Bussières. Mais il comprend moins bien le langage philosophique de Jean Charbonneau, les discours loufoques de Paul de Martigny, les sujets historiques de Dumont, la poésie terre à terre de Beaulieu, le chant larmoyant de Ferland. Il assiste à la séance du 3 mars 1897 et, sans doute parce qu'il a été un peu déçu après avoir écouté pendant presque deux heures la conférence de Charbonneau intitulée « La philosophie et l'idée », il ne participera pas à la réunion du 10 mars. Le 15 mars il ira à l'École. Il se rendra aussi à la séance du 22 mars, qu'il quittera cependant déçu, car la conférence de Beaulieu, « Notions d'anthropologie », a pris pratiquement tout le temps alloué à la réunion au détriment de la poésie. Pour Nelligan, qui a déjà lu Verlaine et Baudelaire, qui a réfléchi sur bien des poèmes récents, suivre les conférences des confrères est une perte de temps. Il admire l'enthousiasme et la fougue d'Henry Desjardins, mais il constate que Louvigny de Montigny et Gonzalve Desaulniers se sont éloignés du groupe, que Joseph Melançon s'apprête à donner sa démission. Sans tambour ni trompette, il prend donc, fin mars, une décision : il n'ira plus aux réunions de l'École littéraire, sans pourtant rompre avec elle de façon officielle. Mauvais élève comme d'habitude, il n'est pas né pour les programmes préétablis, les ordres du jour précis où l'on parle de tout sauf de ce qui l'intéresse : la poésie. Aux séances à dix voix, il préfère sa propre solitude. Il n'ira donc plus à l'Université Laval, où l'École littéraire tient ses séances : l'adolescent leur préfère sa languissante rêverie et ses méditations personnelles.

Dans son sonnet «Hiver sentimental», Nelligan évoque les «ruines de Thèbes». Le nom de la ville grecque légendaire surgit sous sa plume comme un mot rare. Il est, semble-t-il, le reflet d'une culture, sinon davantage d'une lassitude de vivre: le subconscient et le mythe se rencontrent. Les «ruines de Thèbes» ne sont en réalité que les ruines d'Émile Nelligan: un ennui de vivre assombri par l'idée de la mort.

Nelligan a connu l'histoire d'Œdipe, fils de Laïos, roi de Thèbes, et de Jocaste: un oracle avait prédit que l'enfant tuerait son père puis épouserait sa mère, ce qui arriva effectivement. Le mythe d'Œdipe a été maintes fois repris par les artistes. Mais il a aussi pénétré dans l'inconscient humain, où se manifestent ses pulsions profondes. Freud en a fait le point convergent de sa théorie libidinale. Le complexe d'Œdipe, en psychanalyse, témoigne de ce que le fils est attiré par sa mère, cependant qu'il rejette son père. La science freudienne en a fait le centre de la sexualité enfantine, avec tout un réseau de répercussions sur le développement de l'être affectif. Nelligan n'a évidemment pas connu l'interprétation qu'a donnée Freud de ce mythe ancien. Mais manifestement, il a vécu, à sa façon, sans trop le comprendre, le drame d'Œdipe.

Le conflit entre Émile et son père est devenu évident au moment où le garçon s'est mis à fréquenter l'école. La mésentente est attisée par les remarques sur ses notes, par l'évaluation de son bulletin, par les remontrances sur sa conduite en général. Fortement attaché à la tradition irlandaise, David Nelligan n'est pas pour autant «francophobe», comme on se plaît parfois à le répéter. Il a appris le français, qu'il lit et parle convenablement. Il aime d'ailleurs les langues et a même essayé, par ses propres moyens, d'apprendre l'italien. Jeune garçon, Émile s'entendait bien avec son père. Il l'accompagnait fréquemment dans ses promenades dans Montréal et dans les magasins. Ils sont allés plusieurs fois voir des pièces de théâtre et assister à des spectacles en plein air. Si plus tard ils ne s'entendent plus, cela ne tient pas à des divergences d'ordre linguistique. Le conflit se situe fondamentalement au niveau même de la conception que le père et le fils se font de la vie. Ce n'est que plus tard, au moment où il essaiera de remplacer l'école par la poésie, qu'Émile se démarquera de son origine irlandaise.

Le père aurait aimé voir son fils devenir avocat ou médecin. Ce souhait ne correspondait toutefois pas aux aspirations d'Émile qui, lui, avait décidé de devenir poète et de vivre selon ses besoins de rêveur ; l'école l'horripilait et tout travail terre à terre lui répugnait. Il s'obstinait à ne rien vouloir écouter des conseils de son père, qui n'avait du reste qu'une notion simpliste de la poésie. La brouille empirait avec les mois et les années. Elle s'intensifia à l'époque où Émile « faisait son fou » (expression de sa cousine Béatrice Hudon) au collège Sainte-Marie ; elle prit alors les dimensions d'un drame. Le père ne s'en tint pas toujours aux cris et aux mots durs ; ses réprimandes se terminaient parfois par des « claques bien administrées ». En passant devant la chambre de son fils, le père saisissait à l'occasion des feuilles de papier barbouillées de vers, les déchirait et les jetait au panier, parfois au feu. Il arrivait aussi que le père en colère coupât le gaz au « griffonneur malade ». Alors, prisonnier de l'obscurité, Émile sortait de dessous son lit une bouteille dans le goulot de laquelle il avait enfoncé une bougie pour éclairer d'une lueur vacillante sa petite table de scribe. Afin d'éviter les scènes, il notait soigneusement sur le calendrier les dates de retour à la maison de ce père que sa fonction d'inspecteur adjoint des postes faisait constamment voyager. Quand David Nelligan revenait, son fils se tenait à l'écart de la maison, faisait des rondes chez Arthur de Bussières et Joseph Melançon, allait voir ses oncles et tantes, quelques amis ici et là.

Face à une telle situation, on comprend mieux le sens de «Le Voyageur», unique poème dédié à son père, lu à l'École littéraire de Montréal, le 10 février 1897, et publié sous sa forme définitive dans *Le Monde illustré* du 2 octobre de la même année. Que l'homme qui est en voyage ne revienne plus! Est-ce bien ce que le poète a voulu dire dans les trois derniers vers du sonnet «Le Voyageur»?

On ne le revoit plus dans ses plaines natales.
Fantôme, il disparut dans la nuit, emporté
Par le souffle mortel des brises hivernales.

On ne peut l'affirmer avec certitude. L'ambiguïté est d'ailleurs voulue, ne fût-ce que par l'évocation des «plaines natales», qui seraient ici les plaines irlandaises. Mais si on ne tient pas rigueur à l'image flottante et au détail dont l'origine livresque pourrait même conduire à Victor Hugo, l'ensemble du poème de Nelligan multiplie les péripéties et se termine par un non-retour, la disparition du voyageur. Ce que Freud appelle la deuxième phase du complexe d'Œdipe prend ici une forme poétique suffisamment explicite. La hantise du poète est de tenir son père-voyageur éloigné, de le voir même anéanti dans quelque tempête hivernale, afin d'avoir la paix et de pouvoir versifier à son gré dans sa chambre.

Ainsi le sentier psychanalytique nous mène-t-il sur l'autre versant du complexe d'Œdipe. Mme Nelligan ne sera jamais tout à fait Jocaste dans ce drame familial qui lui pèse terriblement. Il est vrai qu'elle aime tendrement son fils, d'une tendresse maternelle peut-être même exagérée, qui se manifeste de maintes façons et parfois d'une manière naïve. Mais elle ne lui donne pas toujours raison. Elle n'approuve surtout pas son refus d'aller à l'école. De plus, elle est terriblement tiraillée entre ses préoccupations de mère et son devoir d'épouse. Combien d'heures a-t-elle passées à prier, à pleurer, à essayer de raisonner Émile, ou bien à tenter de le prendre par la douceur en l'embrassant et en lui jouant des sonates de Beethoven ? Supplications, crises de nerfs, conseils de toutes sortes, quelques sous glissés à l'occasion dans la main, en prétextant des commissions... Elle a tout fait pour restaurer l'harmonie dans son foyer et faire d'Émile un «bon garçon». Elle s'initiait même à la poésie, pour lui faire plaisir et pour mieux lire ses vers. Mais après que son fils a abandonné l'école, elle n'a plus eu d'autre choix que de faire le jeu de son fils prodigue. C'est sur ce plan que la mère infiniment bonne, infiniment tendre communiquera désormais avec ce fils triste et rêveur, orgueilleusement déterminé à suivre sa voie. Elle devine qu'il souffre, elle sait même qu'il ne peut faire autrement pour l'instant que de se consacrer entièrement à la poésie. Et si quelqu'un lui demande des nouvelles d'Émile, elle répond : «Il ne fait rien, il écrit.» La poésie ne figurait évidemment pas parmi les «occupations» dont le monde vantait les mérites. Écrire des poèmes équivalait alors aux yeux des mortels à ne rien faire.

Si un seul sonnet de Nelligan renvoie à son père, nombreux sont les poèmes inspirés par sa mère. Citons-en quelques titres : « Vieux Piano », « Prière du soir », « Ma mère », « Devant mon berceau », « Premier Remords », « Le Talisman », « Devant deux portraits de ma mère »... Les évocations d'une mère bonne et tendre renvoient toujours à une femme idéale. Elle est tantôt le personnage principal d'un paysage idyllique, tantôt une musicienne aux charmes angéliques, belle, tendre et nostalgique.

On imagine facilement les jours qui s'écoulent au 260 de l'avenue Laval : le père est souvent absent, la mère se morfond, Émile passe la plus grande partie du temps dans sa chambre, puis disparaît en ville lorsque son père revient ; les deux sœurs du poète étudient à Villa Immaculata. Rares sont les repas où toute la famille se retrouve à la même table. La place d'Émile n'est plus entre son père et sa mère : il vit son rêve aux confins de sa propre solitude.

La solitude pour Nelligan se fait plus grave à la venue de l'automne. En octobre, la chute des feuilles alimente sa réflexion sur la vie qui fuit. Les six distiques de sa « Sérénade triste » en parlent explicitement :

Comme des larmes d'or qui de mon cœur
                                                    [s'égouttent,
Feuilles de mes bonheurs, vous tombez toutes,
                                                    [toutes.

. . . .

Vous tombez de l'intime arbre blanc, abattues
Çà et là, n'importe où, dans l'allée aux statues.

. . . .

Comme des larmes d'or qui de mon cœur
                                                    [s'égouttent,
Dans mes vingt ans déserts vous tombez
                                                    [toutes, toutes.

Cœur triste, Nelligan n'est pas loin de la « Chanson d'automne » de Verlaine. À l'automne de 1897, son moi souffrant s'étale dans cet expressif symbole aux multiples couleurs et résonances, qui marque la fin de son sonnet « Soirs d'octobre » :

> Écoute ! ô ce grand soir, empourpré de colères,
> Qui, galopant, vainqueur des batailles solaires,
> Arbore l'Étendard triomphal des Octobres !

On entrevoit, dans les métaphores superposées, la crise d'un homme qui souffre, qui crie, qui s'efforce de vaincre les « funèbres hantises ». Le paysage galvanise l'âme, l'âme galvanise le paysage. Voilà l'acte créateur qui vient de celui qui est, selon sa propre expression, « boulevardier funèbre échappé des balcons ».

La seule solution pour lui est de fuir vers le monde de la poésie, celle — muse ou sirène — qui fait souffrir et qui fait vivre. Qu'importe le monde ! L'adolescent veut s'inoculer « de bizarres musiques » pour assumer pleinement sa vocation de créateur. Sur ce point, l'auteur du poème « Musiques funèbres » fournit un témoignage sans aucune équivoque :

> Car il me faut, à moi, des annales d'artiste ;
> Car je veux, aux accords d'étranges clavecins,
> Me noyer dans la paix d'une existence triste
> Et voir se dérouler mes ennuis assassins,
> Dans le prélude où chante une âme symphoniste.

Ce n'est plus un rêve, c'est un défi lancé à lui-même, c'est un engagement qui fait vibrer son être tout entier.

Dans le pays où il vit, donc autour de lui, le culte de la fleur de lys était toujours bien vivant. Parfois, un événement inattendu fait éclater le sentiment d'appartenance à cette vieille patrie qu'est la France. Tel fut le cas lorsque, en 1880, Louis Fréchette obtint le prix Montyon pour son recueil *Les fleurs boréales*. Lauréat de l'Académie française, barde estimé à l'époque de *La légende d'un peuple* pour laquelle Jules Claretie avait écrit une louangeuse préface, Fréchette est devenu du coup le Victor Hugo canadien et il allait le demeurer jusqu'à l'aube du XXe siècle. Lorsque, le 1er avril 1897, est mort à Québec Narcisse Henri Édouard Faucher de Saint-Maurice, grand patriote, le Québec a affiché partout un sentiment de fierté à l'égard de ce soldat légendaire. L'admiration de ceux qui cultivaient le souvenir de leurs origines françaises atteignit son paroxysme lorsque les journaux annoncèrent que la dernière volonté du défunt — pieusement respectée — avait été d'être enseveli dans les plis d'un drapeau fleurdelisé. De plus, un vent libéral s'était mis à souffler vers la fin du XIXe siècle sur tout le Québec. Depuis la célèbre bataille entre Sir Charles Tupper et Wilfrid Laurier, les rouges avaient partout le vent dans les voiles. La province devint fortement libérale lorsque Félix-Gabriel Marchand s'empara du pouvoir le 26 mai 1897. Les conservateurs d'Edmund James Flynn n'étaient pas parvenus à redonner un second souffle aux troupes conservatrices du Québec.

L'esprit libéral ne plaisait pas à tout le monde. Il fallut un certain temps pour que l'on fît la part des choses. Les ultramontains, d'un conservatisme absolu, poursuivirent sur tous les fronts des luttes farouches contre les libéraux, qu'ils décrivaient comme des francs-maçons et des fils du diable. Leur opposition atteignait parfois au fanatisme. L'Église québécoise avait résolument penché, surtout à l'époque de Mgr Bourget, vers les ultramontains. Par la suite, Mgr Fabre, devenu évêque de Montréal, plus souple que son prédécesseur, avait suivi attentivement les courants d'idées de son milieu. Le champion de l'ultramontanisme extrême fut sans nul doute Jules-Paul Tardivel, infatigable et intransigeant rédacteur de *La Vérité*, qui lança ses anathèmes contre les libéraux et les francs-maçons pendant un quart de siècle (1881-1905). On disait à l'époque : «Le ciel est bleu, l'enfer est rouge», faisant ainsi allusion aux couleurs des conservateurs et des libéraux. Même les idées du pape Léon XIII sur la légitime place des libertés populaires (*Immortale Dei*, 1885), sur l'importance de la liberté (*Libertas*, 1888), sur la justice sociale (*Rerum novarum*, 1891) ne purent tempérer les ultramontains québécois. Par contre, les libéraux surent en profiter.

D'après quelques vagues souvenirs, qui nous viennent de Béatrice Hudon-Campbell et de Gilles Corbeil, les grands-parents du poète furent plutôt d'allégeance conservatrice. Son père, sans faire de politique, aurait plutôt penché pour le libéralisme. Quant à Émile, la politique l'intéresse peu. Il pense surtout en poète, et il sera toujours du côté de ceux qui font de la poésie leur grande raison de vivre. Si libéral veut dire progressif, inventif, créateur, il l'est parce qu'il veut dépasser son époque et vivre au diapason de la poésie nouvelle. Pour réfléchir et créer, il s'isole. La solitude le fait vivre.

Dans la littérature canadienne-française de la seconde moitié du XIXe siècle, libéraux et conservateurs s'opposent aussi. On connaît l'esprit crânement conservateur de Joseph-Charles Taché et d'Adolphe-Basile Routhier et l'esprit plutôt libéral de l'abbé Casgrain ; ces deux derniers croisèrent le fer, en engageant des polémiques à n'en plus finir sous le couvert de pseudonymes. Nelligan connaît les Fils de la Liberté, dont Louis-Joseph Papineau fut un infatigable défenseur. Il lit les articles d'Arthur Buies, qui fait à l'époque figure de Garibaldi canadien. Le jeune poète affiche toujours un grand respect pour Louis Fréchette, dont le volume *Les fleurs boréales. Les oiseaux de neige*, dédicacé, est placé bien en évidence dans sa petite bibliothèque. Certes, il voit d'abord en Fréchette un écrivain, un poète. Chez lui l'esprit libéral tire parti de la puissance créatrice ; la poésie se fait temporairement parole qui frappe.

Nelligan aimait la France. C'est que pour lui la France était depuis toujours la patrie des grands poètes, de François Villon à Charles Baudelaire. D'après les témoignages de Joseph Melançon et de Louvigny de Montigny, on ne se tromperait guère en disant que les poètes français, grands et moins grands, étaient pour Nelligan des guides en compagnie desquels il se sentait à l'aise : Millevoye, Musset, Verlaine, Baudelaire, Heredia, aussi Samain, Autran, Barbier, tout un cortège de romantiques, de symbolistes, de parnassiens parmi lesquels il est bon de citer à l'occasion Thomas Moore et Edgar Poe. La France, pour Nelligan, c'est d'abord le pays de la poésie.

La France peut se vanter d'avoir aussi produit des prosateurs : romanciers et critiques. Deux personnalités connues à l'échelle mondiale sont venues au Québec : Ferdinand Brunetière, en mai 1897, et René Doumic, en avril 1898. Les membres de l'École littéraire de Montréal — dont Nelligan — s'attendaient à des révélations sur la poésie française de la fin du siècle. Dans les deux cas, ils furent déçus.

Académicien de prestige, critique littéraire de grande renommée, directeur de la *Revue des deux mondes*, Ferdinand Brunetière a donné à Montréal une série de conférences visant à mettre en lumière ses idées qui tournent surtout autour du XVIIᵉ siècle français. Rien n'était parvenu, selon le critique parisien, à lui prouver qu'une littérature meilleure pourrait un jour surgir après l'époque classique. Lors de son départ, Firmin Picard, journaliste du *Monde illustré* d'origine française, qui avait assisté à toutes les conférences de Brunetière à Montréal, a résumé ainsi sa pensée sur la littérature :

> Épris de beautés radieuses de nos auteurs favoris, entre [autres] du grand Bossuet, il leur a consacré, à ces beautés, les flammes de son intelligence durant vingt ans. Il a dit que le français doit être et rester cette «langue des cours» dont la perfection date de la grande époque — celle des Bossuet, Fénelon, Racine, Corneille, toute cette pléiade d'illustres génies. Il a mis en garde contre cette tendance de ce que l'on appelle avec tant de vérité les «décadents», tout autant que contre cette autre tendance de l'esprit [...], nous voulons dire, la profanation de la plume dans l'infect bourbier portant pour enseigne : «Le Naturalisme».

Ce qu'on lit dans *Le Monde illustré* du 15 mai 1897 n'est guère exagéré. Brunetière n'était pas tendre à l'égard des disciples de Zola et de Verlaine. Les parnassiens ne sont pour lui que de pauvres versificateurs. On pourrait se demander aujourd'hui dans quelle mesure l'esprit éclairé de Brunetière, celui qui avait écrit *Les époques du théâtre français* et *L'évolution de la poésie lyrique*, fortement versé dans l'évolutionnisme scientifique et le christianisme social de Léon XIII, a pu prétendre expliquer l'évolution des genres littéraires en optant, à Montréal, pour le statisme en littérature ? Rien au-delà du XVIIᵉ siècle ! Et pourtant, le Siècle des lumières a aussi ses sommités et le

XIXe siècle français peut s'honorer d'œuvres d'auteurs marquants.

Si Brunetière, illustre académicien, a pu promouvoir à l'Université Laval de Montréal et lors des rencontres avec les notables de la métropole le culte de la fleur de lys, il est indéniable qu'il a déçu bon nombre de membres de l'École littéraire de Montréal. Ses pensées y ont semé la confusion, voire, chez certains, une consternation profonde. D'aucuns, comme Pierre Bédard, Georges-A. Dumont, se voient confirmés dans leurs convictions «classiques»; d'autres, Édouard-Zotique Massicotte, Henry Desjardins, Arthur de Bussières, Louvigny de Montigny, sont déçus, eux qui venaient de découvrir Baudelaire, Verlaine, Heredia, Leconte de Lisle, Zola, Maupassant... Jean Charbonneau ne pouvait qu'admettre l'embarras qui s'était emparé de son esprit après les conférences de Brunetière: il n'arrivait pas à se faire une idée claire et juste du symbolisme français.

Imaginons dans quel état se trouve le jeune Nelligan. Lui qui aimait Musset et Baudelaire, qui adhérait déjà à l'esthétique de Verlaine, se voit brusquement brimé dans son élan par un académicien parisien. D'après Louvigny de Montigny, un soir, Nelligan a assisté, à l'Université Laval, rue Saint-Denis, à une conférence de Brunetière. Après le discours du maître, qui avait pris à partie «les décadents et les instrumentalistes», Nelligan fit un bout de chemin en compagnie d'un groupe d'étudiants puis, s'en détachant, salua Louvigny de Montigny en disant: «C'est la nuit dans la ville, je me sens terriblement seul.» Et il disparut au coin des rues Saint-Denis et Sherbrooke, en direction de l'avenue Laval.

La même expérience se répète en avril 1898. Après des conférences à New York, à Boston, à Yale, à Baltimore, à Philadelphie, à Washington, à Chicago, René Doumic prend le train pour Montréal. Des réceptions et des cérémonies en son honneur se succèdent. Du 12 au 16 avril, le critique français donnera cinq conférences. Celle du 16 avril sera consacrée à l'étude de José Maria de Heredia, François Coppée, Sully Prudhomme, Stéphane Mallarmé et Paul Verlaine. La voix sûre du conférencier, ses vastes connaissances littéraires, ses tableaux au tracé rigoureux, son humour et sa verve ont donné au public enthousiaste l'impression d'avoir bu à la source de la belle langue française accentuée à la parisienne.

Si la grande foule buvait goulûment les paroles de René Doumic, plusieurs membres de l'École littéraire de Montréal, surtout Massicotte et Desjardins, ont éprouvé un malaise dans la grande salle de l'Université Laval. Et Nelligan ? Si l'on se fie aux souvenirs de Jean Charbonneau, il était là, taciturne, à la dernière conférence. Brillant, d'une distinction impeccable, René Doumic savait se montrer intransigeant dans ses jugements lorsqu'il n'aimait pas un auteur, une école ou une œuvre littéraire en particulier, et tel il fut lors de sa dernière conférence à Montréal, le 16 avril 1898.

Après avoir étudié très hâtivement José Maria de Heredia (poète des érudits), François Coppée (poète des humbles) et Sully Prudhomme (poète des belles *Solitudes*), le conférencier aborde la «poésie sans idées» faussement musicale. «On n'arrive pas à y rien comprendre en y mettant toute la volonté du monde !» s'écrie-t-il. Le conférencier vise l'école symboliste. Il ridiculise les associations verbales de certains «instrumentalistes», se moque des voyelles de Rimbaud et de tout ce système cabalistique où l'orgue (le noir) exprime la monotonie, la harpe (le blanc) la sérénité, le violon (le bleu) la passion et la prière, la trompette (le rouge) la gloire, la flûte (le violet) l'ingéniosité et le sourire... Après bien des détours fort simplistes et des remarques ironiques, il s'en prend à Mallarmé et à Verlaine. Un journaliste de *La Patrie*, présent dans la salle, a pris en sténographie cette diatribe très éloquente, et il la publie telle quelle dans *La Patrie* du 18 avril.

> [...] c'est une tentative pour vider la poésie des idées et des sentiments et pour substituer à ce qui avait été appelé la poésie jusque-là je ne sais quelle musique, musique indéchiffrable, musique que chacun interprétera à sa manière. L'école décadente et symboliste a fait un certain bruit. Elle a eu comme principaux représentants Stéphane Mallarmé, qui est comme le grand-prêtre, le pontife de l'école, et un pauvre homme qu'on a essayé de donner comme un grand poète, auquel il s'agit d'élever une statue : c'est Paul Verlaine. Paul Verlaine a publié des recueils alternants, tantôt un recueil de poésies tout à fait désobligeantes, désagréables par les sujets, inconvenantes, odieuses, et tantôt des recueils mystiques. Cette espèce d'opposition, entre ce qu'il y avait de honteux dans certains de ces recueils et ce qu'il y avait d'édifiant dans d'autres recueils, a beaucoup frappé l'attention, et on a essayé de nous donner Verlaine pour une espèce de François Villon, revenu en plein XIXe siècle. Verlaine est, en réalité, un malade, dont la poésie n'a eu de succès qu'auprès de quelques excentriques et, il faut bien le dire, d'un certain nombre d'étrangers. C'est surtout aux États-Unis que j'ai entendu faire grand éloge de Paul Verlaine. Mais Paul Verlaine, en dépit

Emil Nélighan.

A L.J. Béliveau

Un Sonnet extrait
de "Pauvre Enfance

Pauvre Enfance
Signature stylisée et dédicace inscrites par Nelligan
dans l'«Album-souvenir» de Louis-Joseph Béliveau,
p. 31, 33, septembre 1897. (Collection Jean-Béliveau)

du bruit qu'on a essayé de faire autour de son nom, n'est qu'un écrivain manqué, qui a commencé par écrire de beaux vers, qui avait de beaux dons, et qui a fini de la façon la plus lamentable. [...] Si je vous ai parlé de Verlaine, c'est pour vous dire que nous ne l'acceptons pas comme représentant de la poésie française de ces dernières années, et que nous protestons énergiquement contre les tentatives qui ont été faites, hors de chez nous, pour représenter en lui l'art de chez nous. La poésie décadente est aujourd'hui une tentative finie. [...] Il y a un retour vers les qualités essentielles à notre race, à savoir, la clarté, le bon sens, l'honnêteté et la délicatesse des sentiments.

À lire ces jugements de René Doumic, on comprend l'embarras dans lequel les jeunes enthousiastes de l'École littéraire de Montréal se trouvèrent plongés. Comment le directeur de la *Revue des deux mondes*, le futur secrétaire perpétuel de l'Académie française, a-t-il pu proposer aux Montréalais des conclusions aussi sévères, faisant outrage à la poésie française ? Cela plut à la plus grande partie de l'intelligentsia montréalaise de l'époque, à Jules-Paul Tardivel surtout. Mais les esprits moins rétrogrades, tels Massicotte, Desjardins, Gill et de nombreux étudiants de philosophie, éprouvèrent une profonde déception.

Rien n'a bougé à Paris depuis la venue de Ferdinand Brunetière à Montréal, il y a un an ! Verlaine a été rejeté et par Brunetière et par Doumic. Que faire ? Parce qu'il est attaché à sa poésie musicale, profondément marqué par les *Poëmes saturniens*, *La Bonne Chanson*, *Jadis et Naguère*, disciple avoué du « pauvre Lelian », Nelligan se sent désemparé. Son choix est désapprouvé publique-

Salons allemands

Je me figure encore ces grands salons muets
Pleins de velours usés [et] d'aïeules pensives,
De lustres vacillants éblouis des joyaux
Qui tournaient dans la valse et les vieux menuets

Je repense aux portraits d'autrefois suspendus
Sur le haut des foyers et qui semblaient nous dire
Dans leur langue de mort; vivants, pourquoi tant rire
Et les beaux vers de Goethe aux soirs d'or entendus.

J'évoque les tableaux flamands, et les artistes
Qui songeaient en fumant dans leurs chaises touffistes
Et dont l'œil se portait vers l'abbé hospitalier

Mais soudain et je pleure et ne saurais résoudre
Car voici que j'entends chanter sur l'escalier
Le vieux ténor hongrois aux longs cheveux en poudre

— Émil Nélighan

Un sonnet en hommage amical
Poème autographe inscrit par Nelligan dans
l'« Album-souvenir » de Louis-Joseph Béliveau, p. 35,
septembre 1897. (Collection Jean-Béliveau)

ment par les académiciens français. Un autre conflit vient ajouter à son désarroi. Il n'a même pas l'appui de son ami Arthur de Bussières. Celui-ci est relativement satisfait d'avoir appris de la bouche de René Doumic que «Heredia est le plus parnassien parmi les parnassiens». Au moins cet écrivain a été traité décemment! Eh oui, dira Nelligan, entre les romantiques et les décadents, il y a les parnassiens... Verlaine n'est pas seul dans le monde de la parole, et la musique a son rôle à jouer dans l'écriture! Et Baudelaire, «ce parnassien enchanteur du pays du soleil», le plus parnassien parmi les parnassiens! Nelligan ne changera pas d'idée! Il se mettra résolument du côté de Verlaine.

Et pourtant la vie continue. La poésie française est florissante même si les critiques parisiens retardent. Il semble que le Montréal de 1897 ait devancé les Brunetière et les Doumic dans la marche des idées sur la poésie.

Le 21 septembre 1897, Nelligan assiste au mariage de son ami Louis-Joseph Béliveau avec Bernadette Archambault. La cérémonie religieuse a lieu en l'église Notre-Dame, dans la somptueuse chapelle du Sacré-Cœur. De nombreux amis entourent les nouveaux mariés. À l'instigation de Germain Beaulieu, les membres de l'École littéraire de Montréal décident d'offrir à leur confrère un album sur les pages desquelles chacun écrira un texte. Ainsi sera réalisé, en septembre 1897, un petit bouquin noir, doré sur tranche, sans titre, que Louis-Joseph Béliveau appellera, avec une certaine complaisance, «Albumsouvenir» de son mariage [WPBVLT]. Parmi les dix écrivains qui participent à l'édification de cet «Albumsouvenir» figure Émile Nelligan. Son sonnet «Salons allemands» témoigne de son adhésion aux préceptes de l'art de Heredia. Dans ce contour parnassien, somme toute artificiel et laborieusement dessiné, ce n'est pas le «il», mais le «je» qui est aux commandes de la description. On dirait que dans un exotisme lointain apparaît en filigrane la triste condition du jeune poète romantique: «je pleure et ne sais que résoudre».

On remarque que la signature apposée au sonnet se lit: «Emil Nélighan» (antérieurement, dans *Le Monde illustré*, le poète a signé ses poèmes «Emil Nelligan et Emil Nélligan»). La troisième variante milite en faveur d'une francisation du nom d'origine irlandaise, ne fût-ce que par l'introduction inattendue de l'accent aigu. Mais ce qu'on retient surtout, c'est que le texte dédié à Louis-Joseph Béliveau, selon l'indication expresse de l'auteur, est «un sonnet extrait de Pauvre Enfance». Veut-il insinuer qu'un recueil se prépare dont le titre est une allusion directe à sa vie, titre énigmatique, mais combien expressif grâce à cet adjectif sans prétention et donné en passant à son destin tragique? C'est un jalon important que de songer, à l'été de 1897 — donc à dix-sept ans et demi —, à faire entendre sa voix de poète dans un livre dont il ne donne ici qu'un simple indice, mais combien suggestif: «Pauvre Enfance».

III

Vivre la poésie

Émile Nelligan — poète créateur
Photo Laprés et Lavergne, Montréal, avril 1899, retouchée par
Charles Gill et offerte à Albert Lozeau avec cette dédicace :
« À mon ami Albert Lozeau, ce portrait du grand Nelligan.
Tous trois, nous avons adoré la Poésie ; nous l'avons adorée,
puisqu'elle est divine. Est-ce pour cela que nos trois noms se
rencontrent là, ou bien est-ce parce que le malheur nous a
frappés tous trois ? Charles Gill. » (Collection Wyczynski)

Méandres d'une création

Vivre la poésie, c'est pour Nelligan rêver de choses belles, réelles ou imaginaires, que rend mélodieusement une parole expressive soutenue par une versification classique. Vivre la poésie, c'est aussi se mettre à l'écoute de la souffrance, qui prend souvent la force d'une crise de désespoir, d'une douloureuse hallucination. Visions d'enfance heureuse, sensibilité amoureuse, paysages exotiques, crises de neurasthénie, autant d'états d'âme qui font vaciller Nelligan entre visions fugitives et langueurs lancinantes. Les images éclatent, les rythmes se déroulent paresseusement ou galopent, les rimes et les vers résonnent. Le poème surgit de la conscience de l'artiste; tandis qu'il se fait parole, il devient à la fois souffle, mouvement, message et structure.

Nelligan narre poétiquement sa vie intérieure et décrit le monde qui l'entoure, surtout celui qui se dresse dans le lointain, dans l'imaginaire. Tantôt le poète se veut romantique chantant sa mélancolie persistante, tantôt il se fait symboliste avec ses images d'une forte suggestivité, tantôt il affiche un penchant pour l'art parnassien, guidé par Heredia et Leconte de Lisle. On ne sait pas quand exactement il s'est mis à versifier. Son premier poème publié, « Rêve fantasque », a paru dans *Le Samedi* du 13 juin 1896. Mais ses exercices de versification ont certainement commencé plus tôt, peut-être même au printemps de 1895, quand Louis Perron, rédacteur en chef du *Samedi*, a lancé un concours littéraire pour encourager les jeunes à écrire. Si cette hypothèse est plausible, il est permis de dire que Nelligan a commencé à taquiner la muse au printemps de 1895 et qu'il a terminé son œuvre en août 1899, au moment de partir pour l'asile Saint-Benoît-Joseph-Labre. Tout compte fait, sa période de création littéraire, correspondant à ses derniers mois de lucidité intellectuelle, dura environ quatre ans. Encore convient-il de remarquer que c'est surtout à partir de 1897 que sa créativité éclate. Il se forme lui-même dans sa rêverie solitaire, mais aussi en compagnie des livres empruntés aux bibliothèques ou à ses amis, en feuilletant les journaux, surtout les hebdomadaires *Le Samedi* et *Le Monde illustré*. Il lui faut aussi perfectionner ses connaissances de versificateur. L'apprentissage en vue de construire des vers et des strophes, de s'approprier la technique des poèmes à forme fixe, le sonnet et le rondel en particulier, demande beaucoup d'efforts. Le *Petit Traité de poésie française* de Théodore de Banville était, à Montréal, difficilement accessible ; Joseph Melançon se vantait d'être l'un des rares littérateurs l'ayant bien gardé dans sa cachette de livres précieux. Et pourtant, guidé par sa compréhension intuitive des règles et des nuances de vers classiques, Nelligan va écrire, à partir du printemps de 1896, 76 sonnets qui révèlent 24 structures différentes, et 17 rondels où on distingue huit ensembles aux modulations ingénieusement introduites dans la rigueur des poèmes à forme fixe.

Un jour d'hiver, en 1898, Nelligan se rend à la résidence de Charles Gill. Il se dirige presque aussitôt vers la bibliothèque de son ami, peintre, poète, journaliste, qui, après deux séjours à Paris, sert de modèle à ceux qui veulent savoir en quoi consiste la bohème de Montmartre. Nelligan regarde les titres, retire un volume, s'assied sur une chaise et lit la page de titre : «Auguste Barbier, *Iambes et poèmes*, Paris, Paul Masgana, 1845». Il ne connaît pas ce poète, mais peu importent ses origines! C'est le poème qui compte! Le jeune lecteur y trouve d'abord un long récit intitulé «Dante», sorte de biographie versifiée du célèbre Florentin. Un peu plus loin, la deuxième partie du recueil, «Il pianto», offre, parmi d'autres sonnets et poèmes strophiques, des pièces dédiées aux grands artistes italiens tels Allegri, Raphaël, Le Corrège... L'esprit de Nelligan s'accroche à un sonnet intitulé «Michel-Ange». Le texte lui plaît. Il le lit plusieurs fois, l'apprenant par cœur dans un laps de temps très court. Le premier quatrain le fascine :

> Que ton visage est triste et ton front amaigri,
> Sublime Michel-Ange, ô vieux tailleur de pierre !
> Nulle larme jamais n'a baigné ta paupière :
> Comme Dante, on dirait que tu n'as jamais ri.

Déjà Nelligan transcrit le premier vers : ce sera l'épigraphe de son futur poème «Sur un portrait de Dante». Il griffonnera en effet ce texte au bas d'une sanguine représentant l'auteur de *La Divine Comédie*. Le sonnet n'est à vrai dire qu'un chapelet de qualificatifs élogieux : «vision sublime», «le Dante incomparable», «âme herculéenne», «Poète ingénu», «Sublime Alighieri»... L'admiration est enthousiaste, l'adhésion sans réserve. Le dernier tercet affiche une foi inébranlable en celui qui a conçu un «divin Poème». La joie de créer l'emporte sur l'ennui de vivre.

De cette expérience créatrice, il reste deux versions identiques par le fond, mais différentes par les détails du langage poétique. La première, signée « Émil Nellighan », a été publiée dans *Le Monde illustré* du 21 mai 1898 ; la deuxième, dans *Le Nationaliste* du 6 mars 1904, apparaît dans un article de Charles Gill. On se demande pourquoi Louis Dantin exclut ce sonnet de l'édition princeps de Nelligan. Il reste que le poème « Sur un portrait de Dante » fournit un excellent sujet à celui qui voudrait élucider le processus de création littéraire chez Nelligan [NEPC-RW 482-483].

On pourrait citer d'autres pièces de Nelligan qui illustrent ses procédés de création. Dans bien des cas, un écrivain de langue française ou de langue anglaise sert de point de départ au jeune poète montréalais. Ainsi se précise l'origine du sonnet « À Georges Rodenbach », écrit pendant l'hiver de 1898 après la mort du poète belge, survenue en janvier de cette année. Nelligan s'est littéralement épris de ce chantre de la « mélancolie blanche » et de l'intérieur flamand. Le recueil *La jeunesse blanche* (1886) a été présenté à Nelligan en cadeau par Denys Lanctôt. Ce volume est devenu dès la première lecture son livre de chevet. Il y goûte à satiété la poésie de la sensation, de la tristesse installée dans des paysages d'enfance. Au blanc des souvenirs s'ajoute le gris des canaux de *Bruges-la-Morte*, qu'évoque tous deux la plume de Nelligan comme un espace nostalgique du « Jardin de l'Enfance ». Nombreux sont les poèmes chez Nelligan où résonne la note mélancolique de Rodenbach. Parmi tant d'autres viennent à l'esprit « Les Rêves enclos », « Roses d'octobre », « Tristesse blanche », « Devant mon berceau », « La Passante », « La Fuite de l'Enfance » et surtout « Un poète », sonnet dans lequel éclate l'admiration de Nelligan pour le poète des Flandres :

> C'est une poésie aussi triste que pure
> Qui s'élève de lui dans un tourbillon d'or.
> L'étoile la comprend, l'étoile qui s'endort
> Dans sa blancheur céleste aux frissons de guipure.

Un autre poète français, aux antipodes de Rodenbach mais, comme celui-ci, cher à Nelligan, est Maurice Rollinat, l'auteur des *Névroses*. Connu d'abord pour la poésie rustique que lui a inspirée son Berry natal, où se précise la forme du rondel, il se lie dans les années 1880 aux hydropathes qui chantent et récitent des poèmes au Chat-Noir à Paris. Devenu malade, il compose des poèmes « étranges », dira Sarah Bernhardt, poèmes que Lemere refuse de publier mais que Charpentier accepte en 1883 pour en faire aussitôt un succès de vente.

Nelligan fut certainement intrigué par le titre — *Les Névroses* — et aussi par les titres des sections qui composent ce livre : « Âmes », « Les Luxures », « Les Refuges », « Les Spectres », « Les Ténèbres ». Au fond, ce qu'on constate dans ces pages, c'est le cheminement d'une pensée morbide : c'est le noir, c'est la mort. Le recueil s'ouvre par le poème intitulé « Memento quia pulvis es » ; il se termine par le rondel « De Profundis ! ». On imagine facilement que l'auteur des *Névroses*, aux prises avec la neurasthénie, se dirige tout droit vers le gouffre. Rollinat s'était d'abord abreuvé à la poésie baudelairienne, avait humé l'atmosphère d'Edgar Allan Poe, frissonné devant Delacroix et écouté les accords noirs de la musique de Chopin : il l'a dit lui-même.

En compagnie de Rollinat, Nelligan se met résolument sur le chemin qui va du gouffre de Baudelaire au corbeau de Poe. Il cherchera dans le recueil français les textes qui serviront de miroirs à ses inquiétudes. D'abord, ce seront les poèmes qui évoquent les chambres où brûle un âtre ou encore ceux qui dévoilent des paysages exotiques, mais presque aussitôt, il s'attache aux pièces qui produisent des impressions fortes. Il goûte surtout deux poèmes de Rollinat: «La Musique» et «Chopin». Dans le premier, il lit:

> Ô Musique, torrent du rêve,
> Nestor aimé, philtre béni,
> Cours, écume, bondis sans trêve
> Et roule-moi dans l'infini.

Dans le deuxième, il s'arrête à ces deux strophes:

> Chopin, frère du gouffre, amant des nuits tragiques,
> Âme qui fut si grande en un si frêle corps.
> Le piano muet songe à tes doigts magiques
> Et la musique en deuil pleure tes noirs accords.
>
> . . . .
>
> Triste ou gai, calme ou plein d'une angoisse infinie,
> J'ai toujours l'âme ouverte à tes airs solennels,
> Parce que j'y retrouve à travers l'harmonie
> Des rives, des sanglots et des cris fraternels!

Nelligan a bien gravé ces vers dans sa mémoire. Louvigny de Montigny m'a raconté que son jeune ami lui a souvent récité de mémoire deux pièces: «La Musique» et «L'Amante macabre» de Rollinat. L'apprenti poète les a gardées à l'esprit. Il fut frappé à jamais par l'appel ténébreux d'une Ève squelettique qui chante ainsi dans le livre de Rollinat son sanglot suprême:

[...] jusqu'au bout, mon cœur boira l'étrangeté
Dans ces gouffres nommés Poésie et Musique.

C'est ainsi que se livra à la poésie l'«âme symphoniste» de Nelligan dans «Musiques funèbres». Chopin, le frère d'Émile dans le monde de la souffrance, aura désormais quelque chose d'étrangement sombre. On retrouve les accents des *Névroses* dans plusieurs poèmes chez Nelligan, surtout dans «Mazurka», où le portrait de Chopin, son musicien préféré, s'assombrit dans des «gammes étranges»:

> Gouffre intellectuel, ouvre-toi, large et sombre,
> Malgré que toute joie en ta tristesse sombre,
> J'y peux trouver encor comme un reste d'oubli,
>
> Si mon âme se perd dans les gammes étranges
> De ce motif en deuil que Chopin a poli
> Sur un rythme inquiet appris des noirs Archanges.

Dans *Les Névroses* de Rollinat, Nelligan a noté attentivement les rapports entre verbe poétique et neurasthénie. Certes, le poète montréalais ne s'enfoncera pas d'emblée dans une luxure morbide, dans les images odieuses du blasphème. Il reste que rapidement il passe de la tristesse à des états d'anxiété extrême puis à l'angoisse délirante, l'abattement total. Ces états d'âme influencent fortement son langage poétique. Les cloches sonnent comme un glas. Les corbeaux et le bœuf spectral errent dans un paysage lugubre. Les confidences d'Émile deviennent non pas un mirage symbolique mais des aveux directs de son désarroi. À la fin du second quatrain de «Mazurka», le poète déclare qu'il aime entendre monter du piano

> Le rythme somnolent où ma névrose odore
> Son spasme funéraire et cherche à s'oublier!

Ailleurs, dans sa «Confession nocturne», la méditation prend l'ampleur d'une déchirante inquiétude métaphysique:

> Lucifer rôde et va raillant mes désespoirs
> Très fous!... Le suicide aiguise ses coupoirs!
> Pour se pendre, il fait bon sous cet arbre tranquille...

Indéniablement, en compagnie de Rollinat, l'esprit de Nelligan, habitué au songe chimérique, sombre dans le désordre. La parole se cherche entre une rêverie confuse et un état halluciné.

Tout en subissant les vertiges des *Névroses*, Nelligan en tire le maximum de profit pour sa prosodie. Si morbides que soient ses thèmes, Rollinat se montre excellent styliste et habile versificateur. Il excelle dans l'art du sonnet, du rondel, de la villanelle. Cet auteur de chansons accorde une attention particulière à la ligne mélodique de ses compositions. Ce n'est pas sans raison que Louvigny de Montigny et Jean Charbonneau ont cité à maintes reprises le rondel de Rollinat «Les Cloches». Celui-ci a marqué de maintes façons plusieurs poèmes de Nelligan, notamment «Rêves enclos», «Sainte Cécile» et surtout «L'Idiote aux cloches» qui, tout en étant une ballade, prend sous la plume du poète montréalais des accents folkloriques. S'y entremêle en effet au récit une charmante légende de la chrétienté qui veut que les cloches des églises s'envolent le Jeudi saint pour Rome et ne reviennent que le Samedi saint à midi pour remplacer les voix stridentes des crécelles.

Il est vrai que Nelligan, dès l'âge de 17 ans, lui qui effectuait ses premiers vols poétiques, adorait Verlaine, Baudelaire, certains parnassiens. Mais il est vrai aussi qu'en 1897 et 1898, la rencontre avec Rodenbach et Rollinat se fait alors qu'il est hanté par le désir de vivre pleinement la poésie et, en bonne partie, à leur façon. Cette volonté de se consacrer entièrement à la création se veut irrévocable. Rodenbach et Rollinat agissent fortement sur la sensibilité du jeune poète montréalais. Le premier lui ouvre un horizon où la blancheur angélique s'estompe dans un gris nostalgique. Le second montre les sentiers d'un monde morbide où tout converge vers le gouffre. Rodenbach et Rollinat sont pour Nelligan deux phares qui illuminent son existence. En leur compagnie, le monde du jeune poète s'enrichit d'un langage poétique où vibrent les notes en blanc et en noir : la synesthésie se met au centre des sensations fortes.

L'amour : femme réelle, femme imaginaire

En lisant la poésie de Nelligan, on relèvera quantité de références aux femmes réelles et imaginaires, proches ou lointaines, mythologiques et exotiques, connues ou inconnues, effectivement entrevues ou qui ont valeur de symboles. Gérard Bessette, en scrutant la première édition critique des *Poésies complètes* de Nelligan, celle de 1952, a retenu 86 poèmes où sont évoqués la femme ou l'amour : femmes aimées, femmes imaginées, femmes sentimentales... Silhouette de la mère, profil de la brune Françoise, mirage de la blonde Gretchen, vierges, musiciennes, sœurs, religieuses, exotiques négresses, belles mortes, sainte Cécile « au fond des cieux », cette « organiste du Paradis » en plein récital des anges, et la vierge noire, solitaire, face aux cyprès des tombeaux, figée dans une pose maléfique. En bon disciple de Freud, Bessette détecte dans le sentiment amoureux chez Nelligan une pulsion profonde qui, du fond du subconscient, naît d'une sexualité montante, mais est brimée par l'orthodoxie du milieu. Cela dit, ni le nombre ni l'éclat des tropes ne permettent de tirer une conclusion valable. Le critique lui-même en convient :

> Seul un maniaque de la statistique y verrait la preuve que Nelligan est avant tout un poète de l'amour, ou de la passion, ou de la sensualité. Les femmes dont il parle pourraient tout aussi bien être des statues parnassiennes que des Elvires, des déesses mythologiques que des Jeanne Duval, des madones que des George Sand [BGNRS 134-135].

Cette remarque de Bessette est assez générale. Il faudrait établir de manière plus rigoureuse le rapport entre le message poétique de Nelligan et sa vie amoureuse.

Comme la plupart des adolescents, Nelligan côtoyait des jeunes filles, mais il ne faut pas exagérer l'importance de ses « expériences amoureuses ». On sait qu'il adorait Béatrice Hudon, sa cousine germaine, Idola Saint-Jean, « amie de toujours », mademoiselle Prendergast — amazone sur la plage de Cacouna... On pourrait aligner d'autres connaissances, sans pourtant aboutir à des révélations fracassantes. Luc Lacourcière a signalé l'existence d'une Gretchen, une blonde Allemande de son voisinage, à laquelle il n'osa jamais parler. Pierre-H. Lemieux insiste sur la présence d'une jeune bergère, fille pauvre et peu instruite, d'origine suisse-allemande, vivant dans un hameau accroché au flanc du mont Royal, morte probablement à l'automne de 1895. Ces hypothèses peuvent paraître séduisantes, mais on manque d'éléments pour les étayer. De même, André Vanasse, dans son livre *Émile*

Nelligan. Le spasme de vivre, invente une énigmatique Hilory qui aurait aimé le pauvre Émile sur la plage de Cacouna.

Vagues souvenirs, délicates allusions, la poésie amoureuse de Nelligan dessine librement des profils de femmes dans la plupart des cas imaginaires et énigmatiques. Teintée de blanc ou de noir, parfois mystique ou exotique, la femme chez Nelligan évolue, nous dit le poète, dans des « vapeurs de rêve ». Bien souvent, une impression fugitive sert de point de départ à une stylisation poétique.

À l'origine de cette stylisation amoureuse se trouve l'image de sa mère. Fondamentalement, l'amour chanté par Nelligan appartient au registre maternel. Il suffit de lire attentivement « Devant mon berceau » pour y surprendre dans la chute du sonnet cette « mère souriante, avec l'essaim des anges ». Le poème qui résume le mieux l'emprise de la mère est celui intitulé « Ma mère ».

Quelquefois sur ma tête elle met ses mains pures,
Blanches, ainsi que des frissons blancs de guipures.

Elle me baise au front, me parle tendrement,
D'une voix au son d'or mélancoliquement.

Elle a les yeux couleur de ma vague chimère,
Ô toute poésie, ô toute extase, ô Mère !

À l'autel de ses pieds je l'honore en pleurant,
Je suis toujours petit pour elle, quoique grand.

Les quatre distiques frappent par leur simplicité. Un seul mot dirige l'effusion lyrique : « elle », c'est-à-dire la mère. Ce pronom personnel surgit dans chaque distique. Harmonieusement disposé, il apparaît dans le premier et le dernier vers et au début des deuxième et troisième distiques.

Le sens du message est magnifiquement souligné dans l'exclamation du sixième vers : la Mère est poésie et extase.

Mais si l'on examine de près d'autres poèmes inspirés par la mère, on aperçoit dans le portrait de celle qui lui a donné la vie une ombre qui grandit sans cesse. Dans « Devant mon berceau », on remarque « la moire […] flétrie et le brocart fané » et les « draps funèbres » : le berceau ressemble à un petit cercueil. C'est la fuite du temps. L'idée se précise dans « Devant deux portraits de ma mère » : d'abord, c'est le « portrait ancien, peint aux jours glorieux qu'elle était jeune fille » ; tout de suite après, c'est la mère vieillie, ravagée par le temps, car « les rides ont creusé le beau marbre frontal ». Et le sonnet « Le Talisman » montre déjà la Mort imaginée à l'horizon d'une vie. À partir du moment où le jeune poète se fait « petit pour elle, quoique grand », la plume de Nelligan introduit dans son monde poétique les portraits des femmes rencontrées, surtout imaginées, une quantité de modulations dont il serait ici difficile de présenter toutes les caractéristiques. Mais la ligne mélodique qui passe par le monde de l'amour avec une étonnante constance aboutit à deux portraits opposés : la belle sainte Cécile, qu'il nomme « l'organiste du paradis » dans son plan autographe de 1899, et la vierge noire, qui se veut une personnification maléfique de la vie, fausse amante en haillons noirs. On ne pourrait imaginer un meilleur aboutissement pour la femme qui évolue à la périphérie d'une vision poétique. Fondamentalement, la même caractéristique persiste : espace en blanc et en noir. Un destin humain se trame entre le berceau et le cercueil. Cherchons dans la vie de Nelligan les moments où une femme apparaît près de lui en chair et en os, si bien que l'on peut la nommer.

La fille à la voix d'or

Édith Larrivée fête son anniversaire le jeudi 3 septembre 1896, au cours d'une soirée intime organisée chez ses parents, 24, rue Sainte-Famille. Voilà déjà 20 ans qu'elle a été baptisée à la cathédrale Saint-Germain de Rimouski. On se remémore le bon temps passé au bord du fleuve. On évoque les jeux dans la cour du célèbre magasin Lepage-Larrivée, situé en face de la cathédrale. Après, ç'a été les études à Sillery, chez les sœurs de Jésus-Marie, et le déménagement à Montréal, où l'on a habité d'abord rue de l'Église, puis rue Sainte-Famille.

Tout le monde savait que la jeune fille, dès son jeune âge, était douée pour le chant. Une fois à Montréal, Édith fut invitée à faire partie de la chorale Notre-Dame et s'imposa très vite comme soliste. Souvent, elle était appelée à chanter dans les églises Saint-Jacques et Notre-Dame et aussi à Sainte-Anne-de-Beaupré, lors des pèlerinages. Ce sens de la musique lui vient de sa famille. Son père, Joseph-Philéas Larrivée — employé au bureau de poste dès sa venue à Montréal — jouait du violon. Sa mère, Léonise — que tout le monde appelait Élonise, sans trop savoir pourquoi — était excellente pianiste : elle accompagnait souvent Édith qui, de temps en temps, exécutait aussi des duos avec son frère, Charles-Borromée. Son autre frère, André-Corsini, récitait des poèmes et composait des chansons. Au moins une fois par semaine, la maison des Larrivée se transformait en petit salon musical où la mélodie et la poésie faisaient bon ménage. On n'aurait pu imaginer une meilleure occasion qu'un anniversaire de naissance pour organiser une vraie fête d'Apollon. Les invités sont là, et parmi les convives, on remarque Mme David Nelligan et son fils Émile.

Les familles Hudon et Larrivée se sont bien connues à Rimouski. Les Hudon avaient l'habitude de faire leurs emplettes au magasin Lepage-Larrivée. Très jeunes, Léonise Lepage et Émilie Hudon s'étaient liées d'amitié et continuaient de se voir à Montréal. Les liens se sont encore resserrés au moment où Charles-Borromée et Émile fréquentaient ensemble le Mont-Saint-Louis (1890-1893). Les deux garçons sont devenus bons amis. Souvent, Émile allait écouter Mme Larrivée jouer du piano. Avec le temps, son admiration se reporta de la mère sur la fille. De plus de trois ans son aînée, Édith était très belle dans ses robes longues à col de dentelle. Ses yeux, où toujours se reflétait une légère nostalgie, donnaient à ses chants une expression unique. Sa « voix d'or » plaisait aux mélomanes. Si « Émile n'était pas épris d'elle, il a certainement été épris de sa voix », m'a dit un jour la fille d'Édith.

Selon les souvenirs de Mme Joséphat Vallières (Jeanne Bilodeau, fille d'Édith), ou plus précisément selon ce que lui a dit sa mère, Nelligan apporta un cadeau à la jeune chanteuse montréalaise à l'occasion de son vingtième anniversaire : il lui offrit « une magnifique vasque en porcelaine de Shadweck », joli bibelot où les couleurs — blanc, bleu et ambre — s'harmonisaient à ravir. En forme de coquille, ornée d'une anse, cette « vasque » était conçue pour décorer une table et recevoir de beaux bouquets. Émile avait promis à la jeune fille de composer un poème, ce qu'il fera effectivement plus tard, lors d'une autre soirée musicale.

Édith Larrivée à vingt ans
Chanteuse. La «très chère, ultime amie» d'Émile Nelligan.
(Collection Jeanne-Bilodeau-Vallières)

Ainsi donc, un soir d'hiver, après quelques chansons interprétées par Édith, Émile écrivait:

> À ma très chère, ultime amie,
> Mlle Édith...

La vasque somnolente aux chansons de la lune
Vocalise d'une voix d'eau d'or,
Et le feuillage jaune au doux bruissement d'une
Brise triste emmi l'ombre aux chansons de lune
Soupire et rit dans la nuit qui dort.

Or les aimés s'en vont pleureurs au blanc de lune,
Le faune jase à la nuit qui dort,
Et leur vertige est tel qu'ils voudraient mourir d'une
Mort de Cygne, noyés au glauque de la lune
Enlacés dans la Vasque d'eau d'or.

> Émile Nelligan

> 16 Mars

Ce poème fut inscrit dans l'album d'autographes d'Édith Larrivée. Ce dernier contient 57 pages non numérotées (de 14 centimètres sur 4,5) dont plusieurs, arrachées on ne sait pourquoi, furent par la suite de nouveau incorporées dans ce livret en feuilles volantes. L'état actuel de l'album ne permet donc pas de reconstituer la succession originale des feuillets. Si l'on en juge par les dates — qui n'accompagnent pas tous les textes —, les autographes furent recueillis entre le 27 janvier 1891 et le 8 janvier 1898. Dans le cas du poème signé par Émile Nelligan, la date du « 16 Mars », apposée à la fin du texte, ne permet pas d'établir l'année avec certitude. Il existe cependant plusieurs indices m'autorisant à croire que le poème date du 16 mars 1897. Je n'en retiens que deux.

Vasque
Vase en porcelaine offert par Émile Nelligan
à Édith Larrivée, le 3 septembre 1896,
à l'occasion de son 20ᵉ anniversaire.
(Collection Jeanne-Bilodeau-Vallières)

Premièrement, il est certain que Nelligan a offert une « vasque en porcelaine » à son amie le 3 septembre 1896, à l'occasion de son 20ᵉ anniversaire : le texte est donc postérieur à cette date. Deuxièmement, si on en croit Mᵐᵉ Édith Larrivée-Bilodeau elle-même, « ce texte aurait été écrit à peu près au moment où l'auteur quitta le collège Sainte-Marie », donc en mars 1897.

L'autographe de « Vasque », publié en fac-similé dans *Le Carabin Laval* du 6 décembre 1941, est accompagné d'une entrevue préparée par M. Guy Bousquet et dont voici des extraits :

[Mᵐᵉ Édith Bilodeau raconte :]

[...] la mère de Nelligan (Amélie [*sic*] Amanda Hudon) était une amie intime de ma mère et nous rendait de fréquentes visites en compagnie de son fils Émile. Celui-ci devint bientôt un habitué de notre demeure et se lia d'amitié avec mes deux frères. Ils s'entendaient très bien tous trois, même trop bien... ainsi, un jour ils complotèrent un voyage aux États-Unis, dans le but d'y faire du théâtre. Mes frères prirent le train et s'y rendirent, Nelligan fut obligé de débarquer... il n'avait que soixante-quinze sous en poche.

— De qui tenez-vous ce manuscrit ?

— De Nelligan lui-même. Un soir que je lui interprétais ses pièces favorites — il aimait passionnément la musique — il écrivit dans mon livre d'autographes les vers de la « Vasque ». Il me pria de les accepter et de les garder en souvenir de lui.

Plus loin, Mᵐᵉ Édith Bilodeau précise que Nelligan griffonna d'autres vers en s'inspirant des paroles des mélodies

« *Vasque* »
Poème dédicacé, inscrit, le 16 mars [1897],
dans l'album d'autographes d'Édith Larrivée.
(Collection Jeanne-Bilodeau-Vallières)

qu'elle lui chantait. À chacune de ses visites, il avait toujours quelque chose à lire. «D'ailleurs, c'était le ton de nos réunions. Nelligan nous lisait ses vers, mes frères et moi faisions de la musique; nous nous amusions bien.»

Il faut cependant aller au-delà des circonstances qui entourent la composition de «Vasque». À remarquer que le mot qui sert de titre au poème signifie, dans l'usage courant, d'après le *Robert*, deux choses: «bassin ornemental peu profond qui peut être aménagé en fontaine» et, en deuxième lieu, «coupe large et peu profonde servant à décorer une table». Or, dans la famille d'Édith Larrivée-Bilodeau, ce vase était appelé «vasque Nelligan». Il occupe aujourd'hui encore une place de choix parmi les souvenirs de Mme Jeanne Bilodeau-Vallières de Lévis. Dans l'imagination de Nelligan, déjà fortement marquée par le décor parnassien — influence directe de la fréquentation d'auteurs comme Théophile Gautier et Catulle Mendès —, le passage se fait rapidement entre cette petite «vasque en porcelaine» et la fontaine du carré Saint-Louis, cette grande vasque qu'admirent souvent les amoureux. Le jeune poète y grave ses propres arabesques et aussi son désir d'aimer: «les aimés s'en vont pleureurs» et, en rêve, «enlacés dans la Vasque d'eau d'or». Un doux sentiment pointe dans cette description, sentiment timide, réel sans doute, inspiré par la jeune fille «à la voix d'or», communiqué à la façon parnassienne en lignes marmoréennes. Se lient ici femme, parole et musique.

À remarquer aussi que dans cette composition d'apparence parnassienne se manifeste une lueur lunaire dont la légèreté rappelle la fluidité mélancolique des chansons verlainiennes. Dans la lumière blafarde joue le «doux bruissement d'une brise triste» et surtout la musique des rimes «une», «lune» que l'auteur des *Romances sans paroles* affectionna beaucoup. Nelligan n'avait-il pas chanté dans sa « Tarentelle d'automne » :

> Ma sérénade d'octobre enfle une
> Funéraire voix à la lune,
>   Au clair de lune.

On devine que le texte sort directement de la plume sans avoir eu le temps d'être ciselé. L'expression « d'une voix d'eau d'or » n'est certes pas une réussite phonétique. Parmi les termes que le poète emploie apparaît le vieux mot : *emmi*. Rare au XIXᵉ siècle, il signifie « parmi ». Nelligan semble l'affectionner, car on le trouvera dans un autre de ses poèmes, « La Belle Morte ». À la fois paysage et chanson, « Vasque » dépasse, semble-t-il, le stade du simple exercice de versification.

La dédicace — « À ma très chère, ultime amie, Mˡˡᵉ Édith » — soulève tout naturellement quelques questions. Que veut dire ici le superlatif ? Faut-il voir plus dans cette dédicace qu'une simple formule de politesse ? Le sens de l'adjectif « ultime » correspond-il à l'étymologie de ce mot ? Si tel est le cas, Édith serait l'amie du « dernier choix », autrement dit l'aboutissement de sa rêverie amoureuse. En tout cas, le poète joue habilement sur le clavier des mots et des sentiments sans qu'on puisse tirer de conclusions sur le sens entier de cette dédicace.

Dans cette arabesque poétique, le jeune adolescent n'a-t-il pas inscrit son timide désir d'aimer ? Édith a 20 ans, Émile en a 17. Le cœur a le droit d'habiter les signes que le poète forge au hasard des circonstances : « Le faune jase à la nuit qui dort. »

Parmi les chansons préférées d'Édith figurait « Prière d'amour » : les paroles sont de Paul Verlaine, la mélodie de Louis Reynaud. Il s'agissait de la touchante sérénade que Verlaine a dédiée à sa femme, Mathilde. Cette chanson a connu une vogue extraordinaire à Montréal, surtout parmi les jeunes qui fredonnèrent avec délice :

> Voici des fruits, des fleurs, des feuilles
> [et des branches,
> Et puis voici mon cœur, qui ne bat que pour vous.
> Ne le déchirez pas avec vos deux mains blanches
> Et qu'à vos yeux si beaux l'humble présent
> [soit doux.

Imaginons un petit salon montréalais : Édith chante, sa mère l'accompagne au piano, Émile écoute religieusement. Que « l'humble présent soit doux »... Une coupe en blanc et en bleu, ornée d'ambre, rayonne comme un poème dans les mailles d'une rêverie. Le cœur a ses raisons que la raison ne connaît pas...

Françoise : la sœur d'amitié

Robertine Barry, surtout connue sous le pseudonyme de Françoise, est à Montréal la figure la plus illustre du monde féminin au tournant du siècle. Née à L'Isle-Verte le 26 février 1863, douée et instruite, première femme journaliste au Québec dans les années 1890 qui s'impose par ses chroniques et ses conférences, elle a su entraîner par ses idées d'autres femmes telles lady Chapleau, lady Laurier, Laure Conan, Juliette Adam (Mme Edmond) de Paris, Mme Claretie, la duchesse d'Uzès, la comtesse de Mirabeau Martel, Hélène Vacarasco, Carmen Sylva de Bucarest (reine de Roumanie)... Sans être suffragette, elle sait défendre les droits des femmes en leur servant de guide dans ses chroniques et articles, qui sont plus qu'un simple courrier du cœur.

En 1898, Robertine Barry a 35 ans. Son père John Edmund Barry, venu d'Irlande en 1854, a organisé aux Escoumins un florissant commerce de bois. Il a entretenu longtemps des relations amicales avec le patriote irlandais Daniel O'Connell. Sa mère, Aglaé Rouleau, est issue d'une prestigieuse famille du Bas-du-fleuve qui devait donner à la ville de Québec un archevêque-cardinal, Félix-Raymond-Marie Rouleau. La jeune fille a reçu une bonne éducation chez les sœurs de Jésus-Marie à Trois-Pistoles, puis chez les ursulines de Québec. Elle collabore, à partir de septembre 1891, à la rédaction du journal *La Patrie* d'Honoré Beaugrand à titre de chroniqueuse: son premier texte, qui inaugure sa rubrique «Chronique du lundi», décrit le mariage du prince Ferdinand de Roumanie. Elle collaborera ensuite au *Samedi*, au *Monde illustré*, à *La Revue nationale*, à *La Feuille d'érable*, signant ses écrits «Françoise». C'est ce pseudonyme, bien plus que son patronyme, qui l'a rendue célèbre.

Femme de culture, distinguée, Françoise maîtrise bien le français et l'anglais, et la littérature de son époque lui est familière. Aussi devient-elle rapidement une sorte de catalyseur culturel à Montréal. Son appartement, rue Saint-Denis, tient lieu de salon littéraire. Françoise reçoit de nombreuses revues de Paris, entretient une correspondance suivie avec des femmes illustres d'Europe, accueille chez elle des journalistes, des femmes et des hommes intéressés à la littérature. Elle organise des *five o'clock teas* qui, par la musique et la conversation, sont de vraies fêtes artistiques. En 1896, le nom de Françoise s'impose définitivement à l'attention du public. Lors d'un voyage à Halifax elle aperçoit, dans la vitrine d'une pharmacie, la célèbre cloche de Louisbourg, en vente pour cent dollars. Elle rentre précipitamment à Montréal, organise une souscription, achète cette relique historique et la lègue à la Société de numismatique et d'archéologie lors d'une séance solennelle au Château de Ramezay, le 9 avril 1896. Louis Fréchette préside la séance à laquelle assistent 1200 personnes. C'est le triomphe du patriotisme. Il serait intéressant de savoir ce qu'a ressenti Émile Nelligan qui, d'après Louvigny de Montigny, a assisté à la cérémonie en compagnie de sa mère.

Un autre événement important se produit en 1895 : c'est la parution d'un volume de nouvelles que Françoise intitule *Fleurs champêtres*. La critique se montre enthousiaste. Fréchette et Léon Ledieu, rédacteur du *Monde illustré*, et bien d'autres encore ne cachent pas leur satisfaction. Françoise s'inspire du folklore et de la nature du pays, explore l'histoire, puise à l'occasion dans le passé de l'Irlande, pays d'origine de son père. Sa langue est savoureuse. Son style, narratif. Son vocabulaire accueille, lorsque l'occasion se prête, la langue populaire. Les épigraphes montrent que Françoise connaît La Fontaine, Alfred de Musset, la vieille poésie espagnole autant que les vieilles chansons bretonnes et irlandaises, le Victor Hugo des *Feuilles d'automne*, François Coppée, qui chante l'amour, et Mme de Staël, qui exalte les sentiments. Ses connaissances littéraires paraissent étendues, son goût pour les arts raffiné. À l'époque, c'est un événement littéraire. Un seul critique jette les hauts cris : Jules-Paul Tardivel. Le bouillonnant rédacteur de *La Vérité* est scandalisé parce qu'il croit avoir détecté dans ces jolies fleurs champêtres le poison de Jean-Jacques Rousseau. Bien plus ! Cette brune enfant de L'Isle-Verte a osé citer dans sa préface Guy de Maupassant, qu'elle qualifie de « génie ». Tardivel, qui sa vie durant a essayé de dépister les hérétiques et les francs-maçons, trouve là une nouvelle raison de fulminer et saisit l'occasion pour lancer quelques pierres dans les jardins de Fréchette et de Beaugrand.

Émile Nelligan a bien connu, et ce durant de nombreuses années, cette Françoise attachante et cultivée, de belle prestance, aux yeux noirs et pensifs, à la chevelure brune bouclée. À la maison, on lisait *La Patrie*. La mère de Nelligan avait beaucoup d'estime pour cette «charmante chroniqueuse» qui avait grandi aux Escoumins et à Trois-Pistoles tandis qu'elle-même avait passé sa jeunesse à Kamouraska et à Rimouski. Émilie et Robertine ont fait connaissance lors d'un bazar et les liens entre elles se sont resserrés avec le temps en marge des kermesses, des fêtes religieuses, des rencontres entre dames de la bonne société. Selon toute probabilité, Mme Nelligan a recommandé Émile à Françoise au début de 1897. Celle-ci savait donc que le fils de David s'apprêtait alors à abandonner l'école et qu'il écrivait de la poésie. Mais tout porte à croire que Nelligan commence à solliciter les conseils de Françoise en 1898. Il aime de plus en plus converser avec la chroniqueuse de *La Patrie*, écouter ses sages paroles, lui réciter ses poésies. La bibliothèque de Françoise recèle des trésors : livres canadiens, livres français, livres anglais, journaux et revues, surtout des revues parisiennes. Quelle ambiance pour un jeune poète de 17 ans! Il peut bouquiner, converser, rêver à l'occasion.

Cette amitié littéraire a laissé plusieurs traces. D'abord ce petit madrigal en l'honneur de Carmen Sylva, reine de Roumanie, amie de Françoise :

Je sais là-bas une vierge rose
    Fleur du Danube aux grands yeux doux
Ô si belle qu'un bouton de rose
    Dans la contrée en est jaloux.

> Elle a fleuri par quelque soir pur,
>   En une magique harmonie
> Avec son grand ciel de pâle azur :
>   C'est l'orgueil de la Roumanie.

Nelligan célèbre un peu naïvement Élisabeth de Wied, cette reine sympathique, bien connue pour sa simplicité, qui partageait le trône de Roumanie depuis 1881 avec son mari, Carol de Hohenzollern. Après la mort de sa fille, elle signa ses contes et poésies du nom de Carmen Sylva, et c'est sous ce nom de plume qu'elle était connue à Montréal, grâce surtout à son volume *Pensées d'une reine*. Françoise correspondait avec elle et, en janvier 1893, elle écrivit sur cette souveraine un bel article, publié le même mois dans la revue de Mme Dandurand, *Le coin du feu*. Elle loua souvent la première dame de Roumanie dans ses conférences, entre autres dans sa causerie à l'hôtel de ville de Valleyfield, en octobre 1896. Nelligan, sous l'influence de Françoise, fit de même dans ce huitain laudatif précédemment cité et qui n'est probablement que le fragment d'un poème plus long.

Il appert qu'en 1898, Nelligan cherche une « sœur d'amitié », une femme à laquelle il pourrait confier ses rêves d'artiste. Françoise semble tout indiqué pour jouer les Béatrice : elle est intelligente, cultivée, connaît bien la littérature et sait apprécier la poésie. Le fait qu'elle ait 16 ans de plus que lui importe peu. N'est-il pas vrai que Baudelaire avait en haute estime la belle et sage Apollonie Sabatier, plus âgée que lui ? Désemparé et triste, le jeune poète ressent un profond besoin d'aimer, d'aimer en artiste. Il ira donc trouver Françoise, à son bureau à *La Patrie*, à son appartement rue Saint-Denis, presque aussi souvent que Louis Dantin. À cette femme charmante, il

Françoise (Robertine Barry)
Portrait-dessin par Edmond-J. Massicotte, 1895.
(Collection Wyczynski)

soumet ses poèmes, il les récite ; elle écoute, commente et essaie de comprendre son grand rêve d'artiste. Plus tard, au moment de la publication du recueil de Nelligan, elle écrira dans *Le Journal de Françoise* du 2 avril 1904 :

> J'ai devant les yeux ce livre dont il avait ardemment souhaité la publication, mon pauvre et jeune ami. Ils sont là, devant moi, ces vers, morceaux de son âme qu'il nous a livrés et qui resteront toujours comme autant de preuves éclatantes de son talent frémissant et vibrant. [...] Presque toutes les poésies que contient le livre d'Émile Nelligan, je les ai entendues de sa bouche.

Françoise fut donc la confidente de Nelligan, témoin de sa création et aussi sa « sœur d'amitié », dans une relation tout idéale.

On peut parler d'un « cycle de Françoise » dans l'œuvre de Nelligan, c'est-à-dire de poèmes qu'elle lui a inspirés ou qu'il lui a offerts en souvenir. Ils sont au nombre de cinq : « Rêve d'artiste », « Beauté cruelle », « Le Vent, le triste vent de l'automne », « À une femme détestée », « À Georges Rodenbach ». Ces pièces furent écrites à la fin de 1898 et au début de 1899. Le tout a commencé par cet aveu sublime intitulé « Rêve d'artiste », sonnet publié dans *La Patrie* du 23 septembre 1898 :

> Parfois j'ai le désir d'une sœur bonne et tendre,
> D'une sœur angélique au sourire discret :
> Sœur qui m'enseignera doucement le secret
> De prier comme il faut, d'espérer et d'attendre.
>
> J'ai ce désir très pur d'une sœur éternelle,
> D'une sœur d'amitié dans le règne de l'Art,
> Qui me saura veillant à ma lampe très tard
> Et qui me couvrira des cieux de sa prunelle ;

REVE D'ARTISTE

Parfois j'ai le désir d'une sœur bonne et tendre,
D'une sœur angélique au sourire discret :
Sœur qui m'enseignera doucement le secret
De prier comme il faut, d'espérer et d'attendre.

J'ai ce désir très pur d'une sœur éternelle,
D'une sœur d'amitié dans le règne de l'Art,
Qui me saura veillant à ma lampe très tard
Et qui me couvrira des cieux de sa prunelle ;

Qui me prendra les mains quelque fois dans les siennes
Et me chuchotera d'immaculés conseils,
Avec le charme ailé des voix musiciennes.

Et pour qui je ferai, si j'aborde à la gloire,
Fleurir tout un jardin de lys et de soleils
Dans l'azur d'un poème offert à sa mémoire.

ÉMILE NELLIGAN.

« *Rêve d'artiste* »
Poème de Nelligan dédié à Françoise, publié
dans *Le Journal de Françoise* du 19 mars 1904.

Qui me prendra les mains quelquefois
                              [dans les siennes
Et me chuchotera d'immaculés conseils,
Avec le charme ailé des voix musiciennes ;

Et pour qui je ferai, si j'aborde à la gloire,
Fleurir tout un jardin de lys et de soleils
Dans l'azur d'un poème offert à sa mémoire.

On ne pourrait trouver de meilleur exemple dans l'œuvre de Nelligan pour mettre en évidence le rêve de la femme idéale. Nous sommes ici sur le chemin qui mène de l'adoration de la mère vers la sublimation de sainte Cécile, telle que celle-ci apparaît dans le sonnet « Amour immaculé ».

Mais comment expliquer alors le brusque changement de ton dans les trois autres poèmes qui ont pour titre « Beauté cruelle », « Le Vent, le triste vent de l'automne » et « À une femme détestée » ? Dans le premier, le poète parle d'un seul « amour en ce monde », d'une « entaille profonde » dont son âme se ressent. Dans le deuxième, il compare l'amour d'une femme au vent qui effleure le cœur de l'homme pour le faire pleurer ensuite. Mais c'est dans le troisième poème de ce groupe que sa colère éclate :

Combien je vous déteste et combien je vous fuis :
Vous êtes pourtant belle et très noble d'allure,
Les Séraphins ont fait votre ample chevelure
Et vos regards couleur du charme brun des nuits.

Depuis que vous m'avez froissé, jamais depuis,
N'ai-je pu tempérer cette intime brûlure :
Vous m'avez fait souffrir, volage créature,
Pendant qu'en moi grondait le volcan des ennuis.

Moi, sans amour jamais qu'un amour d'Art,
                          [Madame,
Et vous, indifférente et qui n'avez pas d'âme,
Vieillissons tous les deux pour ne jamais nous voir.

Je ne dois pas courber mon front
                          [devant vos charmes ;
Seulement, seulement, expliquez-moi ce soir,
Cette tristesse au cœur qui me cause des larmes.

Il est clair — même sur l'écran de la métaphore, le sens se maintient comme un douloureux ressentiment — qu'une brouille s'est produite entre Nelligan et Robertine Barry et que c'est à la suite de cet incident que Nelligan a écrit sa réplique d'homme blessé. Serait-ce ici le signe qu'aux yeux de Nelligan, Françoise n'était pas seulement une « sœur d'amitié » et qu'il aurait voulu, du moins à l'occasion, dépasser le stade platonique ? Ce que sans doute la brune journaliste n'aurait pas accepté.

Nul ne saura probablement jamais le fin fond de l'histoire qui est à l'origine du sonnet « À une femme détestée ». J'imagine qu'à la suite de fréquentes rencontres, Nelligan, qui vivait dans un rêve, a pu avoir l'impression, à un moment donné, qu'une idylle s'était ébauchée. Françoise ne peut offrir que son amitié. Comment d'ailleurs pouvait-il en être autrement ? Froissé, Nelligan se retranche dans sa fierté d'artiste — « sans amour jamais qu'un amour d'Art » — et exprime son ressentiment à la « Beauté cruelle ». Gérard Bessette suppose qu'« Émile, désireux de se libérer de son complexe, d'accéder à "l'amour ordinaire", fait une déclaration à Robertine. Le refus de celle-ci a d'autant plus ulcéré le poète qu'il se sentait déjà coupable, vaguement sacrilège » [BGNRS 144]. Sans multiplier les hypothèses, un fait demeure :

Françoise a bien caché quelques textes de Nelligan dans ses tiroirs et ne les publiera qu'en 1908-1909, dans *Le Journal de Françoise*: «À une femme détestée», «Le Vent, le triste vent de l'automne» et «À Georges Rodenbach». En 1909, la revue *Le Terroir* publiera trois autres poèmes: «Le Crêpe», «Un poète» et «Le Tombeau de Chopin» qui ont cependant pour sources d'inspiration des circonstances différentes.

Françoise restera toujours fidèle à Nelligan poète: elle publiera ses poèmes, écrira des articles à son sujet, parlera en termes élogieux de sa poésie. Elle a dû jouer avec dignité et beaucoup de doigté son rôle de «sœur d'amitié», elle, femme de lettres et amie intime de la mère du poète. Quant à Nelligan, cette amitié est certes féconde mais elle a ajouté à son psychisme un autre conflit et augmenté la souffrance de son cœur qu'il dépeignait alors comme le «volcan des ennuis». Il est cependant difficile de s'expliquer ce qui s'est passé entre eux.

Rencontres avec Louis Dantin

La solitude que vivra Nelligan en 1898 représente pour lui une source d'inspiration et une source d'inquiétude. On sait quelle frénésie agite sa pensée, lui qui est tantôt dans un état d'effervescence créatrice, tantôt en conflit avec son milieu. L'isolement dans lequel il se retranche lui pèse à un point tel que parfois il semble proche du désespoir. La seule échappatoire possible, c'est la rêverie, qui pousse tout son psychisme vers un monde inconnu. Là, il sera encore permis de jouer avec les mots, de créer son propre langage. Alors, écrire un sonnet, un rondel, ne serait-ce qu'esquisser un bout de poème exotique, signifie pour Émile retrouver la force de vie, la raison d'exister.

En rêvant en poète, il revient toujours à ses auteurs de chevet: Verlaine, Rodenbach, Rollinat, Baudelaire. En leur compagnie, il ressent l'appel de la création; au carrefour des arts chante son «âme symphoniste».

C'est dans un tel état d'esprit que Nelligan se lie d'amitié avec un religieux de la congrégation des pères du Très-Saint-Sacrement qui s'appelle Eugène Seers. À vrai dire, il l'a déjà rencontré le 16 avril 1896, dans le brouhaha d'un bazar organisé justement au profit des religieux de cette communauté. Sa mère y a pris part et lui, jeune collégien âgé de 15 ans, a contribué au succès de leurs soirées musicales et littéraires en récitant des poèmes, entre autres «Le Retour» de Pamphile Le May. Il s'agissait alors d'aider cette jeune communauté qui, en 1896, n'avait que six ans.

Les catholiques de Montréal en connaissaient bien l'histoire. En 1890, sept pères de la congrégation du Très-Saint-Sacrement s'étaient installés à Montréal, dont le P. Louis Estèvenon, leur supérieur. Ils achetèrent de M. Barre une modeste demeure, avenue Mont-Royal, dont le salon fut temporairement transformé en chapelle. En l'espace de quatre ans, on parvint à construire un immeuble qui allait faire corps avec le bâtiment existant et qui hébergerait sous le même toit un noviciat et une petite imprimerie. Au centre de l'ensemble fut érigée une spacieuse chapelle en pierre de 140 pieds de long sur 52 de large. Ainsi, en proche banlieue de la ville de Montréal, dans les limites de la paroisse Saint-Jean-Baptiste, au pied du mont Royal, s'éleva le sanctuaire de l'Adoration perpétuelle de la Sainte Eucharistie. Dans cette chapelle, vite célèbre, des fidèles se prosternaient jour et nuit devant l'hostie consacrée, exposée dans un ostensoir de huit pieds de haut, sous un grand baldaquin de velours et d'hermine, majestueusement surmonté de la couronne royale en bronze doré. On sait que le culte du Très-Saint-Sacrement fut d'abord établi en France, en Belgique, en Autriche et en Italie, à l'initiative du P. Pierre-Julien Eymard et de sa dynamique congrégation du Très-Saint-Sacrement, fondée en 1856.

Le P. Eugène Seers fait partie de la génération des fondateurs de la maison montréalaise du Saint-Sacrement. Toutefois, il jouit d'une situation tout à fait particulière. En 1898, il s'occupe de l'imprimerie adjacente au couvent où il publie de petites revues, des brochures, cantiques et calendriers pour la communauté. Plusieurs chuchotent — surtout les pères qui le connaissent — que le P. Eugène se tient à l'écart des pratiques religieuses, se contentant de toucher l'orgue à l'occasion et de prendre ses repas au réfectoire : il traverse, dit-on, une grave crise de conscience. Ces rumeurs ne sont pas sans fondement. Ce fils de Beauharnois, où son père fut avocat et maire, a passé une dizaine d'années en Europe — Rome, Paris, Bruxelles ; il a été ordonné prêtre, a fait de brillantes études et s'est distingué par son dévouement comme secrétaire auprès du supérieur de sa congrégation à Paris. Pourtant, un doute le tenaille depuis ses études théologiques à Rome, abandonnées d'ailleurs au bout de quelques semaines. Pendant de longues années, son esprit a eu peine à soutenir son âme en proie au désarroi. De plus, en 1892, il a rencontré une jeune Wallonne, Charlotte Beaufaux, blonde enfant de 16 ans et, envers et contre tout, il a vécu son premier grand amour qu'une visite canonique à Montréal, en mars 1894, n'est pas parvenue à effacer de sa mémoire. De retour en Europe, en mai 1894, il a retrouvé ses habitudes d'amoureux, a quitté quelque temps son couvent, y est revenu, cédant aux pressions qui s'exerçaient sur lui de toutes parts, et a regagné Montréal le 31 octobre 1894.

Le P. Estèvenon connaît cette histoire. Il sait fort bien que le jeune religieux de 33 ans vit un drame dont les causes ne sont pas uniquement son attachement à une jeune fille belge : elles sont plus profondes et plus complexes. Trente ans plus tard, dans une lettre à Alfred DesRochers, Eugène Seers lui-même expliquera : « Ma foi était perdue avant qu'elle [la jeune fille de Bruxelles] ou qu'une autre femme eût passé dans ma vie. [...] C'est l'amour qui est entré par la brèche de ma foi ruinée. » Sa raison lui dit que le sort en est jeté. Par contre, ses confrères en religion croient encore que le temps pourra cicatriser la plaie. Voici une autre confidence du P. Seers à Alfred DesRochers, dénuée de toute équivoque :

> Pendant dix autres années [1894-1903], par lassitude, par fatalisme, pour faire plaisir à mes parents et à mes confrères, j'ai résidé dans le couvent, mais en qualité d'hôte, sans partager en rien les exercices communs et sans même entrer à l'église, arrangement que tout le monde avait reconnu nécessaire si on voulait me garder absolument.

Le docteur Gabriel Nadeau a bien connu Eugène Seers : pendant de longues années, il fut son ami et conseiller. Il a recueilli auprès de cet exilé à Boston un nombre considérable de détails dont certains concernent directement l'amitié Nelligan-Dantin. Peu de temps avant sa mort, le 14 avril 1945, Eugène Seers confia au docteur Nadeau que « c'est en 1896 qu'il [...] rencontra [Nelligan] et [que] leurs relations devinrent presque journalières ». En disant « 1896 », Seers fait sans doute allusion au bazar organisé en avril 1896, où effectivement Émile Nelligan et le P. Eugène Seers se sont rencontrés. Sur cette rencontre, on n'en sait pas plus. Je crois qu'elle a été plutôt fortuite et rien n'autorise à conclure qu'elle a été suivie de « rencontres journalières ». Si tel avait été le cas, l'amitié littéraire entre Émile Nelligan et le P. Eugène Seers, le futur Louis Dantin, aurait duré plus de trois ans, ce qui, à la lumière des faits, s'avère impossible.

Dans une confidence à Germain Beaulieu antérieure à celle faite au docteur Gabriel Nadeau, Louis Dantin déclare :

> Certainement, j'ai connu et bien connu Émile Nelligan avant la catastrophe : au moins deux ans avant, peut-être davantage. [...] Je crois qu'il vint m'apporter une pièce de vers pour une petite revue religieuse que je dirigeais alors : j'étais encore dans cette communauté que vous savez. Je m'intéressai tout de suite à son talent manifeste, et l'invitai à revenir me voir. Nous fûmes depuis lors très bons amis, et je ne crois pas qu'il ait composé rien sans venir me le lire.

Ce témoignage est intéressant, mais tout compte fait, il est aussi imprécis. Tout dépend comment Dantin situe dans le temps la « catastrophe » de Nelligan. S'il pense ici à la date de son internement, le 9 août 1899, leur amitié aurait commencé à l'automne de 1897. Mais un autre indice dans le même témoignage brouille cette perspective. La revue que le P. Seers dirigeait alors n'est nulle autre que *Le Petit Messager du Très-Saint-Sacrement*. Or cette revue, porte-parole officiel de sa congrégation, commença à paraître en janvier 1898. Le premier poème de Nelligan destiné à cette revue, « Les Déicides », y paraîtra en octobre 1898. C'est donc un peu avant cette date qu'aurait pu avoir lieu la rencontre qui allait marquer le début de cette amitié littéraire.

De plus — Luc Lacourcière l'a déjà bien démontré —, le P. Seers ne connaissait pas les premiers poèmes de Nelligan publiés sous pseudonyme dans *Le Samedi*, ni ceux parus, en 1897-1898, dans *Le Monde illustré*. Peut-on présumer que le jeune poète a voulu les cacher, les considérant comme de simples œuvres de jeunesse, sans plus ? La rencontre entre Nelligan et le P. Seers qui a su faire naître une amitié littéraire indéfectible, liée à une création poétique intense, eut lieu, d'après moi, au début de septembre 1898, peu de temps après le retour du jeune poète de Cacouna. Mon hypothèse rejoint ici, à quelques détails près, celles du P. Yves Garon et de Réjean Robidoux.

À l'époque où cette amitié se noue, le P. Eugène Seers (appelé désormais par le pseudonyme qu'il se donna en 1898 et qui allait le rendre célèbre : Louis Dantin) vit douloureusement un drame religieux et passionnel :

> Ce n'est pas qu'un prêtre lettré que Nelligan a rencontré en Dantin, mais un être qui avait connu de violents ébranlements, des déchirements qui le rendaient infiniment réceptif à toute émotion, à tout sentiment sincère, et capable d'imaginer les secrètes et profondes résonances d'une âme que toutes choses heurtent. [...] Dantin eut à l'endroit de Nelligan une conduite toute fraternelle. Son amitié, il ne l'a pas exprimée dans des épanchements sentimentaux, mais dans sa sympathie à l'égard du poète et dans sa confiance en son œuvre [ENPRV-EB 59-78].

Son drame, qu'il analysera avec une froide lucidité dans ses lettres à Germain Beaulieu, n'empêche pas Dantin de s'occuper de littérature. Déjà au collège il taquinait la muse. En France et en Belgique, il avait publié quelques récits sous le pseudonyme d'Eugène Voyant et aussi plusieurs textes sous son propre nom. Il aime la musique, et surtout les *Mazurkas* de Chopin ; il aime la poésie, surtout Vigny et Verlaine ; il médite sur la création : « L'Art est un grand consolateur, et c'est un bon secret pour adoucir l'amertume d'un cœur poussé à bout que de s'en distraire par le spectacle de la Beauté », dira-t-il un jour à Germain Beaulieu.

Ne remarque-t-on pas dans cette attitude une invitation qui ne pouvait que plaire au jeune Émile Nelligan ? Dantin fut un homme de vaste culture, de jugement sûr et, en général, de grande ouverture d'esprit sur la poésie où la fine sensibilité et le bon goût se complètent et se corrigent mutuellement. Avant 1898, ce prêtre lettré était plutôt philosophe, lecteur de belles œuvres. Mais déjà, les préoccupations poétiques ne lui étaient pas étrangères. Dans un sonnet intitulé « L'Optimisme », qui date probablement de son séjour en Europe, il avait cru bon de faire valoir à la fin cette idée très haute et très noble de la place de la poésie dans la vie humaine :

> Les pleurs sont des rubis dans les vers
> > [qui les chantent ;
> La mort est belle aux sons des harpes de Mozart
> Et l'enfer est divin dans l'extase de Dante.

Dès que le P. Eugène Seers commence à publier *Le Petit Messager du Très-Saint-Sacrement*, le nom de Mme David Nelligan figure sur la liste des abonnés. Mais le rédacteur se dérobe sous le pseudonyme de Serge Usène (son anagramme) dont il signe ses légendes versifiées et ses sonnets.

Nelligan a connu *Le Petit Messager du Très-Saint-Sacrement*, et cela au tout début de sa parution. Ce serait pourtant une erreur que d'y voir là ses vraies sources d'inspiration. Certes, il a lu avec attention les premiers numéros de cette revue mensuelle, a même médité sur certaines pages et sur l'iconographie évocatrice qui rehaussait la beauté des textes, mais rien ne prouve qu'il y ait trouvé des stimulants assez forts pour le pousser à emboîter le pas. Dantin est loin d'avoir la sensibilité spontanée, le feu et l'imagination de son jeune ami. Le sonnet traduit une idée ; la chanson est essentiellement *chanson intellectuelle*. Sans trop mentionner au début son drame intérieur, affectant d'être attiré par la thématique religieuse, Dantin, de 14 ans l'aîné de Nelligan, jouera le rôle de « mentor littéraire », ce qui est tout à fait compréhensible ; ses séjours à Rome, à Paris et à Bruxelles lui ayant permis de respirer pleinement la culture littéraire des grandes métropoles européennes.

On pourrait dire que les rapports littéraires entre Nelligan et Dantin ont pour dénominateur commun le verbe grec *poïen*, qui signifie : faire. Oui, c'est sur ce plan que les échanges entre les deux hommes se sont révélés féconds. D'après les témoignages du docteur Nadeau et de Dantin lui-même, Nelligan lisait ses poèmes ou les récitait, tandis que le mentor écoutait, attentif, faisait des remarques, les relisait à son tour et, parfois, notait le flux prosodique qui sortait spontanément tout chaud des lèvres du jeune poète :

> Nelligan apportait ses vers et Dantin les lisait, en les commentant, en critiquant les rimes ou des images. Nelligan n'acceptait jamais de bonne grâce les corrections de son ami. Souvent, pendant la lecture

d'un poème, il écoutait, le regard sombre ; ou bien son attention se perdait dans une distraction qui l'absorbait tout entier. Quelquefois, au milieu d'une conversation ou d'une lecture, il était pris d'une inspiration subite et se mettait à improviser. Des vers entiers sortaient de sa bouche, tout faits. Les autres, il achevait de les scander avec des sons inarticulés, comme un chanteur fredonnant un air dont il a oublié les mots. Dantin, un crayon à la main, saisissait les vers pendant que Nelligan, marchant de long en large, faisait de grandes gesticulations. Enfin, il s'arrêtait et se taisait. Dantin lisait l'ébauche ; Nelligan écoutait sans rien dire, frappé d'une indifférence soudaine, comme s'il se fût agi de la poésie d'un autre. Dantin recopiait les vers au net et Nelligan les emportait [NGLDVO 235].

Ce que Nadeau rapporte ici, et toujours selon le témoignage de Dantin, confirme ce que d'autres sources corroborent, notamment Jean Charbonneau et Louvigny de Montigny, à savoir que Nelligan savait improviser sous le coup de l'inspiration. Sa mémoire était tout à fait phénoménale et le servit admirablement jusqu'à la fin de ses jours. Il connaissait par cœur à peu près tous ses poèmes et un bon nombre cueillis chez d'autres poètes. Dantin était ébloui par la force de cette créativité. Les séances de travaux littéraires se tenaient au parloir des pères du Très-Saint-Sacrement, 320, avenue Mont-Royal. On n'en était plus au stade des simples exercices de rhétorique : on visait à produire des poèmes bien ciselés, prêts pour la publication.

La poésie occupe une place privilégiée dans *Le Petit Messager du Très-Saint-Sacrement* dont Dantin est le rédacteur et l'imprimeur. Son expérience remonte au temps où il était, pendant de longues années, secrétaire du *Messager du Très-Saint-Sacrement* de Paris, revue fondée en 1888. Il se sent relativement à l'aise à Montréal, car il peut se reposer sur le métier qu'il a appris. Là où la tâche s'avère plus difficile, c'est dans la rédaction des textes et le choix des sujets. Ébranlé dans sa foi, Dantin parvient cependant à masquer ses sentiments. Sa revue ne laisse rien voir de son cœur meurtri. Les fascicules ne dérogent nullement, ni par le ton, ni par l'iconographie, au credo de sa communauté. Au contraire, tout transpire une parfaite quiétude. À peine si sa longue légende versifiée, « L'Hostie du maléfice », laisse transparaître par moments un bouleversement profond. En général, cependant, tout est suggéré avec tant d'habileté qu'on ne parvient pas à en percer le sens véritable.

On dirait que Dantin est entré de plein gré dans ce jeu de cache-cache. Tout porte à croire qu'il n'a rien révélé à Nelligan de sa véritable situation religieuse au cours des premiers mois de leur amitié. Peut-être que plus tard, au début de 1899, il lèvera prudemment le voile sur ses inquiétudes. Pour lui, religieux inquiet, il s'agissait plutôt de rendre service à un jeune poète chez qui il a décelé un don poétique indéniable et aussi une névrose en pleine progression. À aucun moment il ne tentera de ruiner cette jeune âme tourmentée. En l'occurrence, il avait plaisir à encourager son jeune ami à écrire des poèmes religieux. Nous voici à l'origine des « Déicides ».

Au début de 1898, Dantin était le seul « pourvoyeur » en poésie du *Petit Messager du Très-Saint-Sacrement*. La légende en vers « L'Hostie du maléfice » s'annonce comme une longue histoire du seigneur Guido, dont les actes et paroles traduisent habilement les inquiétudes, les angoisses, le drame de son créateur. Dans ses poèmes, Dantin affectionne ce que nous appelons le « sonnet double », donc 28 vers répartis en deux sections égales sur deux pages de la revue. Pour chaque poème ainsi conçu, Jean-Baptiste Lagacé prépare une illustration enluminée, en général fort réussie.

Ainsi arrive-t-on à comprendre l'origine du seul sonnet double de l'œuvre nelliganienne, « Les Déicides », publié dans le numéro d'octobre 1898 du *Petit Messager du Très-Saint-Sacrement*. Dantin lui-même explique sa genèse à Germain Beaulieu, dans une lettre du 30 avril 1938 :

> Cette pièce, « Les Déicides », qui figure dans ses œuvres, c'est à ma suggestion qu'il la composa ; bien plus, en compétition avec moi. Je la lui demandai pour mon *Messager* en lui traçant le sujet ; mais je m'essayai, en attendant, à la faire moi-même, décidé à choisir la meilleure des deux. Quand je les comparai, la mienne me parut si pâle que je la jetai d'emblée au panier. Pas tout à fait d'emblée, car je consultai d'abord J.-B. Lagacé, qui fut pleinement de mon avis, et qui s'en souviendrait peut-être.

Il convient de faire sans tarder la part des choses. Le poème reprend l'antique préjugé selon lequel les Juifs sont responsables de la mort du Christ. Le sujet a été tracé par Dantin ; sur le canevas reçu, Nelligan brodera le tableau ; J.-B. Lagacé l'encadrera d'une illustration. À mon avis, ce poème n'est pas du meilleur Nelligan. Dantin exagère en lui prodiguant ses louanges. Indépendamment du sujet, qui ne correspond plus à la mentalité d'aujourd'hui, on sent, dans la prosodie, un labeur qui tranche avec le style des meilleurs poèmes nelliganiens. Il s'agit ici, il faut le dire, d'un exercice littéraire. Il faut aussi préciser que les idées de Dantin sur la poésie, bien qu'elles paraissent très avancées pour leur temps, restent néanmoins imprégnées des préjugés propres à leur époque. Elles sont conformes en définitive aux vues de Brunetière et de Doumic, notamment sur cette «poésie d'idées» qui serait supérieure à toute autre forme de discours versifié et dont il se plaît à rappeler le principe ici et là dans sa correspondance.

D'autres pièces, qui ont pour sujets chapelles, moines, cloîtres, saintes, motifs évangéliques, ont été lues et travaillées dans le parloir du couvent des pères du Très-Saint-Sacrement. Dantin rapporte un souvenir intéressant au sujet d'un sonnet connu aujourd'hui sous le titre de «La Mort du moine». Voici comment à un certain moment Nelligan fabriqua cette poésie:

> Il imite Veuillot! Je lui prêtai un jour *Les Couleuvres*, et je ne sais pourquoi il fut frappé d'un morceau médiocre intitulé: «Pierre Hernschem». Ce dernier nom, sans doute, lui parut d'un éternuement délicat et le ravit par son exotisme. Le lendemain, Nelligan m'arrivait avec «La Mort du Moine», un pur décalque! Hernschem était devenu Wysinteiner: il avait échangé le capuce de saint Dominique pour la coule de saint Benoît: ce n'était vraiment pas la peine. Je refusai d'avaler cette fausse couleuvre.

Il s'agit évidemment d'un exemple d'imitation, et le poème, résultat d'un simple exercice littéraire, sonnet d'octosyllabes, est la preuve tangible que la vraie poésie est plus qu'un simple jeu avec des mots d'après un modèle choisi au hasard.

J'ai l'impression que dans les premières rencontres entre Nelligan et Dantin, la poésie reprenait systématiquement une thématique religieuse et un style parnassien. Peu à peu, une compréhension mutuelle s'instaure. Le docteur Nadeau m'a confié, lors de ma visite chez lui, que de temps en temps, pour mieux se connaître, Dantin et Nelligan partaient en promenade et allaient contempler le coucher du soleil. Parfois, ils s'en allaient visiter des églises et des chapelles. Un jour, ils entrèrent ensemble à la chapelle de la congrégation des pères du Très-Saint-Sacrement. Alors, Dantin toucha l'orgue et Nelligan écouta pieusement. Partout, au sein de la nature, autant que devant les autels et les vitraux, il s'agissait d'abord d'admirer les manifestations de la beauté.

Selon ce qu'il a déclaré plus tard au docteur Nadeau, Dantin semblait croire que la foi de Nelligan «était destinée à sombrer». Peut-on tirer de ces propos une conclusion quelconque? Il est certain que l'adolescent traversa des périodes d'inquiétude de toutes sortes, certaines plus aiguës que d'autres. Le poème «Confession nocturne» le laisse clairement entendre. Mais la tradition religieuse restait fortement ancrée dans sa jeune âme de poète, fût-elle ébranlée par le doute. Peut-être, en fin de compte, son âme n'était-elle pas faite pour habiter la grande basilique: il lui préférait cette «petite chapelle» dans la forêt de ses rêveries poétiques. Et cette petite chapelle, il l'imagine en poète sans prétention, avec une candeur d'enfant, et l'offre à Louis Dantin, son ami et conseiller dont il soupçonne à peine l'ampleur du drame. La «Petite Chapelle» est le titre qui coiffe une section dans le recueil projeté, en 1898, dans le plan autographe «Le Récital des Anges», avec la dédicace «À Serge Usène».

En route vers le Château de Ramezay

De plus en plus, Nelligan est verrouillé dans sa tour d'ivoire. Il masque ses inquiétudes en introduisant dans ses vers des mirages d'amour qui semblent relever davantage de l'évasion que d'un sentiment partagé avec une autre personne. Au sein de sa famille, parmi ses amis, Nelligan se sent de plus en plus « autre ». Il aime vivre — dit-il — dans des appartements clos, descendre dans son propre gouffre, écrire quelques vers, saisir la sensation du froid, du givre, du gel, de la neige qui cristallise le cœur :

> Ah ! comme la neige a neigé !
> Ma vitre est un jardin de givre.
> Ah ! comme la neige a neigé !
> Qu'est-ce que le spasme de vivre
> À la douleur que j'ai, que j'ai !

Paysage exclamatif — dira-t-on — que ce « Soir d'hiver » où le monde est blanc, mais où son « Âme est noire ». La rêverie module lyriquement cette perception du froid. Le paysage blanc s'intériorise : le givre « s'éternise, hivernalement s'harmonise aux vieilles glaces de Venise ! » s'exclame-t-il dans son poème « Frisson d'hiver ».

Depuis 1896, la Noël pour Nelligan est une période de grande tension nerveuse. Son anniversaire de naissance arrive chaque année comme une tempête. Sa mère multiplie les réceptions, les rencontres pour désamorcer la lourde atmosphère familiale. Elle est souvent au bord des larmes. En 1898, le fils et le père s'adressent à peine la parole. Les sœurs du poète, Éva et Gertrude, sont affectées par cette gaieté factice. Éva, surtout, est devenue extrêmement nerveuse, étrangement repliée sur elle-même. On escamote la bénédiction paternelle, sous prétexte que cette cérémonie n'existe pas dans la tradition gaélique. Enfin, pour éviter le pire, Émile peut toujours filer chez l'oncle Joseph Édouard Hudon, chez Idola Saint-Jean ou frapper à la porte de Charles Gill en invoquant la nécessité de relire le sonnet «L'Absente» dans *Les Poésies* de Catulle Mendès. Le jeune éphèbe fuit les autres mais, sans très bien s'en rendre compte, il fuit davantage sa névrose. Où aller?

À l'automne de 1898, Nelligan renoue avec l'École littéraire de Montréal [ELM-WJM]. À partir du 19 septembre, les réunions hebdomadaires se tiennent au Château de Ramezay. Le sort du cénacle est maintenant entre les mains de trois avocats: Germain Beaulieu, président; Wilfrid Larose, vice-président; Édouard-Zotique Massicotte, secrétaire. Louis Fréchette demeure président d'honneur. Deux objectifs deviennent prioritaires: doter l'École d'une constitution en bonne et due forme et faire connaître son existence auprès du grand public. On songe même à appeler ce cénacle «Société des gens de lettres du Canada». Afin d'assurer le rayonnement immédiat de l'École, un comité se chargera de préparer un programme pour une soirée littéraire publique cet automne.

La nouvelle orientation plaît à Nelligan. Il appelle de ses vœux la manifestation de poésie auprès du public. Il se rend bien compte que depuis presque un an, il a brillé par son absence aux réunions. Mais il n'a jamais remis de lettre de démission au président de l'École. D'autre part, il était connu de son entourage comme un bohème et un rêveur, promeneur solitaire, et personne ne lui en tenait rigueur. Il était resté en contact avec plusieurs membres du groupe. À la réunion du 26 septembre 1898, Henry Desjardins lit un sonnet de Nelligan et le 24 octobre, Jean Charbonneau clôt la séance par la lecture d'un poème de

Nelligan. Les procès-verbaux précisent que le poète assiste à la réunion du 2 décembre et que le 9 décembre, il est « réadmis » à l'École sur la proposition de Gonzalve Desaulniers, appuyé par Henry Desjardins : il ne s'agissait toutefois que d'une simple formalité. Il en fut de même pour Charles Gill et Louvigny de Montigny. De nouveau « officiellement » parmi ses collègues, Nelligan récite « L'Idiote aux Cloches » et « Un rêve de Watteau » et on les retient pour la prochaine séance publique. Bien plus, son nom est inscrit sur la liste des conférenciers de l'École : il parlera des « poètes étrangers ». Tout n'est pas perdu dans le froid d'hiver ! Nelligan sent son âme tonifiée. Il redouble d'ardeur dans sa chambre à l'étage. En regardant la nuit étoilée qui dort lourdement dans les branches dégarnies des érables sans mouvement, il écrit ses « Marches funèbres » : « Mon rêve rôde étrangement... ». Et soudainement, en faisant sa « Confession nocturne », la sérénité passagère se montre éclipsée par un remords harcelant :

> Tout est calme et tout dort. La solitaire Ville
> s'aggrave de l'horreur vaste des vieux manoirs.
> Prêtre, je suis hanté, c'est la nuit dans la ville ;
> Mon âme est le donjon des mortels péchés noirs.

IV

Éclatement de la parole

« *Le Récital des Anges* » et « *Prélude triste* »
Esquisse d'un plan de recueil de poésies et la mise
en œuvre d'un sonnet. Textes autographes.
(Collection Nelligan-Corbeil)

Parole poétique

Dire que la poésie existe, c'est dire tout simplement qu'une subjectivité a trouvé sa forme propre dans la parole. Je suis porté à soutenir qu'elle conditionne déjà la naissance du poème. L'état d'âme, quelle que soit sa tonalité, appartient à la phase prépoématique : le vrai poème naît au moment où un mode parvient à actualiser verbalement le vécu. La forme poétique est donc matrice d'idées et de sentiments, facteur unifiant dont dépendent la cohérence et l'équilibre d'une effusion couchée sur le papier. Même la sémantique du discours suit et doit intimement respecter les exigences de l'expression langagière. Il y aura forcément des écarts entre le langage ordinaire et celui du poète. Mais c'est justement dans ces écarts que se manifestent l'ampleur et l'originalité d'un univers poétique. C'est en elle qu'un Hugo diffère d'un Rimbaud, un Fréchette d'un Nelligan.

La forme poétique, c'est plus que l'aspect formel qu'on se plaît si fréquemment à lui substituer. Un recueil de poésies a son titre qui éclaire les parties qui le composent, un rondel sa facture particulière, une chanson sa ligne mélodique, un alexandrin ses agencements de syllabes toniques et atones, une métaphore son rayonnement distinctif parmi les figures de style. Bien plus qu'à toutes

179

les règles établies par la poétique, la forme obéit d'abord et surtout à une loi interne qui dépend du pouvoir créateur du poète. Il se produit alors un dédoublement du sujet dans le langage et du langage dans le sujet. C'est grâce à ce dynamisme que la forme se révèle vraiment unifiante, intimement liée à l'authentique présence artistique.

En 1898, surtout à l'automne de cette année, alors qu'il fallait préparer soigneusement le programme des séances publiques de l'École littéraire de Montréal, Nelligan prit pleinement conscience de l'importance de la forme de ses poèmes. À cette époque, il songe même à regrouper ses compositions en recueil. Il invente donc le titre : « Le Récital des Anges ». Le livre aurait dû comporter sept sections : « Clavier Céleste », « Clavier d'antan », « Petite Chapelle », « Doigté mélancolique », « Les Pieds sur les chenets », « Soirs de Névrose », « Vespérales funèbres ». Les trois premières sections sont dédiées respectivement à sainte Cécile, à sa mère et à Serge Usène (Louis Dantin). Ce petit plan autographe [NEPA-W 64], n'est-il pas éloquent pour l'auteur qui y inscrit sa manière d'être et de sentir ? Son moi sensible et souffrant, ses racines catholiques et sa puissance imaginaire se résument là en une série d'énoncés dont la cohérence poétique est essentiellement musicale.

On n'exagérerait guère en disant que la musique constitue la base de la forme poétique chez Nelligan. Non seulement la musique des allitérations et des accentuations dans des chaînes syllabiques, mais surtout et avant tout la musique qui est l'orchestration de l'œuvre dans sa totalité. Le premier plan autographe du recueil, qui est loin d'être terminé, le prouve ostensiblement. Déjà les termes « Récital », « clavecin », « clavier », « chapelle » apportent à la charge sémantique une suggestivité toute symbolique. Grâce à ce langage, la voix et le silence, le proche et le lointain parviennent à se fondre dans un champ poétique dont la signification va au-delà des mots [WPPS]. C'est grâce à ce don que le benjamin de l'École littéraire de Montréal, sur l'estrade du Château de Ramezay, domina ses collègues. Ceux-ci communique-ront leur moi au moyen des mots ; Nelligan le fera grâce à sa parole chargée d'images et de musique.

Poésie en fête

La première séance publique de l'École littéraire de Montréal était prévue pour le 15 décembre 1898. Cepen-dant, faute de temps pour bien préparer une telle soirée, la séance est remise au 29 décembre. En attendant, Nelligan écrit, polit ses poèmes et assiste aux réunions des 14 et 28 décembre, où il fait preuve d'enthousiasme. Les fêtes de Noël passent dans l'attente fiévreuse de cet événement qui marquera, dit-on, le triomphe de la poésie.

Vint le jour tant attendu. Le 29 décembre tombait un jeudi. La soirée était froide, mais magnifiquement étoi-lée au-dessus du vieux Château de Ramezay. Au-delà de 300 personnes prirent place dans la grande salle. Parmi les invités de marque, on comptait le juge Gill (le père du peintre-poète), l'honorable Joseph Royal, le chevalier Drolet, les docteurs Ricard, Prévost et Fortin, messieurs Leblond de Brumath et Béïque. Parmi les dames : Rober-tine Barry et madame Dandurand. Il est impossible d'énu-mérer tous les dignitaires, car la liste serait trop longue. La salle se révéla trop petite pour accueillir tous les invi-tés et les curieux venus en grand nombre, ce qui témoigne de l'intérêt porté par le public à la cause culturelle.

La séance commence. Wilfrid Larose, le nouveau président de l'École littéraire, jeune avocat habile et auteur d'un recueil de contes, prononce un discours que *La Patrie* du lendemain reproduira intégralement. L'exposé est bien structuré, prononcé d'une voix ferme devant un auditoire attentif. Le sujet porte sur l'histoire de l'École littéraire, sa vocation et ses objectifs. Le président rappelle qu'elle a pour but la création littéraire et aussi l'étude de la littérature et des disciplines connexes. Son exposé apparaît, par moments, comme un manifeste en faveur d'une littérature nationale. Cela va de soi : la pensée se fait rhétorique, pour que le message touche l'auditoire. Ce ne sont pas les « jeunes barbares » dont parlait autrefois Arthur Buies, mais de jeunes enthousiastes qui croient à l'avenir de la langue et de la littérature françaises au pays de Jacques Cartier. Applaudissements...

La pièce de résistance de la soirée est *Veronica*, de Fréchette, drame dont l'action se déroule en Toscane, au XVIe siècle, et à quoi se trouve mêlée incidemment la figure de Galilée. Quelques personnes savent que cette œuvre, où le sang coule abondamment dans des scènes mélodramatiques, a été écrite pour la divine Sarah Bernhardt, dans l'espoir que la grande comédienne française incarnerait le rôle principal. Faute de mieux, l'auteur la livre lui-même aujourd'hui aux Montréalais, jouant habilement de sa voix qui rend admirablement situations et personnages. Le poète national parle distinctement avec les intonations appropriées au sens du texte, en ponctuant ses phrases, en jonglant avec les exclamations et les interrogations, connaissant bien la valeur des rythmes et des suspenses. Rien d'étonnant que le président d'honneur de l'École s'attire l'attention du public.

Nelligan est assis à la première rangée, juste devant l'estrade, entre Gonzalve Desaulniers et Albert Ferland. Il est nerveux, il attend son tour. Entre les premier et deuxième actes de *Veronica*, alors que Fréchette se repose, Jean Charbonneau récite trois poésies : « Sur un vase grec », « Les Deux Majestés », « Les Saisons d'amour ». Entre les deuxième et troisième actes, le public entend Édouard-Zotique Massicotte et Arthur de Bussières. Le premier récite « La Valse » et « Rondel à l'aimée », le second scande fort bien « Soirées allemandes » et « Kitano-tendji ». Nelligan monte sur l'estrade après le troisième acte. Il déclame « Un rêve de Watteau », « Le Récital des Anges » (rondel connu plus tard sous le titre « Billet céleste ») et « L'Idiote aux Cloches ». Ensuite, Gonzalve Desaulniers lit « Caprice » et « Ballade de la fille des bois » ; Albert Ferland clôt la soirée avec deux poèmes : « Le Poète » et « Les Questions folles ».

De l'avis des journalistes, cette première séance publique a été une réussite magistrale. Dans une salle bondée, l'enthousiasme a atteint son paroxysme. La presse montréalaise loue sans réserve l'initiative des jeunes littérateurs et réclame d'autres soirées semblables. Dans *La Patrie* du 7 janvier, Françoise louange à son tour le talent de Nelligan et publie « L'Idiote aux Cloches ». Son « Rêve de Watteau » est un sonnet dans le style partiellement parnassien qui finit par la chute devenue depuis mémorable : « Nous déjeunions d'aurore et nous soupions d'étoiles. » « Le Récital des Anges » est un rondel qui frappe par son titre et aussi par la musicalité d'ensemble due aux alexandrins entièrement en rimes féminines. On n'a pas besoin d'insister sur l'originalité de la forme de « L'Idiote aux Cloches », une chanson avec l'entremêlement d'une ritournelle folklorique qui raconte le trépas de la folle éprise des cloches de Pâques en voyage à Rome.

Nelligan a fait belle impression sur l'auditoire avec ses trois pièces extrêmement bien choisies. Il a su tirer parti de sa voix sonore et de sa belle chevelure qu'on se plaisait à comparer à la crinière d'Absalon. Le jeune poète hume discrètement la gloire de cette soirée et plusieurs lui assignent une place d'honneur, tout de suite après Louis Fréchette. C'est la première fois que sa parole éclate dans le cœur de 300 personnes. Tout n'est donc pas perdu dans la tristesse des jours : *Verbum omnia vincit* !

Après la première séance publique, l'École littéraire de Montréal a du vent dans les voiles. On prend un mois pour se reposer, pour fêter comme il se doit la venue de la nouvelle année, puis les activités reprennent le 27 janvier 1899. Nelligan est au rendez-vous. Il livre à ses collègues trois de ses poèmes : « Le Perroquet », « Bohème blanche » et, évidemment, « Le Roi du souper ». Il assiste régulièrement aux réunions, prend part aux discussions, propose de nouveaux membres. À la réunion du 3 février, il récite son poème inspiré par Rodenbach, « Bohème blanche ». Le 10 février, en vue de la deuxième séance publique, il arrête son choix sur : « Le Roi du souper », « Le Menuisier funèbre », « Le Suicide du sonneur » et « Le Perroquet ». Il assiste à la réunion du 17 février sans pourtant réciter de poèmes. Une semaine plus tard, le 22 février, Nelligan établit un nouveau choix de poèmes pour la prochaine séance publique : « Les Carmélites », « Nocturne séraphique », « Notre-Dame-des-Neiges ». Finalement, lorsque le 24 février arrive et que l'École littéraire de Montréal se présente au grand complet devant le public montréalais au Monument national, Nelligan déclame « Le Perroquet », « Bohème blanche », « Les Carmélites »,

«Nocturne séraphique», «Le Roi du souper» et «Notre-Dame-des-Neiges».

Les jeunes littérateurs savent organiser très habilement leurs séances publiques. Le 24 février, c'est l'historien Laurent-Olivier David qui est conférencier invité, *persona prima*, comme le fut Louis Fréchette le 29 décembre dernier. Sa conférence s'intitule «Parallèle entre Lafontaine et Papineau», mais à vrai dire, il parle à bâtons rompus de Lafontaine et Baldwin. À intervalles réguliers, les jeunes littérateurs récitent leurs textes en vers et en prose. Nelligan figure au programme en dixième place, juste avant Henry Desjardins, qui est le dernier. Il faut souligner, cependant, qu'il présente au public des textes de qualité moindre que ceux récités lors de la première séance. La presse qui annonce et commente cette soirée — *La Patrie*, *La Minerve*, *La Presse*, *Le Monde illustré* — loue sans réserve l'initiative des jeunes gens et salue avec empressement l'idée de voir d'autres séances du genre à l'avenir.

Entre le 3 et le 31 mars, l'École littéraire tient cinq réunions ordinaires. Nelligan y brille par son absence. Pressé de revenir par Arthur de Bussières, il se décide à assister à celle du 31 mars. Pendant ce temps courait le bruit que sa poésie, à la deuxième séance publique, ne répondait pas à ce qu'on attendait de lui. La goutte qui fait déborder le vase, c'est *Le Monde illustré* qui en est responsable par la manière dont il s'y est pris pour commenter cette soirée. Un certain E. De Marchy (il signe aussi De Marchi), critique littéraire parisien de passage à Montréal, y publie un article qui contient cette remarque ironique à l'égard de Nelligan: «Son perroquet était franchement mauvais, comme tous les perroquets qui ont une trop grande variété de couleurs dans leur plumage.» À vrai dire, De Marchy paraît plus badin que méchant. Il connaît à peine la littérature d'expression française au Canada. Il ne prend pas trop au sérieux la poésie exotique, surtout celle d'un adolescent qui n'a pas encore passé le cap des 20 ans. Connaissant déjà l'hypersensibilité de Nelligan, on peut imaginer quelle fut sa réaction devant ce trait qui le tourne, croit-il, en ridicule. Il ne peut admettre que son «Perroquet», composé de tercets à une seule rime, ne produise qu'un effet monotone. Vainement, il cherche dans les 13 tercets de ce poème des adjectifs de couleur quasiment inexistants. Il soupçonne la médisance, doublée d'un parti pris, visant à le blesser. Mais pourquoi, se demande-t-il, *Le Monde illustré* publie-t-il de pareils comptes rendus?

Ce fâcheux incident met Nelligan mal à l'aise. Le poète est convaincu qu'il y a des gens mal intentionnés dans son entourage. Il se laisse cependant persuader de prendre part à la troisième séance publique fixée au 7 avril 1899. En boudant quelque peu ses collègues, il leur dit qu'il récitera le poème «Le Suicide de Valdor» devant l'auguste assemblée qui comptera également De Marchy comme invité spécial. Ainsi, comme dans «Le Perroquet», il traitera une fois encore du thème de la mort. Son esprit broie du noir: que la société le sache! Ce long poème de trente distiques répartis en six sections de longueur égale, dédié à Wilfrid Larose, président de l'École littéraire depuis avril 1898, est une ballade triste qui a pour sujet l'amour malheureux du vieil Angel Valdor, pauvre sonneur qui finit par se pendre au clocher noir de son beffroi. Le thème du suicide semble hanter depuis un certain temps l'esprit de Nelligan. À la séance régulière de l'École littéraire du 10 février 1899, le poète a lu «Le Suicide du sonneur», sans doute le même texte.

Mais, lorsque la troisième séance publique de l'École littéraire de Montréal s'ouvre, le Vendredi saint 7 avril, au Château de Ramezay, Nelligan change d'idée : il récite « Prière vespérale », « Petit Vitrail de chapelle », « Amour immaculé » et « La Passante ». On soupçonne ici l'intervention discrète de Françoise ou de Dantin, car le choix est de bon ton : religion, amour, beauté, temps qui passe... Cela reflète bien l'atmosphère du Vendredi saint, après les cérémonies du Jeudi saint, alors que les cloches se sont envolées à Rome, selon la vieille tradition populaire. Comme toujours, Nelligan déclame d'une voix grave et se plaît à scander d'une façon particulière « Amour immaculé », dont la chute suggère bien des choses : « Errer dans mon amour comme en un cimetière ! » Ce n'est pas une constatation, c'est une exclamation : c'est le ton qui fait la différence.

Cette séance a pour pièce de résistance la conférence de Jean Charbonneau. Le conférencier traite du symbolisme en chevauchant trois domaines : littérature, philosophie et linguistique. Il en démontre les origines, en s'inspirant des œuvres de Théophile Gautier, de Charles Baudelaire, de Théodore de Banville. Il se plaît à définir les racines du symbole comme signe et concept, en renvoyant à la pensée grecque et à l'art du Moyen Âge. Il parvient à la conclusion assez bizarre que le cosmopolitisme dans la langue française est un « agent dangereux ». On devine ici l'influence de René Doumic. Cet entêtement à refuser de reconnaître à sa juste valeur la part du symbolisme dans le cheminement de la poésie française est malencontreux. Charbonneau y voit un abus du sens des mots et l'exagération du mystère et de l'extase, un effort désordonné qui, bien qu'il ait toutes les apparences d'une méditation raffinée, dit-il, relève d'une démarche créatrice somme toute positiviste et s'enlise dans une sorte de mysticisme insolite aux formes encore plus étranges. Le conférencier reçoit les applaudissements, mais Nelligan, lui, n'applaudit pas. Il ne peut articuler sa pensée avec autant de doigté que Charbonneau, rivaliser avec lui par ses connaissances sur l'histoire littéraire, mais il lui est nettement supérieur lorsqu'il s'agit de savoir où se manifeste la vraie poésie. Nelligan n'a pas prisé, mais pas du tout, l'exposé de son collègue.

Tandis que les jours s'écoulent, la presse loue unanimement l'École littéraire. La soirée du 7 avril produit des réactions en chaîne. On ne tarit pas d'éloges sur l'érudition de Charbonneau, on souligne la beauté des contes de Fréchette, ce maître, dit-on, de l'art de conter. Et voici de nouveau que la voix de De Marchy se fait entendre dans les colonnes du *Monde illustré* du 22 avril. Le critique français s'en tient au ton général. Comme tout le monde, il encense le discours inaugural de Larose et attache beaucoup d'importance à la conférence de Charbonneau. La poésie mérite une mention honorable. Quant à la contribution de Nelligan lui-même, De Marchy se contente, cette fois, de signaler le titre des poèmes récités. Cette manière d'agir est un nouvel affront pour Nelligan. Il n'aime pas être tenu pour quantité négligeable par un critique parisien hautain et malicieux.

Là-dessus, les activités de l'École littéraire de Montréal reprennent leur cours normal. À partir du 14 avril, les membres se rencontrent chaque semaine et organisent hâtivement une quatrième séance publique, prévue pour la fin de mai. Les préparatifs en vue de la publication d'un volume collectif vont bon train : si tout se passe comme prévu, l'ouvrage verra le jour d'ici quelques mois. Il s'appellera « L'École littéraire 1898-1899 », même si un tel titre n'a pu rallier tous les coauteurs. Le 12 mai, Germain Beaulieu, nommé récemment professeur de littérature française au Plateau, revient à l'École. Et comme le consul de France, Alfred Kleczkowski, a décliné l'invitation qui lui avait été faite de prononcer un discours, on décide, à la réunion du 5 mai, que Wilfrid Larose sera le prochain conférencier. Son nom a été proposé par Charbonneau et accepté à l'unanimité par Massicotte, Desaulniers, Ferland, Dumont, Demers et Antonio Pelletier. À la réunion du 19 mai, le président annonce que tout est prêt pour la quatrième séance publique qui se tiendra au Château de Ramezay, le 26 mai suivant, et que *La Patrie* publiera, en un montage photographique, les portraits des poètes participant au programme de la soirée.

Mais où donc est Émile Nelligan ? À toutes les réunions de l'École littéraire de Montréal, qui eurent lieu entre les 14 avril et 19 mai, il brille par son absence. Il boude, disent certains de ses collègues. Mais il y a plus que du ressentiment à l'égard de Charbonneau et de De Marchy. Le jeune poète traverse ce qu'on peut appeler une crise de vocation artistique. Il n'est pas d'accord avec l'idée qu'on se fait de sa poésie et apprécie peu les éloges stéréotypés, ces mots creux que les journalistes impriment dans les journaux. Il souhaiterait plus de réflexion. Pour lui, la poésie est un engagement de tout son être qui s'incarne dans des formes nouvelles. Ses rencontres avec Dantin se multiplient au parloir des pères du Très-Saint-Sacrement. Pour le consoler, Françoise publie coup sur coup, en avril, le rondel «L'Organiste des anges» et le sonnet «Les Communiantes». On devine les intentions de Françoise : elle veut faire valoir à tout prix la poésie d'inspiration religieuse chez Nelligan. On pourrait même se demander si la mère du poète, de plus en plus inquiète de l'état d'esprit de son fils, n'a pas discrètement suggéré à Françoise et à Dantin de l'encourager dans cette voie. Mais dans le poème «Le Suicide d'Angel Valdor», dédié au président de l'École littéraire et à qui il a donné une copie, le poète avait nettement voulu signifier, par une habile hyperbole, que le sonneur habitait un «affreux clocher noir». Et le son de sa cloche est tel qu'il invite au suicide.

La critique n'a jamais relevé le fait que Nelligan — qui à cette époque écrivit beaucoup de poèmes — avait décidé de ne plus assister aux réunions de l'École littéraire. La séance publique prévue pour le 26 mai ne l'attirait pas, et lorsque, la veille, *La Patrie* en présente le programme à ses lecteurs, Nelligan n'y figure pas. Ce n'est que le jour même que *La Minerve* communique à son tour le programme de la soirée, et cette fois Nelligan s'y trouve avec trois pièces: «Le Talisman», «La Romance du Vin» et «Rêve d'artiste». Le même jour, *La Presse* annonce aussi le programme de la soirée: aux trois poèmes dont *La Minerve* publie les titres, on ajoute ici «Le Robin des bois».

Que s'est-il passé au juste? Vraisemblablement, Nelligan n'avait guère envie, en mai 1899, d'assister à une autre séance de l'École littéraire de Montréal. Je suppose que quelqu'un — Dantin peut-être — est parvenu à le faire changer d'idée. J'irai même jusqu'à dire qu'il l'a non seulement convaincu de participer, mais qu'il l'a aussi guidé dans le choix des poèmes à réciter: ils sont de facture traditionnelle. Les deux sonnets s'adressent à la femme: «Le Talisman» à sa mère et «Rêve d'artiste» à Françoise, ce qui n'est connu que d'un groupe restreint. Si Dantin a pu intervenir, disposant de bons moyens de persuasion, c'est qu'il a déjà souhaité entendre Émile réciter «La Romance du Vin».

Le Château de Ramezay
Dessin de F.S. Coburn, 1895.
(Bibliothèque nationale du Québec.
Collection Massicotte, album 3, p. 153)

Il ne faisait pas particulièrement beau le 26 mai 1899. Le vent, la pluie, les giboulées s'étaient ligués pour faire baisser la température. Malgré ce temps peu clément, la population avait bien répondu à l'invitation de l'École littéraire de Montréal, fortement encouragée par la presse. Une foule nombreuse se rendit donc ce jour-là au Château de Ramezay pour assister à la quatrième séance publique, la dernière avant les vacances d'été. Ce genre de soirée est déjà presque une tradition ; toutes les classes sociales y sont représentées et manifestent ainsi leur attachement à la littérature et à la langue françaises.

La soirée commence à huit heures précises avec une nouvelle décevante. Louis Fréchette, qui aurait dû présider cette séance, a dû s'excuser à la dernière minute pour cause de maladie. C'est donc à Wilfrid Larose, président de l'École, qu'incombe la tâche d'être à la fois président et conférencier. Il s'en acquitte en avocat habile, mais aussi à titre d'écrivain à part entière, lui qui a déjà publié un recueil de contes. Les principes du style écrit et parlé lui étaient familiers. Dans son discours inaugural, il ne manque pas de souligner l'effort de la confraternité littéraire pour s'émanciper. « Et c'est de ce profond et si légitime sentiment d'amour pour notre langue, notre nationalité qu'est née l'École littéraire, c'est sous l'inspiration de ce même sentiment qu'elle a si vite conquis sa place parmi les institutions fortes et durables. » En bon avocat, Larose sait communiquer éloquemment sa pensée. Ses idées frappent juste.

Sa conférence est toutefois plus sujette à caution. Il traite de « L'éducation aux États-Unis », et fait l'éloge du pragmatisme à outrance du collège Eastman de Pough-keepsie (New York) où la philosophie de l'enseignement se situe aux antipodes de l'idéal humaniste. Mais comme

L'École littéraire de Montréal, 1899-1900
Photomontage paru dans *Le Monde illustré* du 21 avril 1900.
Membres : 1. Louis Fréchette, président d'honneur ;
2. Wilfrid Larose, président ; 3. Édouard-Zotique Massicotte,
vice-président ; 4. Germain Beaulieu, trésorier ;
5. Georges-Alphonse Dumont, secrétaire ;
6. Charles Gill ; 7. Jean Charbonneau ; 8. Émile Nelligan ;
9. Hector Demers ; 10. Henry Desjardins ;
11. Gonzalve Desaulniers ; 12. Pierre Bédard ;
13. Arthur de Bussières ; 14. Albert Pelletier ;
15. Albert Ferland ; 16. Auguste-Henri Trémaudan.

toujours, on attache une grande importance à la conférence dans le programme de la séance publique organisée par l'École littéraire de Montréal. Cependant, la «partie poétique», comme on disait à l'époque, plaît de plus en plus à l'assemblée. Ainsi, dans cette quatrième séance publique, outre Nelligan, huit poètes déclament leurs poèmes : Jean Charbonneau, Charles Gill, Gonzalve Desaulniers, Albert Ferland, Arthur de Bussières, Louvigny de Montigny, Hector Demers et Édouard-Zotique Massicotte. À lire les comptes rendus, on constate que l'attention des journalistes est surtout captée par les œuvres des aînés : Larose, Massicotte, Desaulniers, Gill. Mais en lisant plus tard Jean Charbonneau, on doit plutôt attribuer le succès de la soirée à la performance du plus jeune :

> Émile Nelligan était présent, ce soir-là. Sans laisser le temps au public de se remettre d'un malaise certain [allusion au discours de Larose], il lança tout d'un trait, comme en manière de protestation, les strophes de quelques-uns de ses poèmes. Troublant contraste ! Lorsque le poète, crinière au vent, l'œil enflammé, la voix sonore, clama ces vers vibrants de sa «Romance du Vin», ce fut un délire dans toute la salle. Des acclamations portèrent aux nues ces purs sanglots d'un grand et vrai poète [CJELM 51].

Pour le public et pour Nelligan, enflammé d'une belle ardeur, c'est le triomphe de la poésie. Le témoignage de Jean Charbonneau est corroboré par le souvenir de Louis Dantin, présent aussi ce soir-là au Château de Ramezay :

> J'ai vu un soir Nelligan en pleine gloire. C'était au Château de Ramezay, à l'une des dernières séances publiques de l'École littéraire. Je ne froisserai, j'es-

père, aucun rival en disant que le jeune éphèbe [Nelligan] eut les honneurs de cette soirée. Quand, l'œil flambant, le geste élargi par l'effort intime, il clama d'une voix passionnée sa «Romance du Vin», une émotion vraie étreignit la salle et les applaudissements prirent la fureur d'une ovation [NEO-D xxix].

D'autres enfin — Louvigny de Montigny, Albert Laberge, Louis-Joseph Doucet — gardèrent de cette soirée la même impression. Brusquement, en mai 1899, au couchant du XIXᵉ siècle, ce Nelligan bohème, ce mauvais collégien, fait figure du jour au lendemain de jeune Apollon. Jusqu'à la fin de ses jours, Dantin répétera que «La Romance du Vin» est, d'après lui, le meilleur poème de Nelligan.

*
* *

Il serait difficile de porter un jugement sur la poétique de Nelligan sans tenir compte de sa «Romance du Vin». De quoi s'agit-il exactement dans ce poème de neuf quatrains que tout le monde loue sans réserve, et à juste titre? Dans un grand poème — comme c'est le cas chez Lamartine («Le Lac»), chez Hugo («Oceano Nox»), chez Baudelaire («Correspondances»), chez Rimbaud («Le Bateau ivre»), chez Verlaine («Chanson d'automne») —, l'âme du poète éclate dans la beauté d'une forme nouvelle. Dans «La Romance du Vin», Nelligan confirme la règle: il a investi poétiquement, avec force et doigté, sa rage d'être un poète incompris et son sanglot de vivre.

Tout se mêle en un vif éclat de gaîté verte.
Ô le beau soir de mai ! Tous les oiseaux en chœur,
Ainsi que les espoirs naguères à mon cœur,
Modulent leur prélude à ma croisée ouverte.
. . . .
C'est le règne du rire amer et de la rage
De se savoir poète et l'objet du mépris,
De se savoir un cœur et de n'être compris
Que par le clair de lune et les grands soirs d'orage !

Femmes ! je bois à vous qui riez du chemin
Où l'idéal m'appelle en ouvrant ses bras roses ;
Je bois à vous surtout, hommes aux fronts moroses
Qui dédaignez ma vie et repoussez ma main !
. . . .
Les cloches ont chanté ; le vent du soir odore...
Et pendant que le vin ruisselle à joyeux flots,
Je suis si gai, si gai, dans mon rire sonore,
Oh ! si gai, que j'ai peur d'éclater en sanglots !

La conscience du poète se manifeste donc avec éclat sur
le fond d'un soir de mai « Vive le vin et l'Art ! » : Nelligan
rêve de faire des vers célèbres pendant qu'il marche à
tâtons dans sa « jeunesse noire ». Il vit douloureusement le
drame d'être un poète incompris. La société alimente son
malheur, son « rire sonore », ses sanglots étouffés. C'est
une réponse à De Marchy, aux journalistes croque-morts,
aux femmes qui se gaussent de lui, aux hommes qui re-
poussent sa main. Jamais Nelligan n'avait-il crié aussi
fort. Toutes les strophes du poème sont ponctuées d'exclamations. Dans un moment d'extrême isolement, la
place revient au cri et à l'ironie. Rien de plus à propos que
de jeter à la face de cette auguste assistance, dans la

somptueuse salle du Château de Ramezay, la dure vérité qu'elle applaudit la poésie sans comprendre le poète.

À la face de la société, «La Romance du Vin» est une invective; en ce qui concerne l'Art, c'est une affirmation. Baudelaire a bien parlé de l'âme du vin. Omar Kháyyâm a souligné admirablement le rapport symbolique qui existe entre le vin et l'amour. Pour Nelligan, le vin et l'Art sont liés.

> [...] Vive le vin et l'Art !...
> J'ai le rêve de faire aussi des vers célèbres,
> Des vers qui gémiront les musiques funèbres
> Des vents d'automne au loin passant
> [dans le brouillard.

Remarquons dans les deux derniers vers une prosodie qui s'allonge, devient un enjambement où le mouvement lyrique s'exprime par un souffle onomatopéique fort suggestif. Le sens des signes est clair. Plus qu'une diatribe contre la société, «La Romance du Vin» est un credo poétique. Après tant de rêves moroses, tant de soupirs douloureux, le public assiste à l'éclatement de la Parole de Nelligan. Qui dit «Parole» dit l'essence même de l'âme projetée par un intense effort créateur dans une écriture inventée au service du vrai et du beau. Quand la pointe se répand dans la salle — «Oh! si gai, que j'ai peur d'éclater en sanglots!» —, on dirait que Nelligan se remémore un cri semblable appris chez Rollinat: «Des rires, des sanglots et des cris fraternels».

Le questionnement du texte doit être poussé plus loin. Dans l'œuvre de Nelligan, «La Romance du Vin» m'apparaît comme un nœud de correspondances mettant en lien tout un réseau de relations: entre l'abstrait et le réel, le ciel et la terre, le vrai et le faux, la vie et l'art...

De plus, dans la ligne des fixations verbales de Baudelaire et de Rimbaud, Nelligan crée une sorte de musique suggestive qui est, essentiellement, une synesthésie bien à lui : couleur, cri, mouvement, parfum, geste déferlent dans les neuf strophes de son poème à l'instar d'un courant où vibrent à l'unisson les différents énoncés du message poétique. Réjean Robidoux a bien saisi ces correspondances où s'opère l'échange des perceptions au profit d'une connaissance poétique perceptible dans l'hallucinante voyance, comparable sous certains angles à «l'Alchimie du Verbe» [ENPRV-EB 129].

La démarche créatrice qui se manifeste comme art et témoignage dans «La Romance du Vin» implique quelque chose qui est à la fois explosif et évocateur au niveau de l'écriture. Les mots qui s'alignent dans ce poème strophique — comme ceux des «Correspondances» de Baudelaire et des «Voyelles» de Rimbaud — sont animés, d'un quatrain à l'autre, d'une force intérieure qui a pour source véritable non pas un simple ressentiment, mais le sens du tragique. Dans ce sens, la «romance» de Nelligan se situe dans le symbolisme du «Vin» qui, dans sa signification profonde, est l'inextricable ivresse d'être : affirmer son désir de vivre douloureusement et pleinement sa destinée d'artiste, dans l'effarante lucidité de son moi déréglé, voilà le sens même de cet effort créateur. Nelligan veut être pleinement poète.

On pourrait s'interroger longtemps sur la force anaphorique de ses constructions syntaxiques, sur ces connaissances de la synecdoque et de la litote, sur l'organisation métaphorique de ses énoncés, sur les allitérations et les rimes intérieures, sur les charges lyriques que les mots portent, que les rythmes modulent, que les rimes accentuent. Le poète a-t-il une raison particulière d'introduire à deux reprises les quatrains à rimes croisées (strophes 5 et 9) dans un ensemble qui est principalement constitué de quatrains à rimes embrassées? A-t-il voulu souligner le symbolisme de la connaissance parfaite, pleinement acquise, attachée par la tradition au nombre neuf, en orchestrant son poème en neuf quatrains où le moule prosodique d'apparence fort traditionnelle, savante, accueille les inflexions rythmiques qui annoncent déjà le vers libre? Il y a des évidences dans une construction poétique, mais il y a aussi des liens mystérieux entre la conscience créatrice et les formes d'expression. Dans ce sens, malgré l'observance du code classique dans la prosodie, Nelligan, pareillement à É.-Z. Massicotte, affirme déjà sa modernité.

Ce qu'on voudrait surtout retenir de ces extraordinaires correspondances de «La Romance du Vin», c'est que les énoncés et les images convergent vers un état d'âme qu'on pourrait qualifier de cyclothymique, puisqu'on voit alterner les périodes d'excitation (instabilité, euphorie) et de dépression (apathie, mélancolie). On passe, en effet, sans cesse de la gaieté à la tristesse, de la gloire à l'échec, de l'euphorie à l'apathie, du rire sonore aux sanglots... C'est justement cette cyclothymie que le poète a mise à nu devant le public montréalais le 26 mai 1899. C'est le chant du cygne d'un homme meurtri, incompris et aigri; c'est aussi l'heure de triomphe du poète chez qui le génie a soudainement éclaté en des formes d'écriture suggestives: «La Romance du Vin» est *L'art poétique* d'Émile Nelligan, poète qui croit à sa vocation d'artiste déjà en plein délire. Dantin dirait: c'est une ébauche de génie.

Vers l'abîme du rêve

Au fur et à mesure que les jours passaient, Nelligan considérait le monde extérieur comme une menace grandissante. Il ne lui restait donc plus qu'à se barricader dans son rêve. Lorsque la mémoire cesse tout commerce avec le passé, lorsque le blanc souvenir s'estompe dans l'immédiat noir, il faut au songe un éclairage fantomatique. Le présent d'un schizophrène consiste souvent à vivre en compagnie de spectres qui lui tiennent lieu de traits d'union avec les hommes. Des fantômes de toutes sortes habitent alors ses visions. Leurs formes et couleurs, burlesques et extravagantes, feront partie intégrante de la représentation où l'imagination exercera désormais son empire sans partage. L'ordre des perceptions normales se dissipe et fait place à un enchevêtrement de formes bizarres.

Dans le domaine de la poésie fantomatique, Nelligan avait pour maîtres reconnus Baudelaire et Rollinat. Mais le jeune poète lisait aussi avidement les poètes de langue anglaise. Son origine irlandaise lui permettait d'accéder de plain-pied à Edgar Poe. Son ami Jean Charbonneau a bien décrit Nelligan déclamant «Le Corbeau», symboliquement ressenti comme un gong funéraire. Ce qui l'exaltait, notamment, à la lecture de cette pièce étrange, c'étaient ces répétitions sonores à chaque strophe, rythmes obsédants et tragiques, ambigus par surcroît, que son oreille recevait comme autant de coups de dague [CJELM 119-120]. Que Poe ait réellement hanté l'esprit du jeune Nelligan, Dantin s'en était déjà aperçu. Luc Lacourcière est du même avis, lorsqu'il précise que le poète montréalais «a longuement travaillé une traduction en vers français» de ce poème à plusieurs titres fantasque

[NEPC-L 322]. Le jeune poète lit Poe tard le soir, et il consent à plonger dans un monde dépressif et noir tel qu'il n'en a jamais connu auparavant.

Ceux qui ont lu les contes et la poésie d'Edgar Poe connaissent la force d'épouvante de ses récits nocturnes. Que faut-il alors penser de Nelligan qui, bien avant l'âge de 20 ans, y puise des images? Parmi ses poèmes il y en a plusieurs qui sont reliés par le même thème spectral: «Musiques funèbres», «Marches funèbres», «Le Puits hanté», «Le Bœuf spectral», «Les Corbeaux», «Prélude triste», «Je veux m'éluder», «Le Chat fatal», «Le Spectre», «La Terrasse aux spectres», «Soirs hypocondriaques»... Poe exerçait une forte emprise sur la sensibilité de Nelligan et sur son écriture. Deux textes de Poe en particulier ont enflammé son imagination: «The Raven» et «The Black Cat».

«Le Corbeau» d'Edgar Poe fascina pendant la seconde moitié du XIXe siècle les milieux littéraires de New York, de Londres et de Paris. L'oiseau n'est plus oiseau: il est le signe d'un fantasme en continuel accomplissement et en continuelle distanciation. On tente vainement de saisir le sens de ce symbole à la frontière du connu. Chaque fois qu'on avance, l'oiseau (ou mauvais esprit) recule vers quelque Éden fantastique. Tantôt il porte sur ses ailes noires le blanc mirage de Léonore, tantôt un frisson d'impitoyable désastre émane de lui. On dirait qu'un remords, à l'instar d'un chant funèbre, parcourt en pleine nuit les dédales d'une conscience ébranlée. L'ambiance qui règne dans la chambre où se pose cet oiseau noir ne fait qu'en augmenter le mystère. C'est alors que s'estompent dans les ténèbres la chambre et la fenêtre, le buste pallide de Pallas et le lointain rivage plutonien. L'oiseau fantomatique dévore la lumière, dévore la nuit et à chaque question se contente de répondre : « Nevermore ».

Parmi les contes fantastiques d'Edgar Poe — ces « histoires extraordinaires » où l'image évolue dans des intrigues qui tiennent le lecteur en haleine —, Nelligan avait ses préférences. Rien ne permet de croire qu'il a eu recours aux excellentes traductions françaises de Baudelaire ou de Mallarmé. Puisqu'il maîtrisait l'anglais à la perfection, il pouvait prendre connaissance de l'œuvre d'Edgar Allan Poe dans sa version originale. Ainsi s'est-il imprégné de la fantasmagorie du « Chat Noir », conte qu'il lit et relit, récit énigmatique où le chat borgne d'un ivrogne disparaît et réapparaît pour devenir un emblème d'épouvante auprès d'une femme assassinée dont le cadavre est enfermé dans la pièce murée d'une cave. Ce chat noir est ici plus qu'un animal maltraité : c'est le remords personnifié qui poursuit l'assassin, signe de quelque désespoir innommable, conscience spectrale possédée par l'idée de la mort.

On devine la fascination exercée par le récit fantastique de Poe sur l'esprit tourmenté de Nelligan, toujours anxieux de se manifester par signes au niveau de l'écriture. Le corbeau et le chat ne font, dans la vision de Nelligan, qu'augmenter la couleur imaginaire au profit du sentiment noir dans une nuit plus noire encore. Pour le jeune poète, l'image ainsi créée donne à ses soupirs, à ses cris un accent éminemment symbolique : l'âme se manifeste d'une façon hallucinatoire dans les mots.

Le sonnet « Les Corbeaux » appartient sans nul doute à ce registre poétique. Nelligan imagine un essaim de corbeaux accablant son cœur. Initialement, on est devant une vision fantasmagorique qui suscite très vite le frisson ; dans les tercets, les corbeaux apparaissent comme les démons des nuits pour lesquels la « Vie en loque » du poète n'est qu'une proie. L'identification sera poussée encore plus loin dans le dernier tercet, où l'âme du poète est comparée à une « charogne éparse au champ des jours ». Le mouvement visionnaire passe directement du paysage nocturne à l'anéantissement de l'être:

> J'ai cru voir sur mon cœur un essaim de corbeaux
> En pleine lande intime avec des vols funèbres,
> De grands corbeaux venus de montagnes célèbres
> Et qui passaient au clair de lune et de flambeaux.
>
> . . . .
>
> Or, cette proie échue à ces démons des nuits
> N'était autre que ma Vie en loque, aux ennuis
> Vastes qui vont tournant sur elle ainsi toujours,
>
> Déchirant à larges coups de bec, sans quartier,
> Mon âme, une charogne éparse au champ des jours,
> Que ces vieux corbeaux dévoreront en entier.

Nelligan s'inspire ici du « Corbeau » d'Edgar Allan Poe sans méconnaître l'apport de Baudelaire. Et en même temps, hors de toutes ces influences possibles et évidentes, le sonnet de Nelligan traduit de façon pathétique une angoisse atroce.

Le souvenir du « Raven » demeure vivace chez Nelligan jusque dans la structure rythmique. La résonance de ce symbole se retrouve dans un autre poème où, fatidiquement, le corbeau s'est métamorphosé en « Chat fatal » (c'est son titre), qu'on pourrait aussi appeler « Chat du désespoir », d'après le dernier vers. Certes, l'écho sonore du « Black Cat » de Poe est sensible dans les strophes, mais l'articulation de l'ensemble, l'évolution de l'image-signe — Chat-Démon, Chat-Désespoir — et le récit proposé par le premier huitain ne laissent pas l'ombre d'un doute sur la source littéraire du poème. En voici la première strophe :

> Un soir que je fouillais maint tome
> Y recherchant quelque symptôme
> De morne idée, un chat fantôme
>   Soudain sur moi sauta,
> Sauta sur moi de façon telle
> Que j'eus depuis en clientèle
> Des spasmes d'angoisse immortelle
>   Dont l'enfer me dota.

L'image-signe est fortement marquée par une crainte d'autant plus persistante que le chat-fantôme mange le cœur, la gueule ouverte, ce qui signifie la destruction d'une vie entière avec tout son poids de choses mortes, de luttes hardies, de femmes fausses, de mirages d'âmes glabres et d'âcres soucis. En plein délire, le chat happe sa proie (strophe 4). Une scène semblable surgit chez Poe dans la dix-septième strophe du « Corbeau ».

De la même veine relève « Le Spectre », dont les cinq septains tracent l'apparition d'un fantôme-squelette qui pousse des hurlements lancinants derrière un funèbre écran et s'identifie ainsi :

> Je suis en tes affreuses nuits,
> M'a dit le Spectre des Ennuis,
>   Ton seul frère.
> Viens contre mon sein funéraire,
> Que je t'y presse en conquérant.
> Certes à l'heure j'y cours, tyran,
> Derrière mon funèbre écran.

En vérité, l'apparition du spectre n'est qu'un prétexte poétique, car le « Spectre des Ennuis » féroce et fou, navrant dans son apparat funéraire, représente toujours la même angoisse hallucinée qui habite la conscience du poète. Mais les ouvertures donnent ici sur l'universel, sur cet espace élargi par l'imaginaire, comme si la sensibilité meurtrie cherchait encore désespérément un signe de solidarité humaine, comme c'est le cas dans «La Nuit de décembre» de Musset, où le «frère» fantomatique, vêtu de noir, dans une ténébreuse ambiance de «boiteux Ennui», suscite une série d'interrogations.

Face à de tels poèmes, on devine facilement l'état d'âme maladif qui est à leur origine. Mais on aurait tort de voir dans l'écriture spectrale de Nelligan le naufrage de son don poétique. L'hypocondrie ne freine pas la création; bien au contraire, elle va l'accélérer, l'intensifier jusqu'au paroxysme, proliférer grâce à l'imagination délirante. Même si le rapport avec l'extérieur s'amenuise, la prise de conscience s'affermit dans la solitude. Et même si l'homme succombe, l'art en tire — c'est le sens même de la tragédie — son incommensurable grandeur.

Dans ce sens, la voie de l'hallucination tracée par Baudelaire, Rollinat, Musset et Edgar Poe contribue à l'épanouissement des facultés imaginaires de Nelligan. Par des élans soudains, des sanglots étouffés, des cris répétés, des fièvres prolongées, des frissons glacés, l'esprit s'attribue le pouvoir de franchir la frontière du logique. Il en tire des raccourcis étonnants dans une prosodie rythmée par le délire. Les associations sont brusques et pas toujours justifiées. C'est l'élan visionnaire qui dirige les énoncés et la prosodie. «L'esprit peut éprouver cette vague angoisse, cette peur prompte aux larmes et ce malaise du cœur qui habitent les lieux immenses et singuliers. Mais l'admiration est la plus forte, et d'ailleurs l'art est si grand!» Baudelaire a raison quand, parlant de Poe,

il affirme que le monde « décrit nerveusement et fantasti-
quement » est toujours valable s'il s'élève « à la hauteur
de la grande poésie ».

Des motifs du corbeau et du chat noir, il n'y a qu'un
pas aux tombeaux à l'ombre desquels la mort traîne.
Émile Nelligan a connu, du moins en partie, la poésie de
Mallarmé. Je sais, par exemple, que les poèmes « Le Sonneur » et « Sainte » faisaient partie de ses lectures de chevet. Le poète a aussi lu *Le Parnasse contemporain*, où
Mallarmé a publié plusieurs textes. L'idée du « tombeau-
poème » s'était si bien ancrée dans son esprit que même
une fois à l'hôpital Saint-Jean-de-Dieu, il commençait
ainsi un poème :

> Verlaine clair de lune odorant des jardins,
> Sanglots fous des jets d'eau pleurant
> [à la nuit vaine...

auquel il devait donner ce titre : « Sur le tombeau de
Paul ». Le fait est que dans la poésie de Nelligan, ce genre
de composition est fort bien représenté par « Le Tombeau
de la négresse », « Le Tombeau de Chopin » et « Le Tombeau de Charles Baudelaire ».

Dans le premier cas, il s'agit pour Nelligan de construire un décor exotique, dans un hallier funèbre aux
odeurs de cinnamomes et de limon. Une Africaine y repo-
sera en paix. La description est parnassienne et ne manque
pas d'étonner avec son expressif paysage exotique et
surtout l'image d'une belle synesthésie dans la chute du
sonnet :

> Peut-être, revenus en un lointain printemps,
> Verrons-nous, de son cœur, dans les buissons latents,
> Éclore un grand lys noir entre des roses blanches.

Le culte de Chopin laisse voir chez Nelligan une grande admiration mais également une infinie tristesse. Le charme de la musique du célèbre artiste polonais lui a été révélé par sa mère autant que par des concerts, notamment celui de Paderewski en avril 1896. En l'écoutant, c'est en pleine euphorie qu'il sent «frissonner l'âme du grand Chopin» («Pour Ignace Paderewski»). Mais il y entend le plus souvent un motif de deuil «appris des noirs Archanges» («Mazurka»), mélodies déchirantes qualifiées de «mornes chopinades» («Musiques funèbres»). À vrai dire, cette musique (Chopin) est presque toujours douloureusement accueillie par l'âme romantique du poète:

> Oh! fais un peu que je comprenne
> Cette âme aux sons noirs qui m'entraîne
> Et m'a rendu malade et fou!

Chopin a composé des polonaises, des ballades, des mazurkas, des nocturnes, mais on dirait que la sensibilité de Nelligan retient surtout les accords de la *Marche funèbre*. Il infléchit grandement la signification de l'art de Chopin; il force le nostalgique et le noir aux dépens de tout ce qu'il y a de revigorant dans les œuvres de Chopin. La musique du grand romantique lui paraît infiniment triste, accompagnement de la souffrance, continuelle invitation à regarder la tombe. Il a fallu d'exceptionnels efforts pour terminer calmement «Le Tombeau de Chopin», qui est loin d'être le meilleur poème de Nelligan:

> Dors Chopin! Que la verte inflexion du saule
> Ombrage ton sommeil mélancolique et beau,
> Enfant de la Pologne au bras d'or de la Gaule!

Ici, l'impressionnisme de Nelligan est fondé. Deux âmes romantiques se rencontrent. Si auparavant, dans d'autres poèmes, le poète montréalais ne poussait que des cris d'angoisse, c'était parce que la même mélancolie imprégnait le son et le mot. Nelligan cherchait chez Chopin une consolation, un apaisement, et soudain il s'est aperçu que la tristesse de Chopin ne pouvait qu'augmenter la sienne.

Jusqu'à la fin de ses jours, l'engouement de Nelligan pour Baudelaire ne s'est jamais démenti. Le jeune poète montréalais lisait avidement *Les fleurs du mal* et il en connaissait plusieurs poèmes par cœur. Même après son internement, dans sa chambre d'hôpital, il transcrira de mémoire deux poèmes de Baudelaire : « À une dame créole », « Harmonie du soir », de même que le premier quatrain de la pièce commençant ainsi : « Une nuit que j'étais près d'une affreuse Juive ». Dans le même carnet d'hôpital se trouve aussi un long poème, « Baudelaire », en vers et en prose, émouvant hommage que l'esprit malade projette tant bien que mal dans des strophes pas toujours bien équilibrées et des phrases qui manquent parfois d'harmonie.

L'angoisse de Baudelaire ne pouvait qu'aggraver celle de Nelligan devant les souffrances, le « Temps qui mange la vie ». Certains poèmes — « Moesta et errabunda », « L'Ennemi », « L'Horloge », « La Fin de la journée », « Bénédiction », « La Cloche fêlée », « Horreur sympathique », « Le Vin de l'assassin », « Spleen » — ont laissé bien des traces dans les poèmes de Nelligan. Devant Rosaire Dion-Lévesque, le 20 août 1927, Nelligan ne cachera pas son estime pour son maître de toujours : « Avec une lucidité et une cohérence qui ne manquèrent pas de m'étonner, il me parla de poésie, me dit son admiration pour Baudelaire, me récita quelques strophes du "Voyage" de ce dernier. » C'est l'évidence même, l'adhésion de Nelligan à l'art baudelairien fut totale et maintes fois proclamée.

Au début de 1899, le regard de Nelligan se promène sur les quatre « Spleen » de Baudelaire. Le quatrième poème de cet ensemble, grâce aux personnifications expressives, rend une lourde atmosphère funéraire :

> Et de longs corbillards, sans tambour ni musique,
> Défilent lentement dans mon âme ; L'Espoir,
> Vaincu, pleure, et l'Angoisse atroce, despotique,
> Sur mon crâne incliné plante son drapeau noir.

L'ennui baudelairien est toujours lié à la mort, et celle-ci suscite de percutantes réflexions sur le temps : « Le Temps m'engloutit minute à minute » ; « le Temps est un joueur avide / qui gagne sans tricher ». Irrésistiblement, le temps ne peut mener ailleurs que vers l'horizon de l'Inconnu, vers la Mort.

À celui qui lui avait appris à aimer la poésie, à avoir une très haute idée de la forme, à déployer les évocatrices métaphores, à tenter de marier les mots et les sons en des symboles significatifs, à celui qui avait été à la fois romantique, parnassien et symboliste, qui avait refoulé le Temps, l'Amour et la Mort aux limites de la Pensée et du Rêve, Nelligan a décidé d'ériger poétiquement un tombeau dans un espace imaginaire :

> Je rêve un tombeau épouvantable et lunaire
> Situé par les cieux, sans âme et mouvement,
> Où le monde prierait et longtemps luminaire
> Glorifierait, mythe et gnome, sublimement.
>
> Se trouve-t-il bâti colloquialement
> Quelque part dans Ilion ou par le planisthère

Le guenillou dirait un elfe au firmament,
Farfadet assurant le reste, Planétaire !

Ô chantre inespéré des pays du soleil,
Le tombeau glorieux de son vers sans pareil
Sois un excerpt tombal, ô Charles Baudelaire.

Je m'incline en passant devant lui pieusement,
Rêvant, pour l'adorer, un violon polaire
Qui musicât ces vers, et perpétuellement.

Ce poème heurte les barrages du temps et de l'espace. Il y perce une foi inébranlable dans l'Art suprême, vainqueur du temps, triomphateur de la mort, régénérateur de la vie qui serait autrement fatalement vouée à la mort. Proclamer son admiration pour Baudelaire, c'est proclamer la victoire de la poésie. Finalement, la mort ne paraît plus en ennemie, mais comme instantanée inconnue qui libère de la «foule méchante». On remarque dans ce poème le sentiment chaudement exalté de Nelligan au contact de l'objet inventé et décrit : c'est un éclatement visionnaire sans précédent. Ce tombeau dont on parle n'existe pas : le poète l'érige à la frontière de son rêve, au fur et à mesure que sa voix s'enflamme et s'invente dans un jaillissement d'images.

Démarche créatrice et à plusieurs égards extraordinaire que ce «Tombeau de Charles Baudelaire», extraordinaire même dans ses hasards langagiers et ses contorsions stylistiques. Le lecteur curieux cherchera en vain, dans les dictionnaires français, les mots «colloquialement» et «planisthère» : on devine leur sens en les comparant aux mots «colloque» et «planisphère». On constate que le mot «excerpt» vient de l'anglais et signifie «extrait», «épitaphe», par analogie. «Mythe», «gnome»,

« elfe », « farfadet » empruntent aux lointaines mythologies. Et on doit se tourner vers l'Anjou pour y trouver « guenillon », dont vient le « guenillou » de Nelligan, mot d'ailleurs très connu au Québec. La vision s'achemine vers quelque Ilion inconnue, refoulée dans les sphères de l'imaginaire collectif.

Mais par-dessus tout, le rêve est porté par une musique fort bien soutenue par les rimes adverbiales et aussi par un courant de sons et d'images. Tout mène à vrai dire au dernier tercet pour se concentrer autour d'une image qui est essentiellement force et musique :

> [...] un violon polaire
> Qui musicât ces vers, et perpétuellement.

Luc Lacourcière a fait cette observation judicieuse que le violon polaire est « une image prodigieuse, quand on sait que dans la tradition populaire, certains airs de violon font danser les aurores boréales ». Mais il y a plus. Nelligan invente d'une façon inattendue, dans la chute du sonnet, la forme subjonctive « musicât », dérivée du vieux verbe « musiquer ». C'est à cette forme justement que l'éclatement final du rêve doit sa force et sa puissante résonance. Dantin a dit que Nelligan est créateur d'images : il faudra aussitôt ajouter qu'il est également créateur de mots et que de ces mots il tire des effets prodigieux.

Les poèmes-tombeaux de Nelligan, en particulier celui édifié à la gloire de Baudelaire, constituent un double témoignage : victoire sur la mort et hommage à la poésie. Enfermé dans sa chambre, seul avec lui-même, pensée vagabonde et front en sueur, hanté par les spectres, le poète rêve de vaincre les maux que lui inflige la vie et de faire vivre la poésie. Comment résister aux ravages du temps ? Le poète construira des tombeaux. La névrose libérera les mots et les images que l'esprit lucide ignore. Alors la poésie gagnera en originalité, en résonance imaginaire.

Le mot de Nelligan, trempé dans le noir, et où, donc, s'inscrit en filigrane le concept de mort, se charge d'allusions et s'impose par son message sous-jacent. L'étoile qui l'habite — c'est-à-dire la vision qui la soustend et le poids sémantique — unit en soi la hauteur des cieux et le vertige du gouffre : deux points du même axe existentiel et visionnaire. Le Nelligan juvénile de 1896 sera devenu, en 1899, le magicien du verbe où vibre avant tout son rêve du tombeau. N'a-t-il pas fait lui-même cet émouvant aveu dans son poème « Le Cercueil » ?

> J'ai grandi dans le goût bizarre du tombeau,
> Plein du dédain de l'homme et des bruits de la terre,
> Tel un grand cygne noir qui s'éprend de mystère,
> Et vit à la clarté du lunaire flambeau.

Dans les interstices du rêve bizarre, cultivé par le vouloir d'être pleinement poète, s'inscrivent deux entités : le dédain « des bruits de la terre » et le mystère qui « vit à la clarté du lunaire flambeau ». Les énoncés se préciseront dans la verticalité du vertige. Entre l'Éden céleste et le gouffre infernal, les tombeaux poétiquement construits par Nelligan se dressent dans l'espace et le temps comme l'emblème de l'art éternel. Dans le lointain, sur des mers inconnues, miroite déjà « Le Vaisseau d'Or ».

Dans le sillage du « Vaisseau d'Or »

Depuis toujours on a identifié Nelligan à son sonnet « Le Vaisseau d'Or ». La critique y voit le symbole de son destin. La narration met en scène un vaisseau « en or massif» qui glisse majestueusement sur les mers inconnues, heurte un écueil et coule à pic dans un gouffre. En réalité, le vaisseau n'est qu'un prétexte : c'est le cœur du poète qui sombre dans l'abîme du rêve. Autrement dit, on assiste au naufrage de l'intelligence lucide. Une voix en délire cherchera désormais un nouveau contact avec la vie dans les dédales d'un subconscient en proie au désarroi.

Face à ce poème, on a tenté toutes sortes d'approches : historique, biographique, psychanalytique, phonétique, sémiotique, socio-géographique... On a cherché obstinément ses sources littéraires, opérant des rapprochements multiples : Rimbaud, Baudelaire, Verlaine, Coppée, Hugo... Chaque critique met sa science à profit : un tel propose des explications soi-disant neuves, mais exprimées dans les termes de la rhétorique la plus récente ; un autre mesure les mots, décortique les phrases, ausculte les images en essayant d'identifier, derrière les «flancs diaphanes», les vrais «trésors». On applique au célèbre sonnet les carrés sémantiques, les toiles d'araignée phonétiques... On pousse parfois les interprétations paradoxalement loin, au point que certains arguments, qui s'appuient sur toutes sortes de comparaisons et d'allusions, risquent de devenir fantaisistes. On voudrait tellement trouver la véritable clef de son énigme ! Et «Le Vaisseau d'Or» gît irrémédiablement au fond de l'océan, disons plutôt au fond d'un Rêve qui se veut total.

Cette hantise de connaître la vraie signification du «Vaisseau d'Or» et la place qu'il occupe dans la vie du poète témoignent de l'attrait de ce poème auprès du lecteur et du critique. Le pouvoir qu'il exerce sur l'esprit et le cœur se confirme de génération en génération. L'emprise du «Vaisseau d'Or» sur le public lecteur ne fait pas de doute. La réception du texte témoigne de la vitalité du sonnet, où l'énoncé et l'énonciation soutiennent admira-blement le signifié.

Dans la perspective précise de la biographie, il n'est pas nécessaire d'évaluer les nombreuses tentatives de la critique dont l'objet est de décortiquer «Le Vaisseau d'Or». Au biographe incombe plus particulièrement la tâche de situer ce texte dans l'œuvre et dans la vie du poète et d'indiquer, autant que faire se peut, à quel moment il a été composé.

Le «vaisseau», en tant que signe, apparaît très tôt dans la symbolique de Nelligan; il fait partie d'une gamme d'images fortes soutenues surtout par les termes «blanc», «or», «noir», «jardin», «rêve», «chapelle», «ange», «musique», «mort». Parmi ces noms et adjec-tifs, le «vaisseau» occupe une place de convergence dans la contemplation sur la vie. Avant son ultime avatar, il est apparu dans six poèmes dont l'ordre proposé ici corres-pondrait plus ou moins à l'évolution du rêve de Nelligan:

La fuite de l'Enfance au vaisseau des Vingt ans.

. . . .

[...] au jour que nous prendrons vaisseau
Sur la mer idéale où l'ouragan se ferle.

. . . .

Invisibles, au loin, dans un grand vaisseau vert,
Nous rêvions de monter aux astres de Vesper.

. . . .

Ce vaisseau d'or qui glisse avec l'amour en poupe!

. . . .

Et je rêve toujours au vaisseau des vingt ans,
Depuis qu'il a sombré dans la mer des Étoiles.

. . . .

Latent comme un monstre cadavre
Mon cœur vaisseau s'amarre au havre
De toute hétéromorphe engeance.

À bien scruter l'image du « vaisseau », on perçoit vite de quel sens elle se charge : on passe de la fuite du temps sur l'océan de l'idéal au naufrage dans la mer des Étoiles. La dernière citation offre déjà l'identification appositive — « cœur-vaisseau » —, ce qui est, dans l'avant-dernier vers, l'aboutissement symbolique d'une démarche qui se voulait d'abord purement narrative.

Tous les éléments de ces séquences, modulés autour de l'image du vaisseau, seront finalement ressassés à nouveau et fusionneront dans le moule de ce sonnet :

C'était un grand Vaisseau taillé dans l'or massif.
Ses mâts touchaient l'azur sur des mers inconnues ;
La Cyprine d'amour, cheveux épars, chairs nues,
S'étalait à sa proue, au soleil excessif.

Mais il vint une nuit frapper le grand écueil
Dans l'Océan trompeur où chantait la Sirène,
Et le naufrage horrible inclina sa carène
Aux profondeurs du Gouffre, immuable cercueil.

Ce fut un Vaisseau d'Or, dont les flancs diaphanes
Révélaient des trésors que les marins profanes,
Dégoût, Haine et Névrose ont entre eux disputés.

Que reste-t-il de lui dans la tempête brève ?
Qu'est devenu mon cœur, navire déserté ?
Hélas ! Il a sombré dans l'abîme du Rêve !

C'est ainsi que l'image du vaisseau, plusieurs fois perceptible dans la poésie de Nelligan, jamais statique, toujours en mouvement, fait figure de symbole. Il convient de remarquer le parti pris de Nelligan d'utiliser l'imparfait dans le premier quatrain de son sonnet.

Par sa façon de naître et d'exister, le symbole dépasse tous les tropes de Nelligan. Il est plus qu'une comparaison, plus qu'une métaphore : il est un signe particulier investi de résonances profondes. C'est une manière éminemment suggestive de communiquer un état d'âme complexe, une réalité ineffable. C'est une image organisée en vertu des pulsions intérieures ; lorsqu'on la contemple, elle s'organise dans l'esprit sous l'éclairage d'un fort désir de la connaître, sans qu'on puisse vraiment en saisir la totalité du message. Le symbole est plus qu'une allégorie. André Beaunier, dans son ouvrage *La poésie nouvelle*, propose à ce sujet une fine distinction :

> L'allégorie est un ingénieux artifice littéraire qui consiste à traduire sous une forme imagée des idées abstraites dont on pourrait reconstituer la teneur précise ; une allégorie se déchiffre comme un rébus. Le symbole, au contraire, ne se peut interpréter ainsi puisqu'il signifie l'ineffable.

Assurément, « Le Vaisseau d'Or » est un symbole, le plus important chez Nelligan. Son signifié peut s'élargir au-delà de toutes les personnifications qui l'accompagnent, au-delà de toutes les analogies qu'invente l'écriture. Il sort tout trempé de conscience, de sensibilité, de profondeur humaines : c'est l'histoire d'une vie écartelée entre le passé et l'avenir, vision d'un destin tragique dont le poète est à la fois le narrateur et la victime. Déserter le navire, c'est déserter la vie remplie de « gueux de rosse » ; sombrer dans l'abîme du rêve, c'est aller au-delà de l'intelligence meurtrie.

Le Vaisseau d'Or

C'était un grand vaisseau taillé dans l'or massif.
Ses mâts touchaient l'azur sur des mers inconnues
La Cyprine d'amour cheveux épars chairs nues
S'étalait à sa proue au soleil excessif

Mais il vint une nuit frapper le grand écueil
Dans l'océan trompeur où chantait la Cyrène
Et le naufrage horrible inclina sa carène
Aux profondeurs du gouffre immuable cercueil!

Ce fut un vaisseau Or dont les flancs diaphanes
Révélaient des trésors ainsi que les marins profanes
Dégoût Haine et Névrose ont entre eux disputé

Que reste-t-il de lui dans la tempête brève
Qu'est devenu mon cœur navire déserté
Hélas! il a sombré dans l'abîme du rêve!

Émile Nelligan, F.W.

« Le Vaisseau d'Or »

Sonnet transcrit de mémoire par le poète le 4 mars 1912. La
photocopie de ce texte olographe fut communiquée en 1966
par le docteur Lionel Lafleur à Paul Wyczynski, qui allait la
publier, en 1967, dans son ouvrage *Émile Nelligan*,
Fides, p. 89. (Collection Wyczynski)

Comment a été composé le « Vaisseau d'Or » ? Dans quelles circonstances précises ? La critique a toujours éludé cette question on ne peut plus épineuse.

Selon toute vraisemblance, « Le Vaisseau d'Or » fut composé entre la quatrième séance publique de l'École littéraire de Montréal et l'internement du poète, donc entre le 26 mai et le 9 août 1899. Le sonnet fut rédigé alors que déclinait la lucidité du poète, après que l'image centrale eut été rodée dans plusieurs poèmes. Le poète broie du noir. La vie lui semble une trame cauchemardesque de heurts et d'incidents. Il veut s'éluder, et pourtant il pense encore au temps où il connaissait d'agréables euphories. Il faut donc évoquer ce vaisseau d'or sur les mers inconnues, majestueux et fier sous l'innocent azur de l'enfance ; se souvenir aussi des amours rêvées et vouées à l'échec, de cette belle Vénus vaincue par l'énigmatique sirène. Le drame se prépare. Vivre dans un monde où tout est hostile, la société et la maison, les institutions et les amis, équivaut à végéter emmuré dans une chambre sans lumière, à risquer une mort lente en poète incompris. « Ô que ma quille éclate ! Ô que j'aille à la mer ! » avait crié Rimbaud dans son « Bateau ivre ». Nelligan n'envisage pas d'autre avenir que de sombrer dans l'abîme de son propre rêve. La métaphore rend ici son désespoir.

« Le Vaisseau d'Or » fut rédigé à l'époque des fièvres et des délires, en même temps que d'autres poèmes marqués par l'ennui et le désespoir, tels « Le Chat fatal », « Le Spectre », « Les Corbeaux », « Je veux m'éluder », « Maints soirs », « Le Tombeau de Charles Baudelaire »... Le printemps de 1899 est pour Nelligan un printemps noir ; l'été qui suit est un été d'orages. Progressivement, le poète se détraque, physiquement surmené, séquestré délibérément dans sa chambre, en conflit total avec sa famille, ses amis. Psychologiquement, il s'applique à devenir fou, mais demeure toujours prolifique sur le plan de la création sous le signe de l'hallucination poësque. Quoique de plus en plus délirant, il demeure lucide devant l'envahissement noir où la Déraison montre ses griffes et le Suicide aiguise ses coupoirs. Rendu à ce stade des tensions et des visions, Nelligan a vécu sans le savoir, dans sa réalité quotidienne, les prescriptions de la voyance rimbaldienne, si bien résumée par Rimbaud lui-même:

> Je veux être poëte, et je travaille à me rendre voyant. [...] Il s'agit d'arriver à l'inconnu par le dérèglement de tous les sens. Les souffrances sont énormes, mais il faut être fort, être né poëte, et je me suis reconnu poëte.

En ce sens, « Le Vaisseau d'Or » est l'œuvre d'un voyant en proie à son génie : l'écriture lui sert de miroir.

À ces considérations, Réjean Robidoux apporte ce commentaire judicieux :

> À un certain moment de son aventure le jeune poète a donc lucidement voulu son destin. Où qu'il se situe dans la chronologie, ce vouloir déterminant informe l'œuvre entière à la façon tout ensemble d'une cause et d'un effet. Par l'usage systématique de la poésie et de la création délibérée de poèmes éminemment personnels, Nelligan a cultivé à la lettre et par instinct, dans son être et dans son œuvre, le « long, immense et raisonné dérèglement de tous les sens » que préconisait le jeune Rimbaud. D'avoir exploité à fond le thème dangereux et funeste de la tristesse et, en définitive, de l'irrémédiable échec,

> n'empêche pas les poèmes qui l'expriment d'être
> eux-mêmes de grandes réussites [RRCN 308].

Voilà un trait d'union nettement établi entre l'aventure de l'homme et la création du poète, les deux soumises aux fantasmes où se produit la plus vivante et la plus vraie, sans doute la plus suggestive pourrait-on dire, synesthésie de sang et de mots.

À l'instar d'un Rimbaud, Nelligan subit ses illuminations durant sa propre saison en enfer. Se réalise alors cet « opéra fabuleux » où la raison excitée décharge tous les sons et toutes les images dans des orchestrations poétiques roulant dans l'abyssale étendue d'un imaginaire vaste et turbulent. N'empêche que c'est dans cet espace où tout est feu et mouvement, élan et vertige, lumière et ténèbres, que les deux artistes se rencontrent. Il s'est accompli un curieux croisement dans la courbe tangente à l'image foncièrement la même.

« Le Vaisseau d'Or » a donc été conçu au couchant d'une intelligence lucide, déjà en proie au délire. Le texte s'est gravé profondément dans la mémoire du poète aux prises avec de graves troubles névrotiques. Avant qu'une réclame annonçant la publication des poésies de Nelligan dans *La Revue canadienne* (mars 1903) ne révèle le sonnet en entier, Dantin en citera les deux tercets au début de son étude parue dans *Les Débats* en 1902.

Pour le poète, « Le Vaisseau d'Or » servira toujours de carte d'identité. Nelligan le récitera souvent pendant la quarantaine d'années qu'il lui reste à vivre, en fera plusieurs autographes offerts à ses visiteurs. Il ne manquera pas de le transcrire dans ses carnets d'hôpital, sans toutefois que la lettre des copies soit toujours conforme à l'original. On peut dire que « Le Vaisseau d'Or » est le cou-

La musique des abîmes
Dessin de Zygmunt J. Nowak, 1969. (Collection Wyczynski)

ronnement des efforts créateurs de Nelligan, l'aboutissement d'un effort pour se retrouver pleinement dans l'imaginaire, saisir symboliquement son destin. Si la vie du poète, au plan strictement humain et social, s'avère un échec, sa vie d'artiste, elle, ne l'est pas. Certes, si sa raison n'avait pas sombré, le poète aurait pu écrire d'autres grands poèmes sans doute, mais qu'aurait-il pu faire de mieux, au niveau de l'écriture, que ce qu'il a déjà accompli dans « Le Vaisseau d'Or » ? Dans la profondeur du gouffre, le vaisseau de Nelligan sut garder ses trésors au point de donner naissance à une légende. « Même naufragé, remarque pertinemment Jacques Ferron, le Vaisseau restait d'Or. » Et tel il demeurera à jamais dans l'histoire de la poésie au Québec.

Envahissement du noir

Le noir envahissait rapidement la conscience de Nelligan au début de 1899. À l'âge de 19 ans, le poète s'enlisait dans la schizophrénie. On parlait plus souvent à cette époque de démence précoce. Quand le poète sombre dans la schizophrénie, l'intelligence subit une dislocation conceptuelle, donnant libre cours aux perceptions pour s'intégrer dans des énoncés souvent mal équilibrés. La psychose peut alors évoluer jusqu'à l'hallucination. Il s'agit d'un état d'âme angoissé, accompagné d'un sentiment sous-jacent de crainte de ne pas pouvoir vivre au sein d'un monde de plus en plus hostile. La conviction toujours grandissante chez Nelligan d'être persécuté devient paranoïa. Son délire le plonge tantôt dans un état d'apathie prolongée, tantôt dans des accès de violence. L'hypocondrie, la neurasthénie, la névrose traumatisante sont son lot.

Dantin affirme avoir été témoin de l'évolution inquiétante de la psychose de son jeune ami:

> Je suivis de près ce travail d'absorption intérieure, surexcitant et paralysant à la fois toutes les facultés actives, cet envahissement noir du rêve consumant jusqu'à la moelle de l'âme, et je puis dire qu'il n'est pas de spectacle plus douloureux. Dans les derniers temps, Nelligan s'enfermait des journées entières, seul avec sa pensée en délire, et, à défaut d'excitations du dehors, s'ingéniant à torturer en lui-même les fibres les plus aiguës, ou bien à faire chanter aux êtres ambiants, aux murs, aux meubles, aux bibelots qui l'entouraient, la chanson toujours triste de ses souvenirs. La nuit, il avait des visions, soit radieuses, soit horribles: jeunes filles qui étaient à la fois des séraphins, des muses et des amantes, ou bien des spectres enragés, chats fantômes, démons sinistres qui lui soufflaient le désespoir. Chacun des songes prenait corps, le lendemain, dans des vers crayonnés d'une main fébrile, et où déjà, parmi les traits étincelants, la Déraison montrait sa griffe hideuse [NEO-D v].

On ne pourrait trouver meilleure description de la vie de Nelligan au début de 1899. Ce poète «décadent» à l'école des Parnassiens, ce fils capricieux emmuré dans sa solitude, cet éphèbe mélancolique qui aimait quelquefois prendre une «petite goutte» au petit Windsor devient tout à fait prisonnier de son propre rêve, condamné en quelque sorte par l'inexplicable *fatum* à subir le sort de Chatterton au fond de sa solitude.

Ce douloureux état d'esprit aura des répercussions au niveau de l'écriture. Nelligan souffre, enfermé dans sa

chambre, mais il ne cesse pas pour autant de travailler. Le
délire paranoïaque alimente presque en même temps une
créativité intense. Désormais, la poésie prendra sous sa
plume des formes discursives propres à son esprit en proie
au désarroi. Ainsi, il écrira:

> Or, j'ai la vision d'ombres sanguinolentes
> Et de chevaux fougueux piaffants,
> Et c'est comme des cris de gueux, hoquets
> d'enfants,
> Râles d'expirations lentes.
>
> D'où me viennent, dis-moi, tous ces ouragans
> [rauques,
> Rages de fifre ou de tambour?
> On dirait des dragons en galopade au bourg,
> Avec des casques flambant glauques...

Selon les renseignements qui nous viennent de Dantin et
du poète lui-même, le titre initialement donné à ce poème
serait «Déraison». Ce mot vieilli désigne le manque de
raison dans le comportement — pensées, actes, paroles —
, voire la démence.

Quand on scrute attentivement la poésie de Nelligan, surtout celle de ses derniers mois de lucidité, on est
frappé par de fréquentes expressions appartenant au vocabulaire psychiatrique de son époque:

> Je veux m'éluder dans les rires,
> Dans des tourbes de gaîté brusque,
> Oui, je voudrais me tromper jusque
> En des ouragans de délires.
>
> . . . .
>
> Je plaque lentement les doigts de mes névroses,
> Chargés des anneaux noirs de mes dégoûts mondains,
> Sur le sombre clavier de la vie et des choses.

224

Ces deux citations, qui proviennent respectivement de « Je veux m'éluder » et de « Je plaque... », sont fort significatives. On pourrait ici également citer « Gondolar » et « Marches funèbres ». La tristesse névrotique conduit à un monde sans entraves.

Mélancolie, ennui, frisson, névrose, délire, hypocondrie, vertige suicidaire, autant d'indices d'une psychose galopante qui tourmente l'âme et le corps, suivant un trajet que la psychopathologie connaît fort bien. Ce cheminement intérieur a laissé des traces notables dans l'écriture nelliganienne. Les spectres, les chats noirs, les corbeaux, les tombeaux imaginaires se dressent sur l'arrière-fond de ses « bizarres ténèbres ». Et le corps souffre autant que la conscience angoissée. Les crises se multiplient dans le noir des soirs d'hypocondrie. « Anges maudits veuillez m'aidez ! » crie-t-il du fond de sa solitude.

Arrive le jour fatidique du 9 août 1899. Une fine pluie tombe sur Montréal. Nelligan est conduit à l'asile Saint-Benoît-Joseph-Labre. L'établissement des frères de la Charité occupe un site agréable à l'extrémité orientale du village de Longue-Pointe, le long de la route qui mène à Pointe-aux-Trembles et au fleuve Saint-Laurent. Un vaste jardin donne directement sur le fleuve de l'autre côté duquel se trouve Boucherville en face, Longueuil à droite, Varennes à gauche et, plus loin, au sud, la montagne — la grande montagne. C'est ici, dans cet asile qui héberge quelque 150 personnes, que le poète est inscrit comme « pensionnaire » à la demande de son père et de deux médecins : Michael Thomas Brennan et Éloi-Philippe Chagnon. Le patient est classé dans la catégorie « Dégénérescence mentale. Folie polymorphe ». Très simple, sa chambre est située à l'étage. Le prix de la pension est fixé à 20 dollars. Schizophrène, le poète restera dans cet établissement jusqu'au 20 octobre 1925. L'internement se poursuivra, à partir du 23 octobre 1925, à l'hôpital Saint-Jean-de-Dieu, où le patient portera le numéro 18136. On écrira dans son dossier : «Insuffisance cardio-rénale. Démence hallucinatoire. Surmenage.» Il vivra ainsi dans un abandon total jusqu'à sa mort, le 18 novembre 1941. Une vie dans l'abîme du rêve ? Oui. Mais c'est aussi un combat de l'ombre et de la lumière dans une conscience endolorie, bouleversée, blessée qui, par la lucarne d'un œil hagard, cherche les épaves dorées de quelque bateau naufragé.

V

Émergence de l'œuvre

Entre 1896 et 1900

Au moment de l'internement d'Émile Nelligan, le 9 août 1899, son œuvre est peu connue. Certes, la famille, la parenté, les connaissances proches du malade de même que les membres de l'École littéraire de Montréal savent que le jeune éphèbe tournait sans cesse des poèmes, qu'il les a gardés dans ses «cahiers» et a fait parfois d'un texte plusieurs versions. À l'occasion, il se plaisait à offrir une pièce à un collègue ou à une jeune fille. On croyait déceler dans cette poésie des étincelles de génie. Certains, cependant, reprochaient constamment à ces compositions d'être trop «musicales», démunies d'idées et trop éloignées de la thématique nationale. D'autres y voyaient l'œuvre d'un poète primesautier. D'autres encore s'entendaient bien avec Émile — Arthur de Bussières, Ernest Martel, Henry Desjardins — et louaient d'un commun accord l'art de son sonnet et les variations de son rondel. À tout prendre, Nelligan avait la malchance d'être le plus jeune parmi ses collègues écrivains, dont plusieurs étaient déjà avocats, médecins, journalistes... Bien plus que ses expériences hardies sur le plan de l'écriture, ses caprices d'écolier et ses poses de bohème faussaient les jugements qu'on portait sur lui, jugements où perçaient souvent la jalousie et la malveillance. Heureusement que

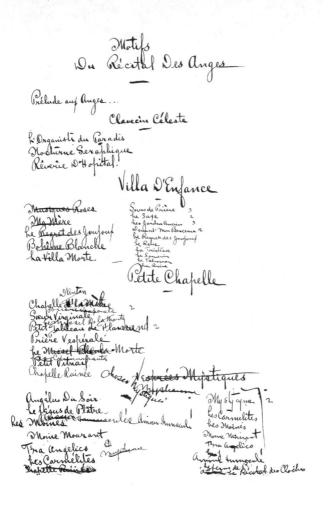

Motifs du Récital des Anges
Plan autographe, 1898, p. 1
Photo de l'original. (Collection Nelligan-Corbeil)

Intermezzo
—

Potiche. —
Eventail Ancien —
Vieille Armoire —
Les Balsamines —
Le Roi du Souper —
— Placet Pour Des Cheveux.

— Le Perroquet… 4
— Le Tombeau de la Négresse…

LIED

Jardin Sentimental   2
Sérénade aux Feuilles
Fantaisie Rose
Fontaine aux Cygnes   2
Sur des Motifs de Pipeau
~~Fantaisie Nègre~~
Thème Allemand….

L' Idiote aux Cloches… 3

Les Pieds sur les Chenêts

~~Hiver Sentimental~~
Le Givre dans les Vitres
Camélias Morts   2
Gretchen la Pâle
Hiver Sentimental
Caprice Triste
Fantaisie Blanche.
Perroquets Verts
Sonnet de Gretchen sur 3 Perroquets Morts…
Soir de Névrose…

Motifs du Récital des Anges
Plan autographe, 1898, p. 2
Photo de l'original. (Collection Nelligan-Corbeil)

Mᵐᵉ Nelligan, Charles Gill, Françoise, Madeleine et surtout Louis Dantin ont su s'apercevoir que l'œuvre sourdait d'un être jeune et généreux, doué et ardemment épris de poésie, chez qui la sensibilité brûlante l'emportait de loin sur la voix de l'intelligence.

Entre le 13 juin 1896, date de la parution de son premier poème, et le 9 août 1899, jour de son internement à l'asile Saint-Benoît-Joseph-Labre, Nelligan a publié 24 pièces de vers dans des périodiques montréalais : neuf dans *Le Samedi*, sept dans *Le Monde illustré*, cinq dans *La Patrie*, deux dans *Le Petit Messager du Très-Saint-Sacrement*, une dans *L'Alliance nationale*. À cela, il convient d'ajouter deux manuscrits : « Vasque », dédiée à son « ultime amie Édith Larrivée » le 16 mars 1897, et les « Salons allemands », sonnet inscrit en septembre 1897 dans un album de mariage offert par l'École littéraire de Montréal à Louis-Joseph Béliveau. À ces 24 poèmes publiés, plus deux manuscrits, on peut ajouter 32 titres connus d'après les procès-verbaux de l'École littéraire de Montréal et ceux des poèmes qui ont été récités lors des séances publiques au Château de Ramezay et au Monument national. Au total, 58 indices, mais pas toujours sûrs, qui signalent des moments de création poétique chez Nelligan.

De l'époque de la lucidité datent aussi trois titres que Nelligan avait conçus au cours d'une période d'environ 18 mois et qui devaient éventuellement coiffer des sections de son recueil de poésies. Le premier titre, « Pauvre Enfance », de l'été de 1897, n'est qu'une partie de la dédicace à Louis-Joseph Béliveau qui accompagne un poème de circonstance, « Salons Allemands ». Le deuxième, « Le Récital des Anges », de l'été 1898, figure en tête d'une petite esquisse de quelques lignes, sorte de plan hâtif où s'ébauche tant bien que mal le plan d'un recueil en sept sections. Inscrit en tête d'une feuille dont le bas est occupé par le sonnet «Prélude triste», «Le Récital des Anges» est accompagné à droite d'une colonne de chiffres allant de 1 à 50, alignés verticalement, ce qui laisse présager que le jeune poète possède déjà cinq dizaines de poèmes qui pourraient constituer la matière d'un recueil vaguement entrevu. Enfin, le troisième plan, intitulé «Motifs du Récital des Anges», occupe deux pages, sur lesquelles figurent les titres de quelque 60 poèmes regroupés en sept sections: «Clavecin Céleste», «Villa d'Enfance», «Petite Chapelle», «Choses mystiques», «Intermezzo», «Lied», «Les Pieds sur les chenets». Ce plan suggestif vient en quelque sorte des pulsions d'une vie, mais on craint qu'il ne soit incomplet: je suppose qu'un troisième feuillet s'est perdu.

Les 24 poèmes publiés avant 1900, les 32 titres signalés et les trois plans autographes annonçant un recueil à venir soulignent déjà le profil de l'œuvre nelliganienne en marche. À n'en point douter, Nelligan souhaitait ardemment publier son recueil à Paris. Il l'a dit tout enflammé à Dantin et à Louvigny de Montigny. C'était un souhait parfaitement légitime; toutefois, le destin en a décidé autrement. À l'abandon d'une vie lucide correspond une œuvre abandonnée.

L'année 1900

En 1900 paraissent deux recueils de textes: en mars, *Les Soirées du Château de Ramezay* [ELMS], et en septembre, *Franges d'Autel* [FA-D, 2ᵉ éd. FA-R]. Dans le premier ouvrage collectif de l'École littéraire de Montréal figurent 17 poèmes de Nelligan dont six inédits. Dans le second recueil, petit fascicule illustré réalisé par Louis Dantin à partir de textes parus pour la plupart dans *Le Petit Messager du Très-Saint-Sacrement*, Nelligan est présent avec cinq textes d'inspiration religieuse. Ses vers côtoient ici ceux de Serge Usène, Louis Dantin, Lucien Reinier (il signera plus tard Rainier), Arthur de Bussières, Louis Fréchette, Albert Ferland, Amédée Gélinas et Jean-Baptiste Lagacé. C'est une belle percée dans un bassin de lecteurs qui n'est pas négligeable, quand on sait que ces deux livres ont très vite franchi les frontières du Québec. Ils furent envoyés dans plusieurs villes du Canada, aux États-Unis, ainsi qu'en France et en Angleterre. Il faut souligner qu'aucun des poèmes de Nelligan publiés antérieurement dans *Le Samedi* et dans *Le Monde illustré* ne fait partie de ces deux recueils.

La place qu'on y accorde à Nelligan, ce poète jeune et capricieux, bizarre, pensent plusieurs, faisant bande à part, témoigne toutefois de la fidélité des éditeurs à celui qui a dû s'exiler à Longue-Pointe pour y continuer son rêve solitaire. Par le nombre de poèmes, dans *Les Soirées du Château de Ramezay*, Nelligan occupe la deuxième place avec 17 poèmes, après Charles Gill qui y figure avec 20 poèmes et avant Édouard-Zotique Massicotte, qui en signe 16. Il en est de même dans les *Franges d'Autel* : avec cinq poèmes, Nelligan se situe en deuxième place, après Serge Usène-Louis Dantin (deux pseudonymes du P. Eugène Seers), qui en publie 11, et avant Arthur de Bussières, qui en signe trois. Cela signifie qu'en dépit des critiques sévères ou peu nuancées qui étaient adressées à Nelligan en privé ou en public, on reconnaissait tacitement la valeur intrinsèque de sa poésie. Deux hommes surtout louaient l'originalité de la forme nelliganienne : Charles Gill et Louis Dantin.

On sait déjà que pour toutes sortes de raisons, Nelligan n'était pas un membre assidu de l'École littéraire de Montréal. Mais, comme bien d'autres, il a ardemment souhaité la parution de ce livre appelé initialement *Livre d'or de l'École littéraire*, dont la publication a connu toutes sortes de péripéties. Les séances publiques ont fortement contribué à l'avancement du projet. Malgré sa maladie, Nelligan figure toujours, en 1899 et en 1900, sur la liste des membres de l'École littéraire de Montréal. Dès la préparation du livre en vue de la publication, son nom apparaît dans la table des matières. À la fin de l'été, la décision est prise de publier le volume tant attendu. Le 17 novembre, « après discussion, note le secrétaire Georges-A. Dumont, il est décidé que les membres seuls auront le droit de collaborer au volume que doit faire paraître l'École prochainement. Dans ce livre, les écrits devront être placés par ordre alphabétique d'auteurs ». À la réunion suivante, celle du 1er décembre 1899, le secrétaire note que « le travail typographique du volume est très avancé et qu'il [le président, Wilfrid Larose] espère le voir terminé pour le 1er janvier prochain ». Quelques jours avant Noël, le secrétaire souligne de nouveau l'avancement du projet.

Mais tout est loin d'être réglé : reste l'épineux problème des droits d'auteur. Au début de janvier, l'École cède tous les droits d'auteur présents et futurs à Wilfrid Larose, président, qui surveille l'impression et qui semble avoir investi l'argent nécessaire pour mener seul à terme le projet de publication. Tenu en haute estime par ses confrères, Charles Gill est chargé d'obtenir, à ces fins, une autorisation des parents d'Émile Nelligan et d'Albert Lozeau. Les choses semblent aller rondement, car le 12 janvier, le président annonce que le recueil *Les Soirées du*

Château de Ramezay sera complètement imprimé « dans un mois et demi ». Effectivement, le volume sera prêt à la fin de février. En mars, l'École littéraire prépare une séance publique au cours de laquelle l'ouvrage collectif sera officiellement lancé : ce sera le 2 avril 1900.

Cette date tombait un lundi. Un auditoire nombreux et enthousiaste remplit la salle du Château de Ramezay, malgré la pluie battante et un vent violent. On remarque dans l'assistance des représentants de familles célèbres, des juges, des médecins, des avocats : Taschereau, Loranger, Sicotte, Beaugrand, Fréchette, Boulanger, Bédard... Le président de l'École littéraire de Montréal ouvre la soirée, montre fièrement un exemplaire enrubanné des *Soirées du Château de Ramezay* et lit quelques lettres de félicitations que les Français viennent d'adresser à l'École : Gaston Boissiers, secrétaire perpétuel de l'Académie française ; Marcel Prévost, romancier et journaliste qui promet de parler de ce volume dans *Le Figaro* ; Léon Dierx, le prince des poètes... Viennent ensuite la lecture des récits et la récitation des poèmes par Georges-A. Dumont, Henry Desjardins, Charles Gill, Jean Charbonneau, Wilfrid Larose. On remarque cependant l'absence d'Édouard-Zotique Massicotte, de Gonzalve Desaulniers, de Louvigny de Montigny et de plusieurs autres. On dirait qu'en dépit du succès apparent du nouveau volume, l'École a perdu des plumes : il lui manque l'enthousiasme qui avait animé la séance du 26 mai 1899.

Lors de cette cinquième séance publique de l'École littéraire de Montréal, l'ombre de Nelligan plane sur la salle du vieux château quand Charles Gill, pour évoquer les absents, se met à réciter « Un rêve de Watteau » et « L'Homme aux cercueils ». Dans le premier vibre un lointain souvenir de crépuscules roux, de nuits étoilées ;

Nelligan à Saint-Benoît-Joseph-Labre
Photo l'abbé Joseph-Octave Lagacé, c. 1920.
(Collection Wyczynski)

dans le deuxième s'élève la plainte des morts. Mme Nelligan a été invitée à la soirée, mais elle n'est pas venue. Robertine Barry a prétexté une migraine : Charles-Albert Millette (qui aspire à devenir membre de l'École) s'est rendu à sa place pour préparer un article pour *La Patrie*. On ne sait pas au juste si Louis Dantin a assisté incognito à la cinquième séance publique. Nulle part dans ses écrits il n'en est question. Pendant que la voix grave de Gill porte magnifiquement les sonnets de Nelligan vers les cœurs sensibles et les esprits attentifs, la pluie et le vent fouettent les vitres, tel un corbeau — spectre de l'ennui, messager du malheur — aux ailes ouvertes, délire suspendu à la sinistre lucarne d'un destin tragique.

La cinquième séance publique constitue une sorte d'épilogue à ce qu'a été l'École littéraire dans les cinq premières années de son existence. Bien que ce livre dédié « à la France, à la mère patrie » suscitât de nombreux éloges venus de près et de loin, d'aucuns restent réservés. Le premier parmi les mécontents est Louvigny de Montigny, cofondateur avec Jean Charbonneau de l'École littéraire de Montréal. Son principal reproche vise le président de l'École, Wilfrid Larose, qui, récemment nommé traducteur au Sénat, à Ottawa, aurait accaparé le livre en gestation pour servir sa propre cause. Il aurait, selon Louvigny de Montigny, exagéré les frais d'impression auprès de Massicotte et de Gill pour s'approprier les droits d'auteur. De plus, il aurait dérogé à la décision prise par l'École le 17 novembre de faire figurer les auteurs dans l'ordre alphabétique. De son propre chef, Larose les a en effet placés par ordre subjectif d'importance : Louis Fréchette, Wilfrid Larose, Charles Gill, Gonzalve Desaulniers, É.-Z. Massicotte, Jean Charbonneau, Germain Beaulieu, Albert Ferland, Henry Desjardins, Émile

Nelligan, Georges-A. Dumont, Arthur de Bussières, Pierre Bédard, Antonio Pelletier, Auguste-Henri de Trémaudan, Albert Lozeau. Il semble que plusieurs membres de l'École n'aient pas apprécié non plus cet ordre imposé par le président. De plus, Larose aurait inséré dans le recueil les écrits de Trémaudan et de Bédard sans consultation préalable. Louvigny de Montigny ne prisait pas en outre l'ingérence marquée de Charles Gill dans l'organisation du livre ; celui-ci aurait en effet fourni à Larose un riche échantillon de ses propres écrits, bâclé « Un mot au lecteur » et écrit, à cette occasion, un article sur les débuts de l'École littéraire de Montréal truffé d'erreurs et d'ambiguïtés. C'est aussi à la suite d'une intervention de Gill qu'on ajoute à la fin du volume sept poèmes de Lozeau qui, à la dernière minute, « fut baptisé par Gill membre de l'École littéraire de Montréal ». Louvigny de Montigny croit aussi que le choix des poèmes de Nelligan a été fait par Gill, car celui-ci était le seul à pouvoir communiquer alors avec la mère du poète. « Gill chantait, ironise de Montigny, "L'Idiote aux Cloches" au coin des rues Saint-Denis et Sainte-Catherine quand il revenait à la maison fortement grisé de bon vin. »

Louis-Joseph Doucet se complaisait à répéter que Charles Gill, qui vouait à Nelligan une admiration indéfectible, avait appris plusieurs poèmes de son jeune ami par cœur et profitait de chaque occasion pour réciter le sonnet « Rêve de Watteau » (auquel on donne définitivement le titre « Un rêve de Watteau »).

> Quand les pastours, aux soirs des crépuscules roux
> Menant leurs grands boucs noirs aux râles d'or
> [des flûtes,
> Vers le hameau natal, de par delà les buttes,
> S'en revenaient, le long des champs piqués de houx ;

Bohèmes écoliers, âmes vierges de luttes,
Pleines de blanc naguère et de jours sans courroux,
En rupture d'étude, aux bois jonchés de brous
Nous allions, gouailleurs, prêtant l'oreille
                              [aux chutes

Des ruisseaux, dans le val que longeait en jappant
Le petit chien berger des calmes fils de Pan
Dont le pipeau qui pleure appelle, tout au loin.

Puis, las, nous nous couchions, frissonnants
                              [jusqu'aux moelles,
Et parfois, radieux, dans nos palais de foin,
Nous déjeunions d'aurore et nous soupions
                              [d'étoiles...

Une fois la récitation terminée, de sa voix grave Gill proposait d'habitude un toast : « À la divine poésie non pas un verre, mais une bouteille ! »

Dans toute cette querelle, Louvigny de Montigny n'entendait pas défendre Nelligan en particulier. Toutefois, il savait reconnaître en celui-ci un poète de qualité. Il a surtout voulu se venger, à sa façon, des artisans des *Soirées du Château de Ramezay*, qui n'ont pas suivi ses conseils dans l'organisation de l'ouvrage. Journaliste radical, il a ouvert son journal à la prose de combat et à la poésie récente. Chaque samedi soir, son hebdomadaire crachait du feu dans toutes les rues de Montréal. Entre les polémiques qui font rage, en l'espace d'un an, le journal *Les Débats* publiera sept poèmes de Nelligan : « Sieste ecclésiastique » (14 janvier) ; « La Romance du Vin » (1er avril) ; « L'Idiote aux Cloches » (15 avril) ; « Clair de lune intellectuel » (24 juin) ; « Jardin sentimental » (15 juillet). Le journal *L'Avenir* (qui a succédé aux *Débats*) publie le

6 janvier 1901 «Amour immaculé». Et, ressuscité, le journal *Les Débats* du 18 août 1901 publie «Sainte Cécile», avec comme exergue «Rêve d'une nuit d'hôpital», qui deviendra le titre dans l'édition Dantin, en 1904. C'est à cette époque aussi que Louvigny de Montigny entre en contact avec Louis Dantin, sans toutefois connaître la véritable identité de son interlocuteur.

Les Soirées du Château de Ramezay et *Les Débats* de Louvigny de Montigny contribuent chacun à leur manière à rappeler le nom de Nelligan au souvenir des Montréalais. C'est d'ailleurs dans *Les Débats* que paraît le premier jugement critique de la poésie de Nelligan et une esquisse qu'on pourrait considérer comme la première tentative de brosser le portrait de l'auteur de «La Romance du Vin» sur l'arrière-plan de son époque:

> Longtemps méconnu de ses amis, Nelligan parvint à se faufiler dans le cénacle des jeunes littérateurs qui avaient entrepris de combattre les tendances bourgeoises de notre littérature nationale. C'est lui qui proclamait les théories de l'art pour l'art et brandissait l'oriflamme de la rime millionnaire. Il psalmodiait plutôt ses vers qu'il ne les déclamait; puis, tout à coup, il s'interrompait brusquement, roulait une cigarette et jetait sur l'auditoire un regard méfiant et circulaire. La plupart le trouvaient trop rêveur, et tous déchiffraient avec peine le sens de ses tirades accompagnées toujours de gestes très larges. Mais personne, cependant, ne se rendait compte du travail d'orientation qui se faisait alors chez le jeune poète. M. Nelligan est avant tout un dilettante du mysticisme, chez qui la piété peut parfois passer pour impie. Dans certaines œuvres d'adolescence, on

241

dirait qu'il goûte le charme douloureux du péché et qu'il ne trouve pas le sacrilège dépourvu de majesté. Mais ces vers — ceux publiés dans le volume de l'École littéraire ainsi que les autres — seront oubliés parce que lui, l'auteur, possède trop le culte du mot et de l'épithète, parce qu'il recherche l'éclat de la phrase, qu'il se laisse bercer à sa musique et qu'il croit au prestige des sonorités.

On constate combien on est loin de « la musique avant toute chose ». Reviennent de nouveau, autour de l'œuvre de Nelligan, les jugements assassins de Brunetière et de Doumic, et les idées de ceux qui en ont subi l'influence : Jean Charbonneau, Joseph Melançon, Germain Beaulieu et, disons-le sans ambages, Louvigny de Montigny.

L'article est signé d'un pseudonyme : Joseph Saint-Hilaire. Gérard Malchelosse y voyait un pseudonyme collectif employé par un groupe de la rédaction des *Débats*. Il est difficile de savoir qui exactement a écrit l'article. Vu la nature des reproches adressés à Nelligan, cependant, on serait porté à croire que c'est Louvigny de Montigny lui-même — aidé d'Olivar Asselin et de Gustave Comte — qui a imprimé la ligne conductrice au texte : il s'agit de juger froidement cette jeune poésie tout en manifestant un brin de bienveillance. D'ailleurs, dans toutes les sections de l'article consacré aux *Soirées du Château de Ramezay*, le critique se montre sévère et tatillon, ce qui, malgré son apparente objectivité, en fait un règlement de comptes habilement monté. Outre Nelligan, Ferland, Demers, Gill, Massicotte reçoivent, eux aussi, quelques crocs-en-jambe.

⇒ Petit Vitrail ⇐

Jésus à barbe blonde, aux yeux de saphir tendre,
Sourit dans un vitrail ancien du défunt chœur
Parmi le vol sacré des chérubins en chœur
Qui se penchent vers Lui pour l'aimer et l'entendre.
Des oiseaux de Sion aux claires ailes calmes
Sont là dans le soleil qui poudroie en délire,
Et c'est doux comme un vers de maître sur la lyre,
De voir ainsi, parmi l'arabesque des palmes,
Dans ce petit vitrail où le soir va descendre,
Sourire, en sa bonté mystique, au fond du chœur,
Le Christ à barbe d'or, aux yeux de saphir tendre.

ÉMILE NELLIGAN

Petit Vitrail
Ce poème (connu aussi sous le titre «Le Petit Vitrail de
chapelle»), écrit par Nelligan en 1898, clôt le recueil
de poésies *Franges d'Autel* (1900), p. 76.

Comme pour atténuer la condamnation de la poésie de Nelligan à un oubli trop rapide, le ton du critique se radoucit à la fin de l'article :

> Il a pu commettre certains excès de lyrisme, certaines audaces ; mais on les lui pardonne en faveur de sa jeunesse et de sa belle âme. Il aime tant l'art ! il aime tant sa mère dont ses vers sont remplis ! il porte en lui-même tant d'illusions ! Il a écrit ces vers au milieu du terre à terre de la vie bourgeoise, du mercantilisme et du dédain de ceux que les subtilités artistiques ne sauraient émouvoir, et sa puissante imagination l'a fait se séparer des laideurs environnantes.

Encore ici, on reconnaît Louvigny de Montigny. Nelligan ne s'impose pas, selon lui, par l'originalité de sa poésie, mais par le sort qui en a fait une victime de la bourgeoisie et du mercantilisme. Bref, le portrait artistique de Nelligan tel qu'il se dégage des pages du journal *Les Débats* correspond à l'idéologie de Louvigny de Montigny et de ses pairs : Olivar Asselin, Paul de Martigny et Gustave Comte.

Trois mois s'écoulent avant qu'un certain Émile Bélanger propose un portrait plus nuancé. Ce critique est peu connu dans le milieu montréalais. Ce qu'il y a de certain, toutefois, c'est que celui qui écrit connaît Nelligan et fait revivre sa silhouette, en tenant devant lui la photographie exécutée par Laprés et Lavergne, *Les Soirées du Château de Ramezay* et l'article de Joseph Saint-Hilaire :

> M. Émile Nelligan, voyez-vous, n'est pas un homme comme les autres : c'est un poète, un poète idéal,

Illustré de 18 grandes compositions
et de 26 dessins de Lagacé.

Franges

d'Autel

. . I. POESIES DE . . .
Serge Usène, Emile Nelligan, Lucien Renier,
Arthur de Bussières, Albert Ferland,
J.-B. Lagacé, Amédée Gélinas,
Louis Dantin, etc.

MONTRÉAL
1900

Franges d'Autel

Page de titre du recueil de poésies publié par Louis Dantin
sans que son nom y paraisse comme celui de l'éditeur. Outre
le « Petit Vitrail », quatre autres poèmes de Nelligan y
figurent : « Les Communiantes », « La Réponse du Crucifix »,
« Communion pascale » et « Les Déicides ».

pareil à ceux qui hantent les rêves des jeunes pensionnaires, portant sur son front le signe distinctif de sa vocation. Chevelure noire, abondante et négligée, aux mèches légèrement ondulées, à la Maurice Rollinat, grands yeux aux reflets d'acier dont la prunelle se dilate et brille parfois d'un feu étrange. Sa bouche, sur laquelle se dessine un sourire doucement triste, ne semble pas avoir été formée pour réciter des vers. Il marche à longs pas, le corps penché et la tête légèrement inclinée en arrière, comme si son regard avait besoin de s'élever au-dessus du monde réel pour aller se perdre dans les infinis azurés, au pays bleu du rêve. Sa voix est grave et traînante, avec un léger accent anglais, qui n'est pas dépourvu de charme. Tel est au physique M. Émile Nelligan.

Voilà ce qu'écrit Émile Bélanger dans son article « Silhouette littéraire », publié dans le *Passe-Temps* du 18 août 1900. Le portrait aurait dû s'arrêter ici. Mais, par malheur, comme pour décanter le sens de la poésie de Nelligan, Bélanger cite Joseph Saint-Hilaire, et insiste une fois encore sur l'art d'un dilettante du mysticisme qui donne tête basse dans l'éclat du mot et de la phrase, poésie qui « se laisse bercer à sa musique », vers qui « seront oubliés ».

Devant pareille conclusion, on ne sait s'il faut rire ou pleurer. Cela tient d'une « marotte antimusicale » qui se serait installée à Montréal à la fin du XIXᵉ siècle et qui aura chanté sans arrêt son refrain béotien, grenouille maudite qui crie aux cygnes que la poésie musicale n'est pas la vraie poésie. Et malgré tout, les vers de Nelligan ne sombreront pas dans l'oubli.

Vers la fin d'août 1900, les *Franges d'Autel* font de nouveau revivre le nom de Nelligan. La page de titre ne donne pas le nom de l'éditeur. Peu de gens savent que le recueil a été préparé par Louis Dantin. Celui-ci y publie d'abord ses poésies, mais aussi celles de ses amis parmi lesquels figurent Nelligan, Arthur de Bussières et Joseph Melançon. C'est un recueil illustré de poésie religieuse dans un esprit fort orthodoxe, destiné au grand public : le livre regroupe surtout des poésies publiées plus tôt dans *Le Petit Messager du Très-Saint-Sacrement*.

Alphonse Leclaire, qui dirige à l'époque *La Revue canadienne*, remarque le livre et en fait un compte rendu élogieux. Il vante le contenu religieux de l'opuscule et sa belle tenue iconographique, bref, le décrit comme « une brochure d'un goût exquis ». Il regrette l'absence de l'éditeur sur la page de titre, loue le talent des coauteurs, émet des réserves sur la nature de l'inspiration de telle ou telle pièce, n'aime pas trop « La légende d'un peuple » de Fréchette, dont un extrait s'est insinué dans le recueil, mais souscrit d'emblée à l'originalité de « Petit Vitrail » et l'offre en citation à ses lecteurs :

> Jésus à barbe blonde, aux yeux de saphir tendre,
> Sourit dans un vitrail ancien du défunt chœur
> Parmi le vol sacré des chérubins en chœur
> Qui se penchent vers Lui pour l'aimer et l'entendre.
> Des oiseaux de Sion aux claires ailes calmes
> Sont là dans le soleil qui poudroie en délire,
> Et c'est doux comme un vers de maître sur la lyre,
> De voir ainsi, parmi l'arabesque des palmes,
> Dans ce petit vitrail où le soir va descendre,
> Sourire, en sa bonté mystique, au fond du chœur,
> Le Christ à barbe d'or, aux yeux de saphir tendre.

Alphonse Leclaire remarque dans le poème «beaucoup de gentilles qualités descriptives». Mais il y a plus que cela. Cette jolie arabesque de couleurs, remplie de musique, bâtie sur une prosodie des retours, est un échantillon d'art dans lequel Nelligan se complaît de temps en temps. (Rappelons-nous la prosodie de certains poèmes-miniatures, tels «Bergère», «Berceuse» ou «Je sais là-bas...» et le délicieux «Caprice blanc».) On pourrait dire que beaucoup de temps passé en compagnie de Louis Dantin a été justement consacré à ce genre d'exercices, parnassien de fond, mais d'inspiration religieuse, soumis, somme toute, à une esthétique de jeu. À remarquer que «Petit Vitrail» clôt les *Franges d'Autel* d'une façon tout à fait admirable. Dantin sans doute l'aime, mais il l'écartera pour des raisons qu'on ignore de son édition des poésies de Nelligan qui verra le jour en 1904.

Il y a une autre remarque à faire. «La Réponse du Crucifix» de Nelligan avait paru dans *Le Petit Messager du Très-Saint-Sacrement*, dans l'encadrement d'une jolie composition exécutée par Jean-Baptiste Lagacé. Or, dans les *Franges d'Autel*, ce sonnet est simplement publié en italique sans aucun motif décoratif. Bien plus, l'illustration qui accompagnait initialement ce texte de Nelligan encadre maintenant «Malédiction», un sonnet d'Arthur de Bussières, d'inspiration biblique dans le genre des «Déicides». Il semble que Dantin ait simplement voulu assurer un certain équilibre dans l'illustration des poèmes, en dotant d'une grande composition iconographique un poème d'Arthur de Bussières («Malédiction») et un poème d'Émile Nelligan («Les Déicides»).

Édition princeps : 1902-1904

Au moment du départ pour l'asile Saint-Benoît-Joseph-Labre, Nelligan se sépare de tous ses manuscrits. Sa mère en aura soin pendant de nombreuses années. Ces papiers représentent pour elle ce qui lui reste de plus cher de son fils malade et absent.

Il est extrêmement difficile de reconstituer l'état exact de l'œuvre manuscrite de Nelligan telle qu'elle se présentait, en août 1899, dans sa chambre, au 260 de l'avenue Laval. Tout porte à croire que Nelligan écrivait beaucoup, et cela depuis 1896, sur toutes sortes de feuilles et de bouts de papier. En général, il griffonnait rapidement une première version sous le coup d'une inspiration soudaine. Il transcrivait ensuite le premier jet, en lui donnant une forme plus travaillée. Le plus souvent, la première version allait au panier. Il arrivait cependant que le poète garde les deux, comme s'il semblait hésiter sur leur qualité, ne sachant au juste laquelle était la meilleure. Cette démarche est tout à fait normale pour une écriture poétique qui, en fin de compte, est autant tributaire du hasard que du travail de polissage.

En transcrivant ses poésies au propre, en vue d'une éventuelle publication, Nelligan utilisait de grandes feuilles blanches de 35 centimètres sur 21 et les groupait dans des cahiers dont chacun aurait pu représenter le contenu d'une section du présumé livre à venir. Là-dessus Dantin apporte en 1938 cette remarque :

> J'ai tenu dans mes mains les cahiers originaux de Nelligan, écrits avant qu'il m'eût jamais connu : ces cahiers doivent être encore en possession de sa famille et formeraient la preuve surabondante qu'il en est bien l'auteur.

On pourrait se demander ce que signifie au juste ici le mot
«cahier». En tout cas, il ne faudra pas l'associer à la
terminologie scolaire, où le «cahier» désigne un certain
nombre de feuilles agrafées ou cousues ensemble et mu-
nies d'une couverture. Si l'on en croit une autre lettre de
Dantin, on est enclin à croire que ces «cahiers» regrou-
paient plutôt un certain nombre de feuilles volantes. «J'ai
recueilli des cahiers de Nelligan, tous écrits de sa main,
des pièces qui m'ont paru dignes de survivre.» En faveur
de cette notion milite aussi l'état actuel de la collection
Nelligan-Corbeil, qui comprend 56 feuillets détachés.

De son côté, Luc Lacourcière fait, en 1952, la
remarque suivante:

> Quant aux originaux eux-mêmes de Nelligan, il
> semble que Dantin, à bon droit d'ailleurs, ait dési-
> gné par «cahiers» un ensemble de feuillets «de
> papier écolier», semblables à ceux des poèmes pos-
> thumes [...]. Nelligan y avait soigneusement trans-
> crit les poèmes qu'il jugeait dignes de figurer dans
> son recueil. Quelques-uns de ces feuillets — nous le
> savons pour en avoir retrouvés — furent distribués
> par Mme Nelligan elle-même à des amis ou à des
> admirateurs de son fils.

Ce témoignage repose sur une bonne connaissance des
manuscrits de Nelligan et aussi sur les dires des parents et
amis du poète. Pour ma part, j'ai toujours cru que les
poèmes destinés à la publication avaient été transcrits sur
des feuillets séparés groupés par la suite dans des ensembles retenus probablement par des chemises cartonnées
que Dantin appelle «cahiers».

En plus des «cahiers» qui assuraient, à l'aube du
XXe siècle, la survie de la poésie de Nelligan, il existait

aussi un *scrapbook* avec une jolie couverture cartonnée rouge. Le poète y collait, au hasard de ses découvertes, des textes découpés dans des journaux et revues et y inscrivait aussi ses poèmes. Il est fort possible que ce soit dans ce cahier qu'ont été consignés les premiers poèmes de Nelligan, ceux publiés en 1896 dans *Le Samedi* ou parus dans *Le Monde illustré* en 1897 et au début de 1898. Au fur et à mesure que son habileté à versifier se perfectionnait, il condamnait, semble-t-il, ses premiers poèmes à l'oubli.

De cet album de poésie et de coupures de journaux — ce *scrapbook*, comme on disait à l'époque —, il ne reste aujourd'hui que la couverture. Une main inconnue — on nous a laissé entendre que ce fut celle d'Éva Nelligan, sœur d'Émile — a découpé toutes les feuilles au ras de la reliure : des pages qui auraient pu nous renseigner sur les lectures de Nelligan et ses premières expériences d'artiste, il ne reste que les racines.

Après le départ d'Émile pour Longue-Pointe, Mme David Nelligan est restée longtemps dans un état dépressif. D'une sensibilité extrême, toujours un peu timide, elle ne pouvait admettre que son fils fût condamné à vivre dans une maison d'aliénés. De santé plutôt fragile, souffrant d'insomnie, elle avait parfois beaucoup de difficulté à se lever le matin afin d'assurer la bonne marche des choses. Aussi, m'a-t-on dit, quand elle le pouvait, elle restait au lit jusqu'à midi, parfois même plus tard, pour refaire ses forces, certes, mais aussi par apathie. Une fois debout, elle portait le masque souriant d'autrefois, s'habillait toujours avec soin, sinon avec élégance. «Tante Émilie, m'a dit Béatrice Hudon-Campbell, même après le départ d'Émile, essayait de garder un beau sourire, même si ce sourire était toujours un peu triste. C'était une grande dame qui parlait un français impeccable et qui jouait du piano avec des inflexions nostalgiques. »

L'œuvre de son fils lui tenait à cœur. Mais elle ne savait trop comment s'y prendre pour la perpétuer, mettre de l'ordre dans ses papiers, les soustraire au regard hostile de son mari... Elle profita du soutien constant de Françoise ; Charles Gill vint quelquefois la réconforter. Mais rien ne parvint à combler le vide laissé par le départ de son fils bien-aimé. Elle ne trouvera pas la force nécessaire pour aller lui rendre visite à l'asile. À peine lui fera-t-elle parvenir quelques mots de consolation et quelques paquets de friandises. La souffrance de cette séparation ira en augmentant. Aussi saluera-t-elle chaque souvenir paru dans la presse, tout signe bienveillant venu des amis de son fils. Elle le voyait toujours beau et rêveur, « écrivant son œuvre ».

Quel ne fut pas son bonheur quand *La Patrie* du 16 septembre 1899 publia « Les Saintes au Vitrail ». Ce sonnet, connu aujourd'hui sous le titre d'« Amour immaculé », malgré sa chute à résonance sombre, propulse le sentiment vers les hautes sphères de l'idéal. Elle lut attentivement ce poème, le découpa, plaçant la date de sa parution au-dessus du titre. Elle souhaitait ardemment voir plusieurs poèmes de son fils publiés ainsi.

Le samedi 18 septembre 1899 est pour elle un grand jour. Elle prend une feuille de papier épais (38 centimètres sur 56) et la découpe en forme de livre ouvert : ce sera une sorte de présentoir. Les deux volets sont de couleur crème tirant légèrement sur l'ocre. Elle dessine la tranche du livre à l'aide de quelques traits d'encre noire sur un fond vert et brun : le dessin crée l'illusion d'un livre ouvert de biais, parsemé de quelques points d'or. En haut, à gauche, une inscription à l'encre : « samedi, 16 septembre 1899 ». Sur cette page, sera collé le poème « Les Saintes au Vitrail », paru dans *La Patrie* du 16 septembre 1899 et, quelques mois plus tard, l'article de Joseph Saint-Hilaire, publié dans *Les Débats* du 6 mai 1900. Du côté droit, en haut, une autre inscription faisant pendant à celle de gauche : « poésie écrite de la main même d'Émile Nelligan ». En bas, un dessin découpé dans *La Patrie* du 27 mai 1899 représentant le poète d'après la photographie prise peu de temps avant la quatrième séance de l'École littéraire de Montréal.

Pourquoi cette couverture improvisée en forme de livre ouvert qu'on pouvait replier pour en faire une sorte de chemise ? Il est fort possible que Mme Nelligan ait voulu y regrouper les poèmes imprimés de son fils ainsi que les articles qui allaient lui être consacrés. Ainsi, cette couverture rehaussée de gouache allait accueillir un dossier, des feuilles volantes sans doute, commémorant l'œuvre d'Émile, ce fils malheureux contraint désormais au silence. Ce « livre » dessiné sans prétention témoigne d'une fidélité maternelle sans faille à l'égard de l'œuvre dont l'avenir, autour de 1900, même si quelques poèmes ont été publiés, demeure incertain. Pour Mme Nelligan, Émile n'est pas un aliéné : il demeure le poète dont l'idéal a dépassé les moyens d'agir en artiste indépendant. Sa tête a ployé sous le poids du rêve, mais son œuvre mise sur l'avenir, comme un livre ouvert...

Après la publication des *Soirées du Château de Ramezay* et des *Franges d'Autel*, Louis Dantin s'intéresse de plus en plus à l'œuvre de Nelligan et cela pour deux raisons : il éprouve toujours une amitié profonde pour le jeune homme malade, et il croit que l'œuvre que celui-ci a créée en l'espace de trois ans constitue une ébauche de génie.

Gabriel Nadeau, résumant en 1944 ses derniers entretiens avec Louis Dantin, raconte que celui-ci rendit visite une fois à Nelligan dans son asile.

Il le trouva calme, plein de raison en apparence. Ils causèrent de poésie et firent des projets. Dantin plutôt fit des projets pour lui-même et pour son ami : ils composeraient des vers qu'ils imprimeraient de leurs mains, en éditions intimes, pour les seuls Amants de la Poésie. Nelligan parla des Religieuses, du docteur Villeneuve. Il était en paix, il se disait heureux de pouvoir se reposer dans cette maison où tous n'avaient pour lui que des égards et des ménagements. Pendant les premières années de sa réclusion, il passait des heures à écrire des vers informes, inintelligibles : documents bruts que la psychanalyse eût su interpréter peut-être, qui sont perdus aujourd'hui. Le plus souvent il restait inerte, à moitié endormi dans une existence végétative tranquille, perdu comme autrefois dans une rêverie, mais plus lointaine et sans attaches avec les réalités de la vie.

Germain Beaulieu aussi alla le voir. Après la visite de Dantin cependant, Nelligan fit une crise violente, terrible, qui effraya tout le monde. Le docteur Villeneuve défendit alors ces entretiens qui, en rappelant trop vivement à l'infortuné poète les succès et les promesses de son passé, lui faisaient du mal, l'exaltaient et le mettaient hors de lui [NGLDVO 237].

Même si ce témoignage manque de précision, il est certain qu'effectivement Louis Dantin et Germain Beaulieu sont allés voir Nelligan à Longue-Pointe, à quelques jours d'intervalle, fort probablement à l'automne de 1900. Dantin apporta au poète un exemplaire de *Franges d'Autel* ; Beaulieu lui offrit un exemplaire dédicacé des *Soirées du Château de Ramezay*. La réaction de Nelligan fut tellement forte et imprévue que pendant plusieurs mois, il lui fut interdit de recevoir des visiteurs.

Dantin soupçonnait que l'intelligence de Nelligan avait été gravement atteinte, et cet incident vint tout simplement confirmer ses craintes. L'homme semblait à jamais perdu dans le chaos de son intelligence ébranlée ; il s'agissait de sauver le poète.

> La folie de Nelligan frappa Dantin comme un deuil personnel. Il résolut de faire connaître son œuvre et de sauver son nom de l'oubli. Il alla voir la mère du poète. Renfermée dans son chagrin, elle ne voulut d'abord rien entendre ; mais elle finit par se rendre aux prières de Dantin. Les manuscrits lui furent confiés.

Il est impossible de savoir à quel moment exactement les documents sont passés entre les mains de Dantin. Je suppose que ce fut en 1901. Ce qui est sûr, c'est que Dantin a eu en sa possession tous les manuscrits du « cher poète » pendant plus de deux ans.

Tout porte aussi à croire que Dantin a d'abord envisagé d'accomplir le travail en trois étapes. Il allait lire attentivement tous les manuscrits de Nelligan, les évaluer et séparer le moins bon du meilleur ; préparer une étude sur la poésie de son jeune ami, en citant abondamment ses textes ; imprimer la meilleure part de l'œuvre. Que la décision de Dantin découle d'un devoir strictement fraternel et de cette conviction aussi que l'œuvre tronquée de Nelligan a une valeur en soi, cela ne fait aucun doute. La faire connaître au public lui paraît un atout pour la jeune littérature canadienne-française.

La culture littéraire de Dantin était de haute tenue pour l'époque. Son goût s'était formé au contact des littératures classique et moderne. Il avait une prédilection pour la littérature des idées, la réflexion philosophique, mais il fréquentait tant Bossuet que Vigny et connaissait bien Baudelaire et Verlaine, les romantiques comme les symbolistes.

Une fois la lecture faite, Dantin se met à écrire un essai sur l'ensemble de la poésie de Nelligan. Il voudrait projeter l'homme dans l'écriture. Il s'apprête, plus particulièrement, à scruter le lyrisme et les formes de l'œuvre tronquée mais étonnante. L'étude s'organise en six parties. Dans la première, il brosse le portrait de ce jeune « Apollon rêveur et tourmenté », à la physionomie d'esthète non exempte d'atavismes, comparé ici et là aux artistes qui lui plaisent plus ou moins : Moreau, Maupassant, Baudelaire, Rodenbach, Rollinat... Dans la deuxième section, Dantin esquisse la physionomie de l'œuvre ; il voit une mosaïque de contrastes, tant au point de vue thématique que formel. Dans ses commentaires, il ne se prive pas de comparaisons ni d'aphorismes, et pour mieux jauger l'objet de son analyse, il constate que la « nullité d'idées » chez Nelligan « laisse toute la place aux effluves du sentiment et aux richesses de la ciselure ». En troisième lieu, le critique montre ce qu'est la poésie de Nelligan dans son essence : sentiment, rêve, solitude, complainte, tristesse, cri élégiaque, frisson enténébré, mélancolie, hallucination, bref une subjectivité moderne. Dans la quatrième section, il approfondit la nature des formes nelliganiennes : phrase, vers, image, rythme, rime, alliage verbal, effets sonores... Il arrive alors à cette conclusion que Nelligan, « souvent symboliste par sa conception des entités poétiques, est presque toujours parnassien par leur expression ». Il sait percevoir chez ce jeune poète des sensations raffinées qui fusent dans des images de bon aloi où l'on peut apercevoir « des trouvailles de génie ». Le reste de l'étude n'est à vrai dire qu'un épilogue ; la cinquième section évoque à grands traits les meilleurs moments de l'École littéraire de Montréal ; la sixième, très courte, souligne l'importance de Nelligan, « prodigieusement doué », et invite à réunir ses poèmes en recueil pour sauver ainsi l'œuvre de l'oubli. L'étude est terminée en août 1902 ; Dantin la porte chez Louvigny de Montigny qui, enchanté, la publiera par tranches hebdomadaires dans *Les Débats* du 17 août au 28 septembre 1902.

Indépendamment des idées de Dantin sur la poésie qui ont vieilli avec le temps — et cela se comprend —, l'étude garde toujours son importance. Le critique est loin d'être dithyrambique ; au contraire, il sait appeler les choses par leur nom, peser les mérites et les défauts d'un texte et, sans verser dans l'excès, il souhaite que Nelligan occupe la place qu'il mérite parmi les poètes de son pays. Ainsi, dès le début de son étude, il croit opportun de justifier son rôle d'ami et de critique.

> Je voudrais rendre à Nelligan cet humble service, absolument désintéressé puisqu'il s'adresse à un mort, et qui est, avant tout, une justice tardive. Car ce mort, très assurément, mérite de revivre. Cette vocation littéraire, l'éclosion spontanée de ce talent, la valeur de cette œuvre tout inachevée qu'elle demeure, tiennent pour moi du prodige. J'ose dire qu'on chercherait en vain dans notre Parnasse présent et passé une âme douée au point de vue poétique

comme l'était celle de cet enfant de dix-neuf ans. Sans doute, tous ces beaux dons ont fleuri à peine, mais ils furent riches de couleur et de sève dans leur épanouissement hâtif. En admettant que l'homme et l'œuvre ne soient qu'une ébauche, il faut affirmer que c'est une ébauche de génie [NEO-D iv-v].

Dans la même section, Dantin précise qu'il a voulu ausculter le talent primesautier et inégal de Nelligan, « rechercher ses sources d'inspiration, démêler dans cette œuvre la part de la création originale et celle de l'imitation, caractériser la langue, le tour et le rythme de cette poésie souvent déconcertante ». Et il le fait effectivement avec beaucoup d'empressement, croyant le jeune poète « mort », ce qui veut dire irrévocablement fixé dans son destin de malade.

Car Dantin, après sa visite à l'asile Saint-Benoît-Joseph-Labre, a perdu tout espoir de voir Nelligan revenir un jour à la vie normale. Pour lui, le jeune homme est devenu la victime de sa névrose qui a tout emporté. C'est pourquoi, dans la première section de son étude, Dantin cite les deux tercets du « Vaisseau d'Or » : c'est la première trace de ce qui est sans doute le plus célèbre sonnet de Nelligan. Il fallait être sûr de son caractère irrémédiable pour signaler avec autant de netteté les ravages de la maladie envahissant le corps et l'esprit du jeune homme. Il importait désormais de sauver l'œuvre de l'oubli.

L'étude de Dantin a suscité une réaction en chaîne : la mère du poète est satisfaite, Gill, Charbonneau, Demers, Lozeau enchantés. Il naît ainsi, autour de l'œuvre de Nelligan encore mal connue, un discours critique qui dépasse du coup à l'époque les revendications ternes d'un Casgrain, d'un Routhier, d'un Chapman en faveur d'une littérature nationale et moralisatrice. La réception de Nelligan commence avant même que son œuvre ne soit publiée. Dantin jette du haut de sa chaire clandestine les bases d'une interprétation solide qui sera reprise et remodelée par plusieurs générations. On peut donc dire que dès l'automne 1902, l'œuvre de Nelligan est présentée au public avec tout le sérieux d'un discours critique bien articulé.

Après l'étude de Dantin dans *Les Débats*, le chemin s'ouvrait vers une édition des poésies de Nelligan. Ce vœu est d'ailleurs fort bien formulé par Dantin lui-même, dans le dernier paragraphe de son essai :

> L'œuvre de Nelligan est inédite, ou dispersée dans les pages de journaux lointains ; il serait digne d'un ami des lettres de la sauver de l'oubli définitif. Un choix intelligent de ces poésies formerait un livre assez court, mais d'une valeur réelle et d'un intérêt puissant. Les muses nationales béniront l'homme de cœur et de goût qui fera ce choix et ce livre [NEO xxxii].

Et cet homme, ce sera Louis Dantin.

Nous connaissons aujourd'hui les grandes lignes du travail qui aboutit à l'édition de 1904. Mais plusieurs étapes de ce cheminement sont encore obscures et telles elles demeureront probablement à jamais. Vu sa situation particulière, Dantin a dû effectuer ce travail avec beaucoup de précautions, sinon dans la quasi-clandestinité. Luc Lacourcière décrit ainsi cette étape :

> De 1900 à 1902, après son monotone travail d'atelier, le P. Eugène Seers, dans le silence et le recueillement de sa cellule, passe de longues soirées à lire, à étudier et à transcrire manuscrits et brouillons

que la mère inconsolable de son jeune ami a consenti, non sans quelques hésitations, à lui confier. Il y trouve une chance d'évasion ; il médite sur le sort de cet enfant qu'il a aimé, dont il a vu sombrer l'exceptionnelle intelligence [NEPC-L 18].

Ici, une question se pose : Luc Lacourcière, en suivant probablement Gabriel Nadeau, laisse entendre que Dantin a transcrit les manuscrits de Nelligan destinés à l'impression. En 1909, dans le post-scriptum d'une lettre à Germain Beaulieu, Dantin précise lui-même qu'il connaît bien l'état initial de l'œuvre de Nelligan, « ayant en [sa] possession tous les manuscrits du cher poète *et en ayant pris des copies exactes* ». Il est donc certain que pour organiser le recueil, Dantin a transcrit, à titre de *ultima versio*, ceux des poèmes de Nelligan qu'il avait cru bon de constituer en un ensemble représentatif. Mais il n'a pas transcrit tous les manuscrits. Il est même probable que parmi les poèmes retenus, certains étaient des originaux sortis des « cahiers » sans qu'on eût eu le temps d'en faire une copie.

Il est clair dans l'esprit de Dantin que l'œuvre qu'il prépare n'est point une édition intégrale, mais tout simplement un judicieux choix de poèmes. Il dit vertement à Germain Beaulieu, dans une lettre du 18 avril 1938 :

J'ai recueilli des cahiers de Nelligan tous les écrits de sa main, les pièces qui m'ont paru dignes de survivre. J'ai dû choisir souvent entre plusieurs versions de la même pièce. Les textes que j'ai gardés, je les ai conservés tels quels, sauf des altérations minimes qui s'imposaient à ma conscience d'éditeur et d'ami, et qui ne pouvaient d'aucune manière diminuer le rôle d'auteur unique appartenant à

Emile Nelligan

et son Œuvre

✻ Montréal, 1903; ✻

Émile Nelligan et son Œuvre
Page de titre de l'édition princeps, prise de l'exemplaire
du docteur Georges Villeneuve, avec une dédicace du poète
qui transcrit en hommage, en tête du volume, son poème
« La Réponse du Crucifix ».

Nelligan. Je n'ai pas refait ces poèmes, parce que j'étais incapable de les avoir faits.

La fidélité au texte est la préoccupation essentielle de l'éditeur. Dantin le fait avec une rigueur tout à fait exemplaire, sans pour autant renoncer à son amitié pour Nelligan. Dans le «Post-scriptum» à l'étude qui deviendra la «Préface» de l'édition de 1904, il précise:

> Je tiens à dire que l'édition présente n'est qu'un extrait des volumineux cahiers laissés par Émile Nelligan. Elle n'est pas «toute la lyre», et laisse ample matière à glaner aux chercheurs de miettes posthumes. [...] Je le déclare ici, pour justifier cette sélection, l'inspiration d'Émile Nelligan était fort inégale, et son sens critique assez peu mûri. On trouve pêle-mêle, dans ses cahiers, des pièces de valeurs fort diverses, de simples ébauches à côté de morceaux finis, des strophes alertes et françaises, à côté d'autres où l'incorrection le dispute à l'obscurité. Fallait-il, dans ce volume, vider au hasard toute la corbeille? C'eût été, à coup sûr, rendre à l'auteur comme aux lecteurs un piètre service [NEO-D xxxii].

L'entreprise d'édition se faisait donc d'après une idée fort claire: fournir au public la meilleure part de l'œuvre de Nelligan. Mais tout choix, si rigoureux et nuancé soit-il, comporte toujours une part de subjectivité. Dantin n'y échappe pas, et il le dit d'ailleurs lui-même pour se protéger d'avance des critiques futures.

Lecteur attentif et éditeur de l'œuvre sélectionnée de Nelligan, Dantin est aussi son imprimeur. Il compose en effet le texte, durant ses moments de loisirs, dans la petite imprimerie des pères du Très-Saint-Sacrement, sans que les autres le sachent. Pour ce faire, il faut garder, jusqu'à la fin de la composition, des plaques de plomb, ce qui occasionne de sérieux inconvénients au typographe. Dantin progresse comme il peut dans l'impression du recueil tant désiré, espérant le publier en 1903. C'est pourquoi la page de titre, composée en premier, donne en bas : «Montréal, 1903». Le titre est réparti en deux lignes : «Émile Nelligan (en grands caractères) et son œuvre» (en caractères plus petits). À peu près au milieu de la page, une tête de femme : yeux fermés, chevelure abondante d'où s'échappent des lys. Cette miniature a été dessinée par Jean-Baptiste Lagacé, ami de Dantin, peintre, illustrateur attitré du *Petit Messager du Très-Saint-Sacrement* : on dirait le visage stylisé de Mme Nelligan, Mère-Muse qui rêve, les yeux fermés, sur l'œuvre de son fils. Dantin souhaite produire un volume esthétiquement beau, avec des en-têtes enluminés pour certains poèmes, une photographie de Nelligan au début du volume et une couverture cartonnée légèrement bleuâtre.

Mme Nelligan n'est pas indifférente à l'impression du recueil. Elle est réconfortée à l'idée que son fils pourra survivre dans son œuvre en dépit des maux à subir. Elle mobilise toutes ses forces et décide d'aller voir Émile à l'asile Saint-Benoît-Joseph-Labre.

Selon les renseignements qui nous viennent de la bouche de Béatrice Hudon-Campbell et de Gilles Corbeil, Mme Nelligan n'est allée voir son fils qu'une seule fois à l'asile, et ce au début de novembre 1902. Elle aurait été accompagnée d'Anne-Marie Gleason-Huguenin, qui avait remplacé Robertine Barry à *La Patrie* et qui signait du nom de Madeleine des articles pour la rubrique «Royaume des femmes». Une fois à l'établissement des frères de la

Charité, la mère seule a pu entrer dans la chambre du malade tandis que Madeleine attendait au parloir.

Retrouvailles bouleversantes après plus de trois années de séparation. On ne saura jamais au juste quels furent les propos échangés au cours de ce tête-à-tête émouvant entre la mère et le fils. Elle lui a certainement touché un mot de ses poèmes récemment publiés et aussi de ceux qui allaient paraître en volume grâce à Louis Dantin. Et lui, qui n'avait plus son regard d'autrefois, posait à sa mère d'infinies questions. Mais tout se passait comme dans un brouillard où les personnes ne sont que des silhouettes et des souvenirs, des ombres multiformes.

Sur le chemin du retour, Mme Nelligan ne s'appesantit pas sur l'entretien qu'elle avait eu avec son fils, mais Madeleine, qui avait déjà projeté de décrire cette visite sous la forme d'un compte rendu développé, comprit à demi-mot. Toutefois, Mme Nelligan s'opposa catégoriquement à ce que la journaliste mît son projet à exécution. Alors, celle-ci eut recours à un subterfuge. Elle allait concevoir une mise en scène habile : une chambre avec deux personnages au centre, un fils malade, presque mourant, et une mère sensible, en pleurs. Cette composition ressemble un peu à celle que Nelligan a rédigée en mars 1896, au collège Sainte-Marie, et qui avait pour titre « C'était l'automne… et les feuilles tombaient toujours ». Entre les deux textes, il existe toutefois une différence fondamentale : dans le premier cas, il s'agit d'un exercice d'imitation littéraire ; dans l'autre, la relation porte sur des personnages réels, Mme Nelligan et son fils clairement nommés.

Ainsi fut conçu par Madeleine et publié dans *La Patrie* du 15 novembre 1902 un récit important : *Testament d'âme. Aux amis d'Émile Nelligan*. Le titre, en deux

Eugène Seers (Louis Dantin) à 38 ans
Photo Bird, Boston, 1903. (Bibliothèque nationale
du Québec, fonds Nadeau)

parties, correspond parfaitement au contenu de l'article, où l'évocation d'un poète malade face à sa mère est suivie d'un message précis. Il importe d'examiner de près les deux volets de cette composition.

Dans la première partie, une mère endolorie contemple son fils enfiévré. Elle semble revivre les 20 ans passés avec lui. Dans cette évocation se glissent alors les soupirs et les bouts de phrases de la narratrice : « Mon Dieu, comme elle l'avait aimé ce fils ! Plus tard, elle avait découvert dans son grand œil bleu, l'éclair du génie ; elle devint confidente du poète. [...] Un jour, il lui refusa de lire ses vers. » La mère prend alors son fils dans ses bras. Le malade ouvre les yeux et, sa tête près de l'oreille maternelle, il chuchote :

> — Maman, tu sais, ces vers qui t'ont fait pleurer ? Je les regrette, je les répudie, dis-leur bien à tous que je les ai reniés. Demande à ces amis qui les ont lus, de les oublier, à ceux qui en gardent la copie, de la brûler. Émile Nelligan ne veut pas les avoir écrits. C'est mon testament à Dieu, et ma réparation à toi.

Ceci dit, il sombre de nouveau dans la nuit du songe profond.

La deuxième partie, qui est un message, commence par une citation entre guillemets qui semble être, d'après Madeleine, la fin de l'entretien qu'elle a eu avec la mère du poète.

> « C'est le testament de mon fils », me dit la mère, en terminant cette douloureuse mais consolante évocation. — « Voulez-vous le lire aux amis du cher absent, et à tous afin que la mémoire d'Émile Nelligan soit douce et pure comme sa tendresse filiale ? » Je

m'inclinai, émue jusqu'à l'intime de l'âme, par la prévoyance exquise de cette mère qui, oubliant sa douleur, repassait des souvenirs brisants, pour sauver la réputation littéraire du poète endormi, de la plus légère souillure. Elle voulait que son fils n'eût écrit que des vers lus par sa mère.

L'insistance sur la dernière volonté du poète — et qui est aussi l'ardent souhait de sa mère — a trait aux poésies de Nelligan qui paraissent indignes de figurer dans l'ensemble de son œuvre. Ce message s'adresse aux amis de Nelligan, surtout à Louis Dantin.

En novembre 1902, Madeleine connaît fort bien l'édition en chantier. Elle le souligne d'ailleurs clairement à la fin de son article:

> Les poésies d'Émile Nelligan réunies en volume seront avant longtemps en librairie. De l'avis de tous les connaisseurs, il était l'un des plus brillants parmi une phalange brillante de jeunes poètes. Lui était encore un enfant. Charles Gill, qui ne donne l'éloge qu'à celui qui le mérite, dit le plus grand bien du vrai talent de son pauvre ami.
>
> Le public devra encourager la publication des œuvres d'Émile Nelligan, ce sera un bel hommage à rendre à la poésie canadienne, et un juste tribut au talent du petit poète que la muse tua avec la douleur parfumée des poisons d'Orient.

Il en ressort que Madeleine a écrit cet article de connivence avec la mère de Nelligan pour mousser le volume composé par Dantin.

À ce propos, il faut décrire le problème soulevé par Mme Nelligan dans le contexte de l'époque. À la fin du

XIXᵉ siècle, la société canadienne-française était soumise à l'orthodoxie catholique tant sur le plan du comportement général que sur celui des croyances. Il était alors pratiquement interdit, par exemple, de parler ouvertement de l'acte sexuel et du suicide ou de critiquer le clergé. Or il est certain que dans quelques-unes de ses pièces, qualifiées d'«irrévérencieuses» ou de «scabreuses» par Dantin, Nelligan avait ironisé en décrivant le comportement du clergé, et il s'était même permis de brosser de petits tableaux sensuels. Le sonnet «Sieste ecclésiastique», publié le 14 janvier 1900 dans *Les Débats*, par Louvigny de Montigny, en est un exemple. Pour la mère de Nelligan, une telle poésie est inadmissible. Que l'on ait enchéri dans ce sens, il suffit pour s'en convaincre d'examiner l'écart qui existe entre l'«Émile Nelligan» de Louis Dantin publié dans *Les Débats* de 1902 et le même texte devenu préface dans l'édition de 1904. Dantin s'était vu obligé entre-temps de ciseler quelques phrases de son étude et d'écarter certaines citations jugées inappropriées par Mᵐᵉ Nelligan.

En dépit des moyens de fortune, l'impression du livre semble progresser à un bon rythme. En mars 1903 paraît dans *La Revue canadienne*, à ce sujet, un petit mot de Louis Dantin qui offre en primeur aux lecteurs de cette feuille sept poèmes de Nelligan. La rédaction annonce en même temps une souscription : le recueil de quelque 200 pages se vendra 75 cents payables sur «livraison». Pour l'éditeur, ami sincère du poète, une nouvelle occasion s'offre de prouver sa fidélité.

À vingt ans, à l'âge où d'autres balbutient encore la langue des lettres, Émile Nelligan avait déjà fait le tour des écoles et des théories, rimant selon Gautier, selon Baudelaire, selon Verlaine, au gré du caprice, et, à travers ces avatars où sa personnalité risquait de se dissoudre, trouvant encore le secret de rester lui-même. [...] De la catastrophe où tout sombrait, de riches épaves ont surnagé. Nelligan laisse, en fragments épars, une œuvre audacieuse et admirable de promesses. Parmi les gaucheries du débutant, s'affirme la maîtrise d'un esprit subtil, brillant, original, et d'un écrivain de haute marque. Il s'était, par goût et par instinct, jeté à l'avant-garde du mouvement de modernité en notre pays : son style a donc de quoi scandaliser plus d'un dévot des normes classiques : mais il plaira aux esprits plus larges, plus délicats aussi, qui croient que le monde artistique doit se renouveler sans cesse, et que l'effort est fier, de chercher des passes inexplorées pour atteindre les cimes du Beau.

Dantin, on le voit bien, ne déroge pas à la règle qu'observent amis et critiques : jamais d'éloges gratuits, jamais de condamnations fortuites. Il est maître de son jugement, toujours nuancé dans ses commentaires. Avant qu'il ne soit publié, le recueil de Nelligan profite ainsi d'un bon éclairage critique.

Le livre est attendu pour la fin de l'année 1903. Mais soudain les choses se compliquent. Il devient impossible pour Dantin de mener l'impression du recueil à terme. À la suite d'une rencontre avec une femme et de nouveaux démêlés avec sa communauté, Dantin décide, en octobre 1903, de quitter à jamais la vie religieuse et de s'exiler aux États-Unis. Avant de partir, il prépare sa valise et fait le tri de ses effets personnels. C'est avec regret qu'il doit se séparer d'un livre qui lui tient tant à cœur.

J'ai moi-même surveillé l'impression jusqu'à la moitié du volume, ou plutôt jusqu'à la page 70; cette impression se faisait sur les presses de la communauté dont je faisais partie. Ce fut juste à ce point que je partis pour les États-Unis; et ne pouvant dès lors m'occuper du volume, je fis transporter les feuillets déjà imprimés chez Mme Nelligan, mère d'Émile, et lui remis le reste du manuscrit que j'avais d'avance colligé des multiples cahiers du jeune homme et ce fut elle qui se chargea de faire terminer le volume.

Les travaux sont trop avancés pour reculer. *La Revue canadienne* a déjà une longue liste de souscripteurs. Aidé de Charles Gill, Mme Nelligan se rend à la librairie Beauchemin, qui accepte de parachever l'impression et de publier le livre.

Émile Nelligan et son Œuvre paraîtra donc chez Beauchemin en février 1904. Ce livre tient du miracle vu les contretemps qui ont ponctué sa préparation. Imprimé avec goût et soin, il semble plaire au public avec sa couverture bleuâtre, son beau papier crème, deux photos du poète: l'une sur la couverture, l'autre en hors-texte en regard du titre. C'est bien lui, le poète de l'École littéraire de Montréal, d'après le cliché bien connu de Laprés et Lavergne qui revient aujourd'hui à ses amis! Il faut connaître la situation — et la rareté — des imprimés à Montréal au tournant du siècle pour apprécier combien le recueil de poésies de Nelligan fut, en 1904, un événement remarquable.

Le livre est salué comme il se doit le 27 février par Madeleine dans *La Patrie* et par Albert Laberge dans *La Presse*. Tous deux reconnaissent en Nelligan l'ami et le poète. Madeleine l'appelle «jardinier d'amour» et reproduit trois de ses sonnets. Albert Laberge, chroniqueur sportif qui aime s'évader quand il le peut dans le monde des lettres, parle du livre avec enthousiasme et dit sans ambages qu'Émile Nelligan «était un poète dans toute l'acception du mot». Suit dans l'ordre Charles Gill qui, le 6 mars, déclare que Nelligan est un artiste de grand courage face à l'hypocrisie de certains critiques, et il publie un inédit: «Sur un portrait de Dante». Aussi, après un long silence, la voix de Robertine Barry se fait entendre, elle qui, depuis 1902, dirige et anime son prestigieux *Journal de Françoise*. Elle rappelle d'abord à ses lecteurs, le 19 mars, le nom de Nelligan, en publiant sa photographie sur la page de titre et le poème «Rêve d'artiste», sonnet qu'elle adore et qui a été écrit, on le sait, pour elle. Le 2 avril, avec «Alleluia» de Pâques, elle reproduit la photographie de Nelligan, mais cette fois encadrée d'un émouvant commentaire inspiré par le recueil de ses poésies.

> Non, jamais je ne pourrai, je le sens, faire de ce livre la critique qui fouille et qui dissèque. J'ai vu de trop près s'épanouir et fleurir ce beau talent; trop longtemps je fus pour lui cette «sœur d'amitié» pour que je puisse aujourd'hui apporter à son œuvre autre chose que le témoignage de la grande affection que je lui avais vouée. Presque toutes les poésies que contient le livre d'Émile Nelligan, je les ai entendues de sa bouche, et combien je regrette la sourdine mise alors à mon admiration, de crainte d'éveiller dans cette âme si jeune la semence pernicieuse d'un dangereux orgueil.

Et la « sœur d'amitié » de cet enfant de 17 ans semble bien connaître le poète quand elle contredit Louis Dantin en affirmant que l'œil de Nelligan n'était pas noir, mais brillait d'un éclat particulier où « au vieux sang milésien s'ajoute la clarté des Celtes fleurie de mirages. Ah ! quel barde plus beau et plus inspiré eût-on pu souhaiter, en effet, pour chanter les malheurs d'Érin et la pureté de ses vierges ! » Françoise espère que le poète reviendra « au retour des cloches, dans l'éclat matinal et joyeux d'un soleil de Pâques que l'ange du Seigneur, le touchant au front de son doigt, lui criera : *Resurgam !* ».

Mais le poète ne revient pas à sa demeure du 586, rue Saint-Denis, où sa famille habite maintenant. Il a passé les fêtes de Pâques dans son asile. Les distiques de sa « Communion pascale » vibrent bien dans les cœurs des lecteurs de *L'Alliance nationale*. Le mardi de Pâques, 5 avril, le docteur Georges Villeneuve, qui soigne Nelligan, revient à son bureau de l'asile Saint-Benoît-Joseph-Labre et y fait venir le malade. Il lui montre son recueil. Nelligan le regarde d'un œil distrait, un peu triste, tristement joyeux, comme il est dit dans « La Romance du Vin ». Le docteur lui demande de dédicacer son exemplaire. Nelligan prend la plume, hésite quelques instants et écrit : « Au Docteur Villeneuve, 5 avril 1904. Émile Nelligan. » Il accepte ensuite d'inscrire sur une page blanche, au début du recueil, l'un de ses poèmes. Il se met alors à écrire, au verso du hors-texte où se trouve sa photographie, « La Réponse du Crucifix ». Une main hésitante aligne laborieusement les vers écrits de mémoire. Des fautes se glissent presque à chaque vers. La page ne suffit pas, il écrira les trois derniers vers sur la page de titre, du côté droit, perpendiculairement.

Si l'on examine attentivement *Émile Nelligan et son Œuvre*, on constate que le recueil contient 107 poèmes regroupés en dix sections. On se pose aussitôt cette question : en vertu de quel plan s'est fait le groupement des poèmes en sections et, partant, l'architecture du recueil ? Aucun plan définitif ne nous est parvenu. Les deux ébauches de plan esquissées par Nelligan permettent de constater des différences notables. Dans la structure du recueil organisé par Dantin, à peine quelques titres de section sont retenus ou partiellement exploités : *Petite Chapelle*, *Les pieds sur les chenets*, *Vesprées mystiques ou Choses mystiques* (que Dantin change en *Vêpres tragiques*), *Villa d'enfance* (que Dantin change en *Le jardin de l'enfance*). Ni dans son étude *Émile Nelligan* ni dans ses lettres Dantin ne dit un seul mot à ce sujet. Tout demeure donc au niveau des conjectures. Le plan du livre semble reposer sur une idée assez cérébrale, et certains titres — *L'Âme du poète*, *Amours d'élite*, *Eaux-fortes funéraires* — ne me paraissent pas venir du poète. Il faut se rappeler ici que l'idée générale qui se dégage des deux plans ébauchés est celle d'un « récital des anges ». Nelligan semblait être fortement préoccupé de donner à l'organisation de son œuvre un mouvement musical : le lecteur passerait de l'écho d'un récital des anges célestes à celui des « anges maudits ».

Des questions se posent ici à l'infini. Le poète a-t-il donné un titre à la matière de ses « cahiers » dont chacun aurait pu correspondre à une section de son recueil ? A-t-il préparé un troisième plan qui aurait pu renseigner Dantin sur la marche à suivre ? L'éditeur a-t-il eu d'autres indications qui auraient pu l'autoriser à effectuer un groupement d'ensemble sous la forme que nous connaissons aujourd'hui ? Si Dantin n'en parle pas, c'est que le plan définitif manquait et que lui-même a dû se mettre à la recherche d'une solution raisonnable pour constituer un recueil dont l'organisation vient en partie de lui.

Un textologue averti remarquera aussi une autre anomalie dans la première édition des poésies de Nelligan. Pour des raisons que nous connaissons déjà, le recueil représente, du point de vue de la typographie, deux parties distinctes : jusqu'à la page 70 inclusivement, ce sont les caractères d'imprimerie de l'atelier des pères du Très-Saint-Sacrement ; à partir de la page 71, c'est la composition de la librairie Beauchemin, qui continue l'impression en utilisant des caractères analogues, mais qui ne sont toutefois pas les mêmes que ceux qu'avait eus à sa disposition Louis Dantin. Dans la première partie, chaque section commence par un poème en italique, ce qui n'est pas le cas dans les cinq dernières sections. Enfin, les en-têtes enluminés ne sont pas de la même main dans la partie imprimée par Beauchemin.

Exilé à Cambridge (États-Unis), soumis à un pénible travail de typographie, coupé du monde, Dantin semble avoir perdu contact avec tout ce qui touchait à Nelligan jusqu'en février 1909. C'est à ce moment qu'il nouera une relation épistolaire avec Germain Beaulieu et lui fera savoir que l'édition de 1904 contient une trentaine d'erreurs typographiques qu'il faudra un jour éliminer. Il préparera alors une liste de corrections à partir des annotations dans son exemplaire personnel de la première édition des poésies de Nelligan. Cette édition corrigée, critique, sera faite par Réjean Robidoux en 1997 et publiée dans la collection « Bibliothèque du Nouveau Monde ».

Telle se présente l'histoire de l'édition princeps des poésies de Nelligan. On doit être reconnaissant à Louis Dantin qui, grâce à son dévouement, à sa persévérance et à son sens critique, a sauvé de l'oubli la meilleure part de l'œuvre de son ami. À partir de 1904, la poésie de Nelligan se fraiera elle-même un chemin vers d'autres éditions qui paraîtront en 1925, en 1932, en 1945, et elle fera l'objet, en 1952, d'une première édition critique. Le cas Nelligan-Dantin est un bel exemple de ce que peut faire l'amitié dans la vie d'une œuvre littéraire.

Ecce homo, ecce poeta

Une fois rendu à l'asile, Nelligan reste emmuré dans son silence. Taciturne et fatigué, il ne recherche pas le contact humain, content d'être seul avec lui-même. Les rares témoignages qui portent sur cette période établissent avec certitude que son élan créateur est brisé. Le poète vit dans un état de lassitude où le moi se revoit dans des souvenirs confus et dans les mirages de son œuvre tronquée. Certes, Émile jouit de temps en temps de moments d'une relative lucidité, la mémoire fonctionne par secousses, tantôt bien, tantôt mal, mais jamais avec une fidélité parfaite. Les poèmes évoqués se fanent souvent au bord des lèvres ou, s'ils parviennent à se libérer, ils empruntent des modulations imprévues qui, dans la plupart des cas, ne sont pas des trouvailles, mais de simples coïncidences stylistiques ou phonétiques dans lesquelles se reflète ici et là le génie brisé. Nelligan n'est certes pas un fou qui casse les portes et les fenêtres, mais il est incontestablement atteint d'une maladie nerveuse qui empêche ses facultés cognitives de fonctionner normalement. Dans cette situation psychique, le poète agit comme effacé dans un corps affaibli. Nelligan est désormais irrémédiablement incapable de créer. Si l'on doit parler d'une œuvre, celle-ci est d'ores et déjà accomplie. Ce qu'il produira sur commande, à

Saint-Benoît et plus tard à Saint-Jean-de-Dieu, n'est que le triste épilogue d'un poète vaincu.

Il existe un témoignage du frère Théodat qui, pendant un quart de siècle, a pu observer le comportement de Nelligan à l'asile Saint-Benoît-Joseph-Labre. Il raconte :

> J'ai vécu quotidiennement dans l'entourage d'Émile Nelligan pendant les vingt-six années de son séjour ici, soit de 1899 à 1925. À ma connaissance, il n'a jamais écrit ici. Mais il savait par cœur la plupart de ses poèmes et les récitait volontiers devant des auditeurs avec qui il se sentait de confiance, de qui il se sentait compris. Devant ceux-là il récitait même avec chaleur, avec fougue, et c'était beauté d'entendre ces vers à la musicale langueur, dits par cette voix grave. [...] C'était un hyper-émotif. [...] Ses chagrins d'adolescent avaient déchaîné en lui des orages. [...] Il était bon, il était doux, sans ombre de malice. Souvent il chantait ou déclamait pour se distraire. [...] Puis, je le voyais tout à coup sombrer dans sa mélancolie. Il s'enfermait dans sa chambre et il marchait de long en large en proie à une douleur intérieure dont nul ne pouvait le délivrer. À quoi pensait-il ? Je ne l'ai jamais su : il ne parlait pas. [...] Comme nous le laissions libre dans ses allées et venues, il descendait au jardin où, assis dans le pavillon au bord du fleuve, il regardait passer les paquebots et les voiliers, ce dont il ne se lassait jamais [SMEEN].

Ainsi continuait en silence le grand rêve de l'auteur du « Vaisseau d'Or ».

Nelligan écrivait-il des poèmes à l'hôpital Saint-Jean-de-Dieu ? Si oui, comment sont ces textes ? Ont-ils une valeur littéraire ? Ces questions sont certes pertinentes.

Sans nul doute, Nelligan écrivait à l'hôpital Saint-Jean-de-Dieu. Mais est-il parvenu à créer des poèmes nouveaux, originaux, d'inspiration forte? À moins qu'on trouve un jour des textes encore inconnus correspondant à la période d'internement du poète, ceux que nous connaissons aujourd'hui appartiennent plutôt à la catégorie de l'ébauche. Il est vrai que Nelligan griffonnait beaucoup. Il a même tenté, dans des moments privilégiés, d'écrire quelques poésies plus ciselées, mais ces tentatives n'ont pas donné les résultats escomptés. Le poète s'adonnait surtout à la réécriture de ses anciens poèmes, comme il recopiait aussi de mémoire des poèmes d'auteurs français, belges et anglais. Nelligan, nous le savons déjà, était doué d'une mémoire prodigieuse. Malgré des défaillances, qui s'expliquent par la maladie, cette mémoire a fonctionné avec des hauts et des bas pratiquement jusqu'à la mort du poète. Par ailleurs, on constate maintes fois une certaine confusion, alors qu'il signe de son propre nom l'«Ancolie» de Joséphin Soulary ou laisse croire que «Douceur du soir...» est un nouveau poème à naître, tandis qu'en réalité il s'agit là d'un texte de Rodenbach. On dirait que son esprit malade ne parvient plus à établir de distinction entre sa propre poésie et ce qui appartient aux autres: ce qui compte pour lui c'est que les mots soient de la Poésie...

À l'asile, Nelligan noircissait le papier comme il pouvait, à l'encre et à la mine de plomb: sur des bouts de papier quelconques, dans des petits carnets destinés aux notes des sœurs en service, sur la feuille d'un visiteur, dans des «albums d'autographes» passés de temps en temps par de jeunes infirmières. Parfois, dans ses carnets de fortune, outre les poèmes, Nelligan transcrit, un peu machinalement, des passages de journaux, de revues:

dans la plupart des cas, il s'agit de nouvelles insignifian-
tes, d'annonces, d'extraits d'articles d'actualité. Il les
copie sans aucun discernement, parce que l'envie le prend
d'écrire un texte. L'essentiel de cette écriture asilaire est
consigné dans ces calepins de fortune et dans des carnets
d'autographes dont j'ai établi un bilan quasiment complet
dans la *Biographie* de Nelligan publiée en 1987 [GBN
574-5]. De son côté, Jacques Michon a livré tout le dossier de ces pièces dans le deuxième volume des *Œuvres
complètes, Émile Nelligan, Poèmes et textes d'asile 1900-
1941*, publié chez Fides en 1991 [NEPC-M].

J'ai recueilli la plupart de ces manuscrits, qui m'ont
parfois servi d'indices lors de l'établissement des textes
de Nelligan, parfois à deviner la force de sa pensée créatrice assoupie dans le brasier de son cerveau déséquilibré.
Mais en général, ces vers ne parviennent presque jamais
à atteindre une forme impeccable. Le poème qui subit le
plus souvent la réécriture libre est « Le Vaisseau d'Or ». Il
en existe un manuscrit daté du 4 mars 1912 dont le docteur Lionel Lafleur m'a communiqué une copie en 1966.
En dépit de nombreuses fautes, en général mineures, ce
manuscrit a permis de fixer la version de base qui respecte
l'intention initiale du poète quant à la structure langagière
de l'ensemble, ne fût-ce que le début du premier vers où
Nelligan emploie toujours le verbe à l'imparfait. Consé-
quemment, l'écriture asilaire du poète sert l'étude texto-
logique de son œuvre.

Il est difficile de suivre la vie de Nelligan à Saint-
Benoît-Joseph-Labre. Le document essentiel sur l'évolution de sa maladie semble s'être volatilisé, à l'instar de
tout le dossier médical qui s'était constitué pendant 25 ans
autour du pensionnaire soigné selon les méthodes d'autrefois. Parmi les membres de l'École littéraire de Montréal,

ce sont surtout Charles Gill et Louis-Joseph Doucet qui lui rendent visite. Le premier garde du poète l'image d'un homme vieilli qui a pris de l'embonpoint, marche lourdement, récite ses vers à droite et à gauche, au dortoir et aux séances de l'hôpital. Doucet se rappelle pour sa part cette affirmation de Nelligan : « Je ne suis rien, je suis du papier. »

Nelligan séjourne à l'asile dans l'espoir de recouvrer la santé. On lui recommande le calme et le repos. Selon le docteur Georges Villeneuve, une partie des cellules de son cerveau ont été irrémédiablement endommagées, et ses facultés cognitives s'en ressentent. Dans son comportement, on assiste toujours à la même alternance de réactions : un moment de lucidité est suivi d'un affaiblissement de la mémoire ; un effort enthousiaste pour passer à l'action, d'une fatigue grandissante ; une conversation agréable, d'un repliement sur lui-même. Bien qu'il lui plût d'avoir des visites, Émile ne se plaignait jamais de vivre en rêveur solitaire. Le règlement de l'établissement stipulait que pour voir un patient, il fallait se munir au préalable d'une permission écrite de la famille et, par la suite, de celle du médecin de service. Or, on sait que David Nelligan n'aimait guère que l'on visitât son fils à l'asile. Quant à Mme Nelligan, elle craignait les intrus et ne signait les permissions qu'avec beaucoup de prudence, en s'assurant d'abord qu'aucune atteinte ne pût être faite à la réputation d'Émile. Il était à l'époque de règle commune de cacher, autant que possible, un cas de maladie mentale au sein d'une famille. Il reste que certaines visites, telles que celles de Guillaume Lahaise, faisaient à Nelligan le plus grand bien.

Il faut cependant écouter le docteur Ernest Choquette, membre attitré du Bureau des asiles et prisons, pour mieux connaître l'état du malade. C'est à titre d'inspecteur qu'il visite, entre le 15 et le 17 décembre, l'établissement où séjourne Nelligan. Il trouve celui-ci assis sur un banc, «jeune homme à figure hirsute, affalé comme sans vie», au milieu d'un «tas de cerveaux en bouillie». Les questions et les réponses s'entrecroisent dans un débit incohérent où les noms des poètes et les titres des poèmes se confondent dans des phrases sans suite. Nelligan scande «Le Naufragé» de François Coppée. «Vous représentez-vous bien le tableau? remarque le docteur Choquette, cette triste salle d'hôpital, ces physionomies atones, ces aliénés autour de nous, ces autres qui hurlent, qui pleurent ou qui rient dans les coins et ce poète délirant qui récite des vers...» Alors, le docteur empoigne Nelligan qui se prend pour Henri Heine et l'entraîne hors de la salle. Il lui demande de terminer la récitation de la pièce «Morphine». Le sommeil est bon, remarque le médecin, la mort est meilleure, mais il vaudrait mieux encore n'être jamais né.

Le récit du docteur Choquette est sombrement réaliste. Le ton est poignant. Dans la relation de bien des visiteurs, Nelligan malade apparaissait toujours voilé de souvenirs, entouré de compassion. Chez Choquette, il ressemble à un *Ecce homo* de dérision, à un naufragé dont l'abîme écarte la muraille des flots. On se sent impuissant devant cette tragédie. Triste, résigné, confus dans son débit, Nelligan ne pourra jamais comprendre quel remords noir l'a atteint jusqu'au tréfonds: *ecce poeta*. Le docteur Choquette allait publier son rapport dans *Le Canada* du 24 décembre 1909, et rappeler ainsi le 30e anniversaire de l'auteur du «Vaisseau d'Or»... naufragé...

Transféré à l'hôpital Saint-Jean-de-Dieu, Nelligan y poursuivra sa vie de malade, traversant peut-être moins de

Gondolar Gondolard
«Étrange complainte», disait Dantin en 1902;
elle figure dans le «Carnet d'hôpital I», c. 1930,
p. 121. (Collection Wyczynski)

crises aiguës, mais dans un état de santé qui va en se détériorant. Il est placé ici faute d'argent pour payer sa pension : il devient pensionnaire aux frais du gouvernement. Sa mère s'est éteinte en 1913, son père en 1924, sa sœur Gertrude (Mme Émile Corbeil) meurt du cancer le 5 mai 1925. Quand on est malade, on est de plus en plus seul : le 23 octobre 1925, Émile Nelligan, âgé de 44 ans, devient le numéro 18136 à l'hôpital Saint-Jean-de-Dieu, que certains appellent « l'asile Gamelin » en souvenir, sans doute, de la généreuse fondatrice Émilie Tavernier-Gamelin.

À vrai dire, l'état du malade est stationnaire. Mémoire affaiblie, défaillance intellectuelle, Nelligan est un malade « ordinaire » parmi tant d'autres. Le docteur Omer Noël, surintendant de l'hôpital Saint-Jean-de-Dieu, l'un des meilleurs aliénistes, sinon le meilleur, de la province de Québec, déclare que Nelligan souffre d'une sorte de psychose qui, dans le langage psychiatrique d'alors, est appelée « démence précoce ». Cette maladie mentale, nous dit ce médecin, est considérée comme incurable. Selon le docteur Emil Kraepelin, chercheur allemand, la démence précoce affecte la structure même de la personnalité du malade : elle est à l'origine des nombreuses perturbations de la représentation et du comportement, et cela en raison de lésions au cerveau. Ce qui peut provoquer une psychose délirante, comme c'était le cas chez Nelligan.

Nelligan, même à l'hôpital, se comporte comme un artiste. La flamme poétique chez lui a baissé, mais une lueur vacille encore. Par les brèches de sa psychose lui viennent souvent à l'esprit des mots d'autrefois, des vers appris par cœur, les siens et ceux d'autres poètes. Ce langage des Muses, il le ressuscite tantôt pour lui-même, tantôt pour ceux qui viennent parfois le solliciter : amis,

Le Saule

Mes chers amis quand je mourrai
Plantez un saule au cimetière.
J'aime son feuillage éploré
La pâleur m'en est douce et chère
Et son ombre sera légère
A la terre où je dormirai.
Mes chers amis quand je mourrai
Plantez un saule au cimetière.

Alfred De Musset

Le Saule
Extrait de « Lucie », élégie d'Alfred de Musset,
transcrit de mémoire par Nelligan autour de 1930, dans son
« Carnet d'hôpital II », p. 8. Musset figurait depuis toujours
parmi les poètes de chevet de Nelligan.

journalistes, infirmières... La plus fidèle est Madeleine depuis que Françoise est décédée subitement en 1910. Devant ces visiteurs, il récite non sans plaisir des strophes retrouvées au fond de sa mémoire. Mais au fur et à mesure que les années s'écoulent, il les scande de façon de plus en plus monotone, comme un automate. C'est alors que de sa bouche s'échappe des bribes de poèmes, ou des poèmes entiers, sa mémoire défaillante change ici et là une image, l'ordre d'un vers dans une strophe, un mot. Son esprit a gardé relativement intacts quelques poèmes : « Le Naufragé » de François Coppée, « L'Invitation au voyage » de Charles Baudelaire, « La Nuit de décembre » d'Alfred de Musset et, évidemment, « Le Corbeau » d'Edgar Allan Poe. Parmi ses poèmes, « Le Vaisseau d'Or » figure toujours en tête de son répertoire. On le prie souvent de réciter ce sonnet et, avec les années, il accède machinalement à la demande des infirmières, comme un orgue de Barbarie qui reprend sans cesse la même chanson, avec les mêmes intonations.

Depuis 1939, la santé de Nelligan décline. De la salle Saint-Patrice, il passe souvent à la salle Saint-Roch pour une série de traitements. Tantôt les bronches sont affectées, tantôt une fatigue l'envahit et le cloue au lit. On peut certes guérir temporairement une péribronchite et remédier, dans une certaine mesure, au mauvais fonctionnement de la prostate. Mais on ne peut pas arrêter le vieillissement rapide causé par un métabolisme ébranlé. Le docteur Rodolphe Richard fait ce qu'il peut : il soigne son client de son mieux, et il l'aime aussi parce qu'il voit dans l'homme malade un poète toujours vivant bien que ses facultés de perception et de jugement soient diminuées. Les photographies prises par l'abbé Albert Tessier et l'abbé Irénée Lussier, aumônier du pavillon Tavernier,

Nelligan à soixante ans
Photographie prise par Mgr Albert Tessier
à Saint-Jean-de-Dieu, vers la fin de 1939.
(Bibliothèque nationale du Québec, fonds Nadeau)

futur recteur de l'Université de Montréal, montrent un Nelligan vieilli, triste, abattu.

À l'hôpital Saint-Jean-de-Dieu — et surtout au cours des dernières années de son séjour dans cette institution —, la santé de Nelligan révèle deux défaillances : démence précoce à l'état stationnaire et troubles cardio-vasculaires compliqués de péribronchite et de prostatite (inflammation de la prostate) chronique. Le premier état nécessite des soins psychiatriques ; le deuxième relève de la médecine clinique et, au fur et à mesure que les années s'écoulent, le patient doit subir une série d'examens et de traitements.

À l'été de 1941, les malaises augmentent. Le 30 juillet, le malade est de nouveau transféré à la salle Saint-Roch pour prendre du repos et suivre des traitements. Il se plaint de douleurs aux jambes. Depuis des mois, il souffre d'asthénie (fatigue généralisée). Il prend cinq gouttes de digitaline par jour pour remédier à son insuffisance cardiaque. On lit des signes d'inquiétude dans le comportement du malade et son visage est de plus en plus pâle.

Le 21 octobre 1941, le docteur Eugène Dufresne examine le malade et constate que la rétention de la vessie devient dangereuse. Il note : « Le malade dit qu'il n'a pas uriné depuis deux jours » et, au bas de la fiche médicale, ce rapport condensé : « Rétention complète. Faux trajet. Cathétérisme impossible. Prostate hypertrophiée. Cysto-stomie. » Le 11 novembre, Nelligan subit une prostatectomie. Malgré toutes sortes de traitements, l'état de santé du patient ne s'améliore pas. Le poète s'éteint le mardi 18 novembre 1941.

Émile Nelligan est mort en fixant un humble crucifix de bois noir. [...] Le poète [...] a rendu l'âme à

Émile Nelligan
Médaillon, Alonzo Cinq-Mars, 1930.
(Collection Wyczynski)

deux heures et quinze minutes, mardi le 18 novembre [...]. Il s'est endormi paisiblement dans la mort. Auprès de lui se trouvaient son neveu, le R. P. Lionel Corbeil, c.s.c., et le F. Paul-Marie, de la même communauté.

La dépouille mortelle est exposée à la chambre mortuaire de l'hôpital Saint-Jean-de-Dieu. Une amie de Juliette Corbeil-Ladouceur, Mme Marcelle Tétrault-Cousineau, esquisse, la veille des funérailles, le masque mortuaire d'Émile Nelligan. *La Patrie* montre à ses lecteurs le poète dans son cercueil.

Les obsèques de Nelligan ont lieu à la chapelle de l'hôpital Saint-Jean-de-Dieu, le vendredi 21 novembre, à 9 h 00. Quelques minutes avant, la dépouille mortelle est transportée de la chambre mortuaire à la chapelle. Le cortège est conduit par Émile Corbeil, beau-frère du défunt, ses fils, Maurice, Guy, Gilles Corbeil, ainsi que son gendre, le docteur Léo Ladouceur, mari de Juliette Corbeil. L'Université de Montréal est représentée par son vice-recteur, Mgr Émile Chartier, l'École littéraire de Montréal par Louis-Joseph Béliveau et Jean-Aubert Loranger, l'hôpital Saint-Jean-de-Dieu par les docteurs Guillaume Lahaise, Eugène Dufresne et J.-É. Cabana. Les clercs de Saint-Viateur ont délégué le P. Irénée Lavallée, curé de Saint-Viateur d'Outremont, église paroissiale de la famille Corbeil.

Le service funèbre, ponctué de chants grégoriens, est célébré par le P. Lionel Corbeil, c.s.c., neveu du poète, assisté des abbés Joseph Martin et Joachim Forest. Dans le chœur, on remarque le P. Jean Corbeil, c.s.c., autre neveu du défunt, ainsi que les pères Édouard Laurin, Philias Boulay, tous les deux de la congrégation des pères

Mardi 14 Sept, 1937.

Que reste-t-il de lui dans la tempête bleue?
Qu'est devenu mon cœur, navire déserté?
Hélas! Il a sombré dans l'abîme du Rêve!...

Emile Nelligan.

Que reste-t-il de lui... ?
Dernier tercet du « Vaisseau d'Or », transcrit
de mémoire par Nelligan le 14 septembre 1937, pour le
journaliste Hervé de Saint-Georges. Ce texte sera publié
dans *La Patrie* du 18 septembre 1937, puis, dans
le même journal, le 19 novembre 1941.

de Sainte-Croix, de même que le P. Émile Legault, directeur des Compagnons de Saint-Laurent. À la chapelle prennent place, aux côtés des neveux du poète, ses nièces Marielle Corbeil et Juliette Corbeil-Ladouceur. La parenté, même lointaine, se trouve aussi à la chapelle. Plusieurs amis du poète, ainsi que de nombreuses sœurs et infirmières, de même que quelques patients qui ont vécu pendant des années dans l'entourage du poète assistent aux funérailles. En apprenant la mort de Nelligan, Alfred DesRochers, attristé, rumine son chagrin. Bouleversé par la nouvelle, il écrit un sonnet à la gloire de celui qui sera désormais conduit par « L'étoile du Berger et l'étoile polaire ». Sur une note de désespoir, Jean-Charles Harvey s'écrie : « L'étrange fatalité qui s'acharne sur le Canada français que l'art n'a pourtant pas comblé et qui veut que nous perdions deux fois notre poète ! Nelligan vient de mourir à la vie : il était déjà mort à la poésie. » Nous dirions autrement : le cœur de Nelligan a touché le fond de l'abîme du Rêve, son âme cependant continue de vivre dans sa Poésie.

Quelle coïncidence ! Le 18 novembre 1941 meurt Nelligan. Cinquante ans plus tôt, le 10 novembre 1891, mourait à Marseille Arthur Rimbaud. Le 22 novembre, c'est la fête de sainte Cécile, cette belle sainte aux yeux bleus, patronne des musiciens, chantée et adorée par les poètes. Le premier incarne la « voyance », la seconde, la « musique ». Disons que la mort de celui qui a rêvé d'intituler son recueil « Motifs du Récital des Anges » marque au Québec la date d'une poésie à « voyance musicale ». Le corps d'Émile Nelligan est conduit au cimetière de la Côte-des-Neiges. Novembre. La Toussaint a laissé des fleurs sur les tombes. Et « c'était l'automne... et les feuilles tombaient toujours. »

Au cimetière de la Côte-des-Neiges, le caveau de famille des Nelligan se confond avec les autres tombes. Émile Nelligan y est allé rejoindre sa mère, son père, sa sœur Gertrude et quelques défunts apparentés à sa famille. Ainsi, son rêve s'est réalisé, lui qui avait toujours désiré reposer en paix

> Sous le cyprès de mort, au coin du cimetière
> Où gît [sa] belle enfance au glacial tombeau.

Là, la nuit et la lumière se confondent dans une impénétrable éternité. La mort a fauché l'homme, mais elle n'a pas fauché le poète. Celui-ci va revivre plus fort que jamais, auréolé par le destin tragique du «Vaisseau d'Or». En attendant que le nom du poète soit gravé dans la pierre, la poésie d'Émile Nelligan s'établira rapidement en un monument grandissant de la parole vivante, renouvelée par l'accueil généreux des générations successives.

Stèle fleurie

Ce n'est qu'un quart de siècle après la mort de Nelligan qu'une stèle a été érigée sur sa tombe au cimetière de la Côte-des-Neiges, lors d'une cérémonie, pour souligner le 25e anniversaire de son décès. C'est un bloc de granit au milieu duquel on lit en quatre lignes: «ÉMILE NELLIGAN POÈTE 1879-1941». En haut: le visage de Nelligan d'après le médaillon d'Alonzo Cinq-Mars, expressive effigie exécutée en 1930. En bas: le deuxième vers du «Vaisseau d'Or»: «Ses mâts touchaient l'azur sur des mers inconnues». Simple et émouvant à la fois! Une pierre de provenance inconnue porte silencieusement le nom de celui qui toute sa vie durant a voulu être POÈTE. Dans les arbres, le vent chante mélancoliquement une sérénade triste.

Mais à vrai dire, ce n'est pas une sérénade triste; c'est plutôt un nocturne nostalgique où l'on devine l'aube prochaine et le rayonnement solaire. La société, plutôt ingrate pour le Nelligan de 20 ans, se montrera désormais reconnaissante à son égard. Son profil d'homme sera tracé dans maintes études scolaires et socio-populaires; son profil de poète surgira dans les éditions et rééditions de son œuvre dont deux éditions critiques. L'intérêt pour Nelligan grandit avec les années. Il est de plus en plus proche de ceux qui se penchent sur sa vie et son œuvre. Il fascine surtout les jeunes qui lui vouent une admiration que beaucoup d'écrivains peuvent lui envier.

Ainsi, tout événement lié à sa vie suscite l'attention. On publie des ouvrages, on organise des colloques et des récitals de poésie à l'occasion des anniversaires qui marquent les dates importantes concernant sa vie et son œuvre. Aucun auteur québécois n'aura mérité autant d'études et de publications que Nelligan. Parfois, l'enthousiasme dépasse toutes les prévisions. Quelle ne fut pas la surprise en octobre 1989 lorsque l'Opéra de Montréal annonça la mise en chantier de *Nelligan. Un opéra romantique*. Après la publication de mon ouvrage *Nelligan 1879-1941. Biographie* (1987), Michel Tremblay et André Gagnon composèrent côte à côte livret et musique pour évoquer, dans une mise en scène d'André Brassard, le destin de l'auteur du «Vaisseau d'Or». La distribution réunissait entre autres Louise Forestier, Renée Claude, Michel

EMILE
NELLIGAN
POÈTE

1879 – 1941

ses mats touchaient l'azur, sur des mers inconnues

La tombe de Nelligan
Photo Armour Landry. Les obsèques de Nelligan
eurent lieu le 21 novembre 1941, au cimetière de la
Côte-des-Neiges. Mais la stèle ne fut dévoilée que le 18
novembre 1966, lors d'une cérémonie commémorative
soulignant le 25ᵉ anniversaire du décès du poète.

Comeau, Jim Corcoran, Yves Soutière, ce qui montre le sérieux de l'entreprise. Certes, tout n'est pas parfait dans cette pièce. Il reste que *Nelligan. Un opéra romantique* fut joué à Québec, à Montréal et à Ottawa, de sorte que Nelligan devint familier à des milliers de gens.

Un phénomène semblable se produisit en décembre 1974, lorsque Monique Leyrac commença au Patriote le célèbre récital de poésies en hommage à l'auteur de « La Romance du Vin » pour le présenter ensuite au Québec, au Canada et à l'étranger. Il en reste aujourd'hui un disque, « Monique Leyrac chante Nelligan », accompagné d'un *Magazine Spectacles* fort goûté par le public.

Dix ans plus tard, le 22 septembre 1985, à la télévision, dans le cadre des *Beaux Dimanches*, on peut entendre *Les Abîmes du rêve sur des poèmes d'Émile Nelligan* du compositeur Jacques Hétu. L'œuvre fut créée au Grand Théâtre de Québec par l'orchestre symphonique de cette ville, sous la direction de Mario Bernardi. Deux ans après, en février 1987, eut lieu à Montréal, la première mondiale des *Clartés de la nuit* du même Jacques Hétu, œuvre conçue d'abord en 1972 pour voix et piano, puis orchestrée en 1986. Selon l'auteur, elle propose cinq paysages d'âme de l'univers onirique de Nelligan. Le public fut enchanté.

Le 8 février 1978, la télévision diffusa la première du film *Émile Nelligan in memoriam*, préparé par Radio-Québec dans le cadre de la série « Visage ». Réalisé par Robert Desrosiers, le film met en évidence la richesse de l'œuvre de Nelligan reliée à sa vie. Documentation de première main, interprétation des faits honnête et juste, détails significatifs situés dans de larges perspectives ouvertes par l'image et la narration : il s'agit ici, à n'en pas douter, du meilleur film sur Nelligan.

Ces événements et bien d'autres encore commémorent le destin de Nelligan et le rendent toujours plus vivant auprès du public. Mais surtout, on assiste à la renaissance de son œuvre. Du vivant du poète, nous avons eu droit à l'édition princeps et à ses trois rééditions. Après sa mort, son œuvre connaît un succès remarquable. Quatre ans après sa mort, une quatrième édition de l'édition princeps est l'occasion d'un changement de méthodologie de la présentation, ce qui prépare déjà, en quelque sorte, l'édition critique. Celle-ci paraîtra en 1952 grâce au travail méticuleux de Luc Lacourcière. Au corpus établi par Louis Dantin et publié en 1904, Lacourcière ajoute 55 poèmes, la plupart inconnus. Un apparat critique rehausse la valeur de l'information biographique et bibliographique.

Il conviendrait de mentionner aussi de nombreuses éditions illustrées des poèmes de Nelligan, dont voici les plus importantes : deux lithographies dans *Lied à Émile Nelligan* de Jean-Paul Riopelle («Paysage fauve» et «Sérénade triste»); neuf eaux-fortes de Louis Pelletier inspirées par huit poèmes de Nelligan; portefeuille de luxe de Marie-Anastasie, *Émile Nelligan après cent ans, 1879-1979*, qui contient un portrait de Nelligan, burin d'après une photographie, trois eaux-fortes, trois poésies olographes de Nelligan et trois sonnets-hommages. Ainsi, on souligne le centenaire de la naissance de Nelligan, alors que le 3 mai 1979, les Postes canadiennes publient un timbre commémoratif réalisé par Monique Charbonneau, de Montréal. Le timbre représente un «Vaisseau d'Or» avec, en bordure, une figure de proue.

L'œuvre de Nelligan suscita aussi des éditions de luxe et de grand luxe publiées grâce aux soins de Gilles Corbeil, neveu du poète. En 1967 paraissent chez Fides *Poésies* de Nelligan, avec illustrations de Claude Dulude :

c'est un hommage à l'occasion du 25ᵉ anniversaire de la mort de celui qui a prématurément « sombré dans l'abîme du Rêve ». La deuxième édition du genre, de très grand luxe, souligne le centenaire de la naissance du poète. Gilles Corbeil en est l'éditeur. Les 26 planches originales sont de James Guitet. Les estampes illustrent 12 poèmes de Nelligan. Enfin, les *Poésies complètes 1896-1899*, publiées chez Fides en 1990, s'inscrivent dans une série d'hommages occasionnés par le cinquantenaire de la mort d'Émile Nelligan. Livre de grand luxe, l'œuvre de Pierre Poussier reproduit l'édition établie par Luc Lacourcière, mais sans introduction ni apparat critique. Cinq peintres offrent chacun en hommage à Nelligan une illustration ; elles seront groupées sous portefeuille de papier épervière orangé de la papeterie Saint-Gilles.

La renaissance la plus remarquée de l'œuvre de Nelligan a lieu en 1991, à l'occasion du cinquantenaire de la mort du poète. Les Éditions Fides, dans la collection « Le Vaisseau d'Or », publient une édition critique des *Œuvres complètes* de Nelligan selon la méthodologie de la textologie moderne. Le premier volume — *Poésies complètes 1896-1941* — est signé par Réjean Robidoux et moi-même ; le deuxième — *Poèmes et textes d'asile 1900-1941* — est le résultat du travail assidu de Jacques Michon. L'ouvrage fut favorablement accueilli au colloque de textologie à Varsovie, en octobre 1992, de même qu'en France, en Allemagne et en Italie. Sans apparat critique, le premier volume paraît en 1992 dans la collection « Bibliothèque québécoise » et, par le fait même, rend l'œuvre établi de Nelligan facilement accessible aux enseignants et aux élèves. Il faut joindre à cet ensemble mon livre intitulé *Émile Nelligan. Poèmes autographes* (Fides, 1991), qui regroupe et commente 26 textes autographes de Nelligan. À ce moment paraît aussi l'édition critique de l'édition princeps préparée par Réjean Robidoux et publiée en 1997, dans la «Bibliothèque du Nouveau Monde» des Presses de l'Université de Montréal.

L'œuvre de Nelligan a été en partie traduite en italien, en espagnol, en polonais, en japonais et en chinois. Grâce aux louables efforts de P.F. Widdows et de John Glasco; Fred Cogswell traduit l'édition Lacourcière en anglais et la publie aux Éditions Harvest House, en 1993, sous le titre *The Complete Poems of Emile Nelligan*.

Conformément aux dernières volontés de Gilles Corbeil, neveu de Nelligan, mort accidentellement en Australie le 7 mars 1986, la fondation Émile-Nelligan est créée le 27 octobre suivant. Cependant, la marche triomphale de la poésie nelliganienne, intitulée désormais *Motifs du Récital des Anges*, doit son élan à l'auteur lui-même. En 1979, le prix Nelligan est créé, et il continue d'être accordé annuellement. Si paradoxal que cela puisse paraître, c'est grâce à Nelligan que les jeunes lauréats touchent l'argent qui provient du fonds sans cesse renfloué par les droits d'auteur du poète de «La Romance du Vin». Le coût de la stèle sur sa tombe, celui de l'impression des estampes qui ornent sa poésie en édition de grand luxe de 1979 sont également absorbés par les redevances. La situation est totalement renversée! En effet, celui qui devait faire les yeux doux à sa mère pour recevoir quelques sous afin de s'acheter un paquet de cigarettes, celui qui fut humblement inscrit sur le registre de l'hôpital Saint-Jean-de-Dieu comme «patient du Gouvernement» (assisté social), celui qui est allé chez les infirmières Angélina Grenier et Germaine Casaubon pour quémander quelques allumettes, ce poète, excessivement pauvre et sans avenir aux yeux de la «foule méchante» — mais riche dans sa solitude ! — fait aujourd'hui figure de mécène. Il savait bien ce qu'il faisait, en 1897, en refusant de devenir charbonnier...

La voix de Nelligan transcende les frontières nationales. Les frontières de son monde sont celles de l'Art où se confondent la musique, la peinture, la sculpture, la poésie... La vérité et la beauté habitent conjointement sa parole poétique. Notre hommage va «au génie éternellement vivant de Nelligan», répétait son ami et médecin, le docteur Guillaume Lahaise. Il avait parfaitement raison. Si le poète vit ainsi, en continuelle renaissance, c'est que son œuvre émerge sans cesse, renouvelée et mieux comprise par les générations montantes.

Ma pensée est couleur de lunes d'or lointaines
Estampe de James Guitet (Paris, 1979) reproduite de la page de titre d'Émile Nelligan, *Poésies complètes*, Montréal, Gilles Corbeil éditeur, 1979, édition de très grand luxe. L'estampe représente Émile Nelligan de profil. Le titre est constitué du dernier vers du rondel intitulé «Clair de lune intellectuel».

Conclusion

Bilan d'un destin

Abstraction faite de quelques séjours à Cacouna, Émile Nelligan a passé sa vie à Montréal. La plus grande partie de son œuvre s'est réalisée au 260 de l'avenue Laval, non loin du carré Saint-Louis qui, à l'époque, était un des quartiers de la petite bourgeoisie montréalaise. Il y vivait presque toujours à contre-courant. D'où ces heurts fréquents avec sa famille, son père surtout, ses amis, ses professeurs, puis avec les journalistes et les critiques. Son existence est donc l'histoire d'un conflit, entretenu par l'emploi alterné du français et de l'anglais et par le poids des deux cultures qui se heurtent en lui, l'une plongeant ses racines dans une vieille tradition gaélique d'apparence austère, l'autre, la culture française, plus expressive, plus spontanée, venue de Chemillé par les colons du Bas-du-fleuve. Aussi n'est-il pas surprenant de le voir souvent se retirer à l'étage de cette paisible demeure, dans sa petite chambre d'une austérité quasi monacale, d'où il entend parfois les accords nostalgiques du piano de sa mère. Émile Nelligan vit seul.

À qui tente d'atteindre les recoins de son être, la solitude peut être bénéfique, mais la dépression le guette, danger auquel Nelligan n'a cessé d'être exposé. Son drame, c'est de ne pas trouver sa place dans la société. Le sentiment d'esseulement persiste et détermine en grande partie son comportement, mais au creux de sa rêverie surgit très tôt un immense besoin de dépassement, une hantise de trouver un autre monde pour pouvoir se sentir, sinon heureux, du moins plus à l'aise. C'est alors que son imaginaire vient à son aide, cette volonté de se démarquer de tous et d'élargir la route de son enfance par tous les temps et dans tous les espaces.

Les métamorphoses ainsi déclenchées se concrétiseront dans la poésie nostalgique. Monotone et grise, la vie de tous les jours persistera certes dans le discours poétique comme écho et souvenir, mais elle sera transformée par la rêverie. Les perceptions ordinaires, les impressions immédiates seront inondées par un continuel jaillissement d'images : lignes, couleurs, mouvements, perspectives, comparaisons, métaphores... Et, par-dessus tout, une musique retrouvée dans les mots porte, en plus de leur poids sémantique, les voix du moi sensible en quête du langage symbolique.

Stimulée par la vie avec laquelle elle est souvent en conflit, la poussée imaginaire n'est pas sans relation avec le monde de l'art où le poète pénètre, au hasard de rencontres imprévues, de méditations et de lectures. Les musiciens le fascinent : Liszt, Mozart, Haydn, Beethoven, Rubinstein, Paganini et surtout Chopin et Paderewski. Les peintres suscitent son admiration : Watteau, Rubens, Memling, Fra Angelico, Le Corrège. La sculpture de Casimiro Mariotti est à la hauteur de la Vie et de la Mort, comme l'est aussi la sculpture antique dont la « souple Anadyomène », en beau marbre de Carrare, est le « mystérieux chef-d'œuvre du limon ». Des vases fantasques d'Orient, des motifs nippons sur les éventails et sur les tasses en porcelaine, ainsi que des bijoux de Cellini et de

vieux marchands marocains sont pour ses yeux — pour
son imagination surtout ! — des objets de délices. Et, par-
dessus tout, Nelligan admire les poètes qui lui dévoilent
leur intime mystère et l'art des vers : Millevoye, Verlaine,
Dante, Baudelaire, Catulle Mendès, Coppée, Rimbaud,
Heredia, Rodenbach, Rollinat, Thomas Moore, Edgar
Allan Poe... À leur contact, son imagination s'enflamme
et féconde la mémoire d'où la voix s'échappe en écho
dans une rêverie de plus en plus intense.

Le vrai monde dans lequel vit Nelligan est donc
celui de l'imaginaire. L'imaginaire ? Oui. Mais ce sera un
imaginaire qui ne tue pas la réalité, mais qui lui ouvre un
horizon infini. Le poète ira à la limite de ses moyens,
jusqu'à l'épuisement de ses forces, même s'il devait
« mourir fou comme Baudelaire », pour rappeler ici le témoignage de Dantin. Est-il possible de vivre en poète
dans le Montréal fin de siècle ? Tout le monde dira non.
Mais Nelligan, lui, dira oui : il lui faudra alors assumer
pleinement cette décision d'être artiste, même au prix
d'une intolérable souffrance.

À l'âge de 15 ans, Nelligan est déjà bien engagé sur
le chemin de l'imaginaire. Pendant quatre ans, sa vision
de poète essaiera de s'éloigner de la réalité terre à terre.
D'abord exercice littéraire, ensuite imitation et apprentissage de la prosodie, la poésie devient peu à peu création
personnelle et, à l'heure d'ultimes efforts, une ébauche de
génie. La porte-fenêtre de sa petite chambre à l'étage
s'entrebâillera sur des salons étranges, des corridors
monastiques. Le poète écoute la musique des mots, s'y
regarde comme dans un miroir. Le carré Saint-Louis
deviendra l'imaginaire jardin de son enfance. Plus loin, de
vastes espaces exotiques, landes et océans, villes bigar-
rées d'Afrique et attrayante perspective d'une lointaine

Westphalie, d'un Kremlin énigmatique. En plus d'une mère belle et tendre, musicienne attentive à la poésie, quelques silhouettes féminines se profilent : Édith, Béatrice, Gretchen, Idola Saint-Jean, Robertine Barry... Le désir d'aimer est constamment présent dans l'œuvre de Nelligan. Depuis le fantasme dans les arabesques de «Vasque» jusqu'au «Vaisseau d'Or» où la Cyprine d'amour s'étale nue au «soleil excessif», l'amour chez Nelligan se montre obsédant, tout à fait légitime par ailleurs et profondément humain, mais dans son cheminement général, il échouera le plus souvent sur les vagues zones de l'imaginaire. Ainsi, voguant sur la caravelle de ses rêves, l'image de sa mère toujours bien ancrée dans la mémoire, Nelligan rencontrera des femmes créées spontanément par son imagination : blondes et brunes, pianistes et guitaristes, pauvres et aristocrates, humbles et hautaines, créoles, négresses, filles d'Ilion... Ici la femme sera appelée «ma mie», là «sœur d'amitié». À l'occasion, le poète lui prêtera un prénom glané au hasard. Communiante, religieuse, défunte dans quelque tombe à la lisière d'une forêt de santal, profil d'une absente dans une chambre vide, la femme de Nelligan est foncièrement la création de son rêve. Elle aboutira à cette double représentation : la belle sainte Cécile, nimbée de lumière, et l'énigmatique «Vierge Noire», méchante, pareille aux étranges flambeaux d'une vie souillée. Aboutissement significatif que cette recherche de l'amour réparti entre deux pôles visionnaires. Ainsi, construira-t-il ses «Châteaux en Espagne», «cette Ilion éternelle aux cent murs, la ville de l'Amour imprenable des Vierges» !

La dualité — le blanc et le noir, etc. — marque tout l'imaginaire chez Nelligan. *La jeunesse blanche* de Rodenbach et *Les névroses* de Rollinat sont deux miroirs dans lesquels se mirent « Le Jardin de l'Enfance » et les « Soirs hypocondriaques », inondés de « sons noirs de musiques ». Le « rêve blanc » dont parle Nelligan dans son poème « Soirs d'automne », de construction verlainienne, aura pour contrepartie une lugubre « terrasse aux spectres », rêve noir, se déployant en pleine nuit de décembre. À peine le regard doux du poète frôle-t-il, dans une chambre aux rideaux de guipure, le berceau en bois frêle et blanc, que déjà l'image se confond avec celle du cercueil. À l'instar d'un Mallarmé, Nelligan construira des chapelles, des vitraux et des tombeaux à la gloire de Chopin et de Baudelaire. Entre deux pôles, sa vision oscille. Même les anges, associés d'abord au sublime Idéal blanc, deviendront « mauvais » et « maudits » dans des poèmes tels que « Le Suicide d'Angel Valdor » et « Soirs hypocondriaques ». Dans « Couleur de lunes d'or lointaines », sa pensée s'est d'abord crue prédestinée à voler très haut dans la sphère de l'Idéal mystique, mais elle évolue rapidement sur la route des cimetières où l'œil hagard du poète « dantesquement embrasse quelque feu fantasque errant aux alentours ». Le noir l'emportera sur le blanc. Le corbeau d'Edgar Allan Poe, lugubre messager de malheur, se posera à la fenêtre de sa conscience livrée au désarroi. Comment s'évader de ce funeste château spectral hanté par des loups affamés, des chats fatals au poil hérissé, le « grand bœuf roux aux cornes glauques » ? Dans une telle fantasmagorie, le cerveau est en proie au vertige. On se croirait sur les plages d'une *Saison en enfer* où le grand vaisseau d'or, parfaitement rimbaldien, « agite ses pavillons multicolores sous les brises du matin ».

« Le Vaisseau d'Or » d'Émile Nelligan ne voguera pas longtemps sur l'immensité de l'océan ; il coulera dans la profondeur du gouffre. Ce n'est ni une histoire ni une allégorie : c'est un symbole correspondant à un lyrisme exempt de tout mensonge. Le 9 août 1899, il ne restait plus rien de la «gaîté verte» évoquée avec emphase le 26 mai dans «La Romance du Vin», au Château de Ramezay. Surmené, désemparé, triste, le poète est conduit à l'asile Saint-Benoît-Joseph-Labre, où les médecins diagnostiquent chez lui une «dégénérescence mentale», une «folie polymorphe». Il faudra donc vivre résigné sous l'étiquette de schizophrène incurable ! Un quart de siècle plus tard, à l'hôpital Saint-Jean-de-Dieu, on parlera de «démence précoce». On n'a rien trouvé d'autre, sinon cette explication qui est, en partie, la paraphrase de l'aveu du malade lui-même : «Il est parti de chez lui, en suivant une lumière qu'il voyait : affaiblissement [de] toutes les facultés.» L'explication est simple : l'adolescent s'est épuisé en voulant fuir la réalité ; il a brûlé ses forces vives en voulant construire rapidement, dans le vide qui se faisait autour de lui, son monde imaginaire.

Sans même utiliser ici les termes de la psychopathologie, on doit constater que l'angoisse a bel et bien affecté le système nerveux du poète. La hantise du noir, de la mort en particulier, est au cœur de son psychisme. Ce n'est plus la tristesse qui animait autrefois ses rythmes et images, mais l'hallucination qui, pendant sa dernière année de lucidité, a dirigé son verbe névrotique vers le tragique abandon. Ici, la lassitude est sans nom. D'irrévocables affres évoquent l'image du naufrage : elles le conduiront jusqu'à l'abîme du rêve. L'âme angoissée est en proie à des visions d'«ombres sanguinolentes», de «chevaux fougueux piaffants». Rien de plus significatif que ce tercet lourd de pressentiment, sorte de testament poétique, fragment d'un poème profondément tragique :

Je plaque lentement les doigts de mes névroses,
Chargés des anneaux noirs de mes dégoûts
                              [mondains,
Sur le sombre clavier de la vie et des choses.

Le cheminement du blanc vers le noir aboutira, en effet, à cette impasse dont furent marquées la vie et la création poétique de Nelligan. Étudier le mince dossier d'hôpital pour savoir si l'homme était fou ou non ne résout en rien le problème essentiel. Tous — médecins, religieuses, infirmières, visiteurs — ont constaté que le poète était bel et bien malade. La science médicale de l'époque n'était pas en mesure de décrire exactement son état de santé et, par conséquent, d'y apporter un remède approprié. Chez l'homme malade, le poète devenait amorphe. La mémoire défaillait, bien que toujours agissante pour retrouver promptement, au fond de l'esprit, dans un embrouillamini, la trame des poèmes autrefois composés à l'hôpital. Il récite à la demande de certaines personnes ses propres poèmes qu'il connaît par cœur. Parfois, il lui arrive d'ébaucher un poème. Mais il n'est rien de vraiment nouveau ni de strictement valable dans cette création asilaire où l'on s'est plu parfois à déceler les indices d'un nouvel élan créateur. Ce que le poète malade confiait à ses carnets de fortune n'était en somme que des mirages de sa création antérieure et de ses lectures d'autrefois. À peine ici et là un éblouissement prometteur, presque aussitôt interrompu. L'homme et le poète ont vécu ensemble à l'ombre d'une névrose excessive pendant quatre longues décennies.

Projections mythiques

Cette biographie aurait pu se terminer avec la mort du personnage étudié, comme on le fait dans les biographies traditionnelles. Mais je suis profondément persuadé que la mort de Nelligan n'a marqué qu'une étape et ne correspond point à la fin de la vie du poète. Son destin a ceci de particulier qu'après la disparition de l'homme malade, le 18 novembre 1941, le poète a retrouvé, en peu de temps, son véritable rayonnement. À partir de ce moment, sa marche vers la libération totale a été une ascension continuelle.

Certains y ont vu un mythe progressivement édifié par la critique. Cela leur paraissait dangereux. À vrai dire, ce soupçon repose sur un regrettable malentendu. On a imprudemment confondu le mythe et la légende. Le mythe, selon Monique A. Piettre, est l'histoire vraie, la légende est l'histoire fausse. Le mythe plonge ses racines dans les graves vérités de l'humanité ; la légende affable. Le mythe plonge ses racines dans la conscience des siècles ; la légende se nourrit de l'imagination collective. La légende doit être dissipée, le mythe approfondi.

Le sens profond de l'aventure poétique de Nelligan ne résiderait-il point en la recherche opiniâtre de la compréhension de l'homme, de l'univers, de Dieu ? Cette brillante imagination qui était la sienne lui a permis d'aller loin du mana de ses pressentiments et d'inventer des symboles au creux de ses interminables méditations-rêveries. Pour nommer les principales manifestations de son destin, il a dû vivre, au plus profond de sa solitude, le dramatique, le pathétique et le tragique. N'avait-il pas à subir, avant que son sort ne s'accomplît, le drame du poète incompris, la pathétique souffrance hallucinatoire et le tragique plongeon jusqu'à l'abîme du Rêve? Il y a du récit dans sa poésie («Le Jardin d'antan»), de l'épopée aux accents ironiques («La Romance du Vin»), du tragique, soit une catastrophe qui met un terme à la vie lucide («Le Vaisseau d'Or»). On pourrait facilement appliquer à l'œuvre de Nelligan certains termes d'Aristote pour montrer que dans l'art véritable, le passé et le présent n'ont qu'un seul dénominateur commun: celui de la durée mythique.

Le mythe de l'individu n'est vrai que s'il communique par son cheminement existentiel et son langage symbolique avec les aspirations les plus profondes de l'humanité. Alors l'aventure individuelle s'élève au rang du destin de l'humanité. En ce sens, le destin de Nelligan se confond avec celui de l'univers. Son langage développe parallèlement les thèmes propres aux mythes séculaires.

Ce n'est pas sans raison qu'au début du recueil de Nelligan, dans son poème «Mon âme», le mot «fatalité» apparaît bien en évidence.

Ah! la fatalité d'être une âme candide
En ce monde menteur, flétri, blasé, pervers...

Ce mot revient à la fin du livre, sous la forme du «Chat fatal» qui mange le cœur du poète, la gueule ouverte. La fatalité s'inscrit ici dans la notion déjà largement définie par la tragédie antique. La vie fatale veut dire la lutte, c'est-à-dire l'existence menacée par la mort.

En regardant le berceau, Nelligan pense déjà au cercueil. Son jardin de l'enfance subit le frisson des fleurs fanées. Dans bien des poèmes, on sent chez Nelligan la présence de la Parque Atropos qui aiguise ses ciseaux. Qu'Ariane tire le Thésée moderne du labyrinthe de ses inquiétudes ne changera rien à son état d'impénétrable chrysalide. Il est enchevêtré dans son destin comme un papillon impuissant dans son cocon. Impossible d'en sortir !

Dans les civilisations grecque et latine, le mythe de la fatalité s'est ramifié à l'infini. Dans les vieux chants nordiques et slaves, on lui reconnaît des motifs à profusion. Entre la vie et la mort, les dieux, les fées, les hommes luttent, souffrent en vainqueurs ensanglantés ou succombent. Qu'on se rappelle le Prométhée enchaîné, la Walkyrie dans un château cerné par les flammes, Ulysse voguant sur la solitude des eaux... Le mythe de la fatalité atteste la présence des forces centrifuges dont l'espace se situe entre la vie et la mort. Des combinatoires de situation et de discours convergent alors vers une signification mythique.

La lutte que se livrent chez Nelligan la vie et la mort engage pleinement son cerveau et sa sensibilité. Sa vision engendre poétiquement des images évocatrices qui parlent de son effort surhumain pour aller jusqu'au bout. Outre les lugubres corbeaux, le chat fatal, le bœuf spectral, Nelligan incarne son angoisse dans les loups si bien connus dans les mythologies scandinaves et celtiques comme des agents de lutte et de menace.

> C'est l'Hiver; c'est la Mort
>
> . . . .
>
> La bise hurle; il grêle; il fait nuit, tout est sombre;
> Et voici que soudain se dessine dans l'ombre
> Un farouche troupeau de grands loups affamés;
>
> Ils bondissent, essaims de fauves multitudes,
> Et la brutale horreur de leurs yeux enflammés
> Allume de points d'or les blanches solitudes.

Le « Paysage fauve » de Nelligan dépasse dans sa symbolique l'effet d'un simple naturisme. La connotation s'établit ici avec force entre la vie à subir et le combat à livrer.

Le destin nelliganien ne manque pas de résonances cosmiques ni religieuses. Le soleil, la lune, les ténèbres assurent à la pensée, « couleur de lunes d'or lointaines », des mirages de règne astral. Le drame du Golgotha attire l'esprit du jeune poète. Et le feu — feu-élan, feu-couleur, feu-chaleur —, ce signe que Yahvé a sublimé sous forme de buisson ardent et de langues de feu apparues au-dessus de la tête des apôtres, s'associera aux images nelliganiennes comme l'expression d'une extraordinaire force vitale :

> J'aperçois défiler, dans un album de flammes,
> Ma jeunesse qui va, comme un soldat passant,
> Au champ noir de la vie, arme au poing,
>   [toute en sang !

La personnification passe par métaphore au symbole. Le destin fatalement se greffe dans la durée comme une lutte. On connaît le dénouement de l'aventure nelliganienne. « Le Vaisseau d'Or » est le produit non du hasard, mais de l'ingérence d'un mythe dont la récurrence se fera de maintes façons.

Lyrisme simple mais authentique, primesautier mais puissamment imaginaire, souffle avant-gardiste mais contrôlé par la prosodie classique, la poésie de Nelligan rend un destin pathétique qui calque à merveille le mythe de la fatalité. Ce message nous est communiqué à travers ses symboles évocateurs : blanc, noir, or, clavier, jardin, chapelle, tombeau, vaisseau... L'enjeu est grand et d'autant plus audacieux qu'il s'agit de procéder selon la célèbre formule mallarméenne : « de plusieurs vocables [refaire] un mot total, neuf, étranger à la langue et comme incantatoire» (*Crise de vers*). Et le secret de l'incantation de la parole nelliganienne réside certainement dans le fait que le poète communique pleinement avec les vérités profondes de l'humanité.

Transcendant les appels historiques de Louisbourg et des Plaines d'Abraham, il aura en définitive et à sa façon proféré, voix de la Nouvelle-France dans l'Ilion de la communauté dont est issue sa mère, un chant authentiquement national — écho sonore peu à peu connu —, patriotique sans emphase et pourtant éminemment personnel. Tout dernièrement, Pascal Brissette reprend à son compte l'objet Nelligan-mythe national et, dans une étendue littéraire entre Dantin et Larose, il s'obstine à révéler pertinemment un « Nelligan dans tous ses états » [BPNMN].

La force de la création chez Nelligan se manifeste dans sa souffrance, dans son amour sans borne de la poésie, dans ses images hardiment construites et tonifiées sans cesse par un songe qui traduit la nostalgie de l'infini et la permanence de l'être. Le mythe de Nelligan ne vient pas de ce que la critique a dit de lui, mais de ce qu'il a dit aux critiques et aux autres. Son message s'éclaire d'accointances avec les sentiments millénaires de l'humanité où agissent l'irréductible espoir de vivre et l'inexorable fatalité de mourir.

Jalons chronologiques

1848

11 juillet — Naissance à Dublin de David Neligan (orthographe du registre du Rotunda Hospital), fils aîné de Patrick Neligan et de Catherine Flynn. Il aura une sœur, Margaret, et un frère, Patrick, tous deux nés à Dublin, respectivement le 17 septembre 1850 et le 20 mars 1855. Une deuxième sœur, Catherine, naîtra à Montréal le 1er septembre 1858.

1856

4 mai — Naissance à Kamouraska de Marie Émilie Amanda Hudon, fille de Joseph-Magloire Hudon dit Beaulieu et d'Émilie Julie Morissette.

Année présumée de l'arrivée de la famille Patrick Neligan à Montréal.

1857

1er avril — Patrick Nelligan (qui signe au Canada son nom avec deux «l») commence à travailler au bureau de poste de Montréal à titre de messager. Sa famille habite le centre-ville, rues Juré, Hermine et Saint-Germain, pour se fixer, en 1869, au 602 de la rue de La Gauchetière.

1867

22 novembre — Après avoir travaillé pendant trois ans pour le Grand Tronc de Montréal, David Nelligan devient commis (classe 4) au bureau de poste de Montréal.

MILIEU FAMILIAL

1875

15 juin — Mariage de David Nelligan et Marie Émilie Amanda Hudon à la cathédrale Saint-Germain de Rimouski.

1877

14 décembre — David Nelligan est nommé inspecteur adjoint des postes.

1879

24 décembre — Naissance à Montréal d'Émile Nelligan, baptisé le lendemain en l'église Saint-Patrick. Ses parrain et marraine sont ses grands-parents. Émile aura deux sœurs : Béatrice Éva, née le 29 octobre 1881, et Gertrude Freda, née le 22 août 1883.

1883

Printemps — Après avoir vécu pendant huit ans au 602, rue de La Gauchetière, la famille de David Nelligan emménage dans un logement au 195, rue de Bleury (plus tard, n° 1437).

1886

Printemps — La famille de David Nelligan emménage au 112 de l'avenue Laval (aujourd'hui n° 3686).

31 août — Après avoir fréquenté pendant dix mois l'Académie de l'archevêché, Émile Nelligan s'inscrit à l'école Olier, dirigée par les Sulpiciens. Il ne brille pas par son assiduité aux études.

1890

22 mai — Émile est confirmé par Mgr Édouard-Charles Fabre, archevêque de Montréal.

2 septembre — Nelligan change d'école : il entre au Mont-Saint-Louis où il étudiera jusqu'au 24 juin 1893.

1892

Printemps — La famille de David Nelligan s'installe au 260 de l'avenue Laval, près de la rue Napoléon. Émile occupe une petite chambre à l'étage dont la porte-fenêtre donne sur le balcon, du côté de l'avenue Laval.

1893

2 septembre — Émile change de nouveau d'école : il entre, comme externe en éléments latins, au Collège de Montréal où il étudiera, sans grand succès, jusqu'à la fin de juin 1895.

1896

2 mars — Après s'être tenu à l'écart de l'école pendant huit mois, Émile entre au collège Sainte-Marie, dirigé par les Jésuites.

6 et 8 avril — Avec sa mère, Émile assiste aux concerts de Paderewski donnés à l'hôtel Windsor.

À partir du 13 juin — Sous le pseudonyme d'Émile Kovar, Émile Nelligan publie neuf poèmes dans *Le Samedi*.

Été — À Cacouna. Nelligan y passe depuis plusieurs années ses vacances d'été. Il se lie d'amitié avec Denys Lanctôt auquel il dédie deux poèmes : « La Chanson de l'ouvrière » et « Nocturne ». Ses poèmes paraissent aussi dans *Le Monde illustré*.

1897

10 février — Nelligan devient membre de l'École littéraire de Montréal en présentant deux de ses pièces : « Le Voyageur » et « Berceuse ».

16 mars — Le poète inscrit dans l'album d'autographes d'Édith Larrivée un poème de dix vers intitulé « Vasque ».

Mars — Nelligan quitte définitivement le collège Sainte-Marie. Le conflit avec sa famille s'aggrave.

1898

Nelligan mène une vie de bohème et écrit beaucoup. Il lit avidement Verlaine, Baudelaire et Rimbaud, aussi Rodenbach et Rollinat, de même que Musset et Edgar Allan Poe. Il fréquente ses amis Arthur de Bussières, Joseph Melançon, Charles Gill. Il se lie d'amitié avec Robertine Barry (Françoise) et le P. Eugène Seers (Louis Dantin) de la congrégation du Très-Saint-Sacrement. Il participe également aux activités de l'École littéraire de Montréal qui tient sa première séance publique le 29 décembre, au cours de laquelle Nelligan récite avec succès « Un rêve de Watteau », « Le Récital des Anges » et « L'Idiote aux Cloches ».

1899

26 mai — Quatrième séance publique de l'École littéraire de Montréal. Nelligan récite « Le Talisman », « Rêve d'artiste » et « La Romance du Vin ». La dernière pièce est accueillie triomphalement par le public.

Juin-juillet — Nelligan traverse une période douloureuse de neurasthénie. Il oscille entre la mélancolie et le désespoir, l'hallucination et le délire. Il s'adonne toujours à la poésie. De cette époque sombre naissent plusieurs poèmes, entre autres « Les Corbeaux », « Le Tombeau de Charles Baudelaire » et « Le Vaisseau d'Or ».

9 août — En pleine dépression, Émile Nelligan est conduit à l'asile Saint-Benoît-Joseph-Labre, à Longue-Pointe. Les médecins constatent chez lui une « dégénérescence mentale » et une « folie polymorphe ».

Mars — L'École littéraire de Montréal publie un recueil collectif intitulé *Les Soirées du Château de Ramezay*. L'ouvrage contient dix-sept poèmes de Nelligan.

Juin — La famille de David Nelligan habite au 4, carré Saint-Louis.

Septembre — Un recueil de poésies, *Franges d'Autel*, préparé par Louis Dantin, paraît à Montréal. On y lit cinq poèmes de Nelligan.

1902

17 août — *Les Débats* commencent à publier, en sept tranches hebdomadaires, une étude de Louis Dantin intitulée «Émile Nelligan» qui deviendra peu de temps après la «Préface» de l'édition princeps des poésies de Nelligan.

1903

Janvier — Dantin prépare pour *La Revue canadienne* de mars un article de souscription en faveur d'*Émile Nelligan et son Œuvre*. Parmi les sept poèmes de Nelligan proposés comme échantillon figure pour la première fois en entier «Le Vaisseau d'Or».

25 février — Eugène Seers quitte précipitamment sa congrégation et se réfugie à Boston, en compagnie d'une certaine Clothilde Lacroix et de sa fille Eugénie. Avant son départ, il rend à Mme Nelligan les papiers de son fils et les 70 pages déjà composées de son recueil.

1904

Février — *Émile Nelligan et son Œuvre* paraît à la Librairie Beauchemin, un recueil de 107 poèmes, comportant en guise d'introduction la « Préface » de Dantin. Le volume a pu être terminé grâce au travail de Mme Nelligan et au concours de Charles Gill. L'édition princeps connaîtra trois rééditions : en 1925, 1932 et 1945.

1913

6 décembre — Mort de Mme David Nelligan, qui souffrait depuis plusieurs années d'un cancer du sein.

1924

11 juillet — Mort à l'âge de 76 ans de David Nelligan, père du poète, atteint depuis 1906 d'une cirrhose.

1925

5 mai — Mort de Gertrude Nelligan-Corbeil, sœur du poète, à l'âge de 42 ans.

23 octobre — Émile Nelligan est transféré à l'hôpital Saint-Jean-de-Dieu. Il a 44 ans. Il devient « pensionnaire du gouvernement » (assisté social). Son numéro est 18136. Sa fiche d'inscription parle d'« insuffisance cardio-rénale », de « démence hallucinatoire » et de « surmenage ».

Été — Nelligan commence à écrire ses « Carnets d'hôpital » : il y en aura six. Tout dernièrement, on vient d'en découvrir un septième : 27 pages manuscrites.

1932

Été — Nelligan passe une journée à la résidence d'été de son ami Gonzalve Desaulniers, à Ahuntsic. Il y rencontre Camille Ducharme et Mme Anne-Marie Gleason-Huguenin (Madeleine).

AU COUCHANT D'UNE VIE MOROSE

1941

1er janvier — Le poète est alité. Sa santé se détériore. Le médecin constate aussi un « affaiblissement intellectuel ».

Été — Nelligan est transféré à la salle Saint-Roch. Il souffre d'asthénie et d'insuffisance cardiaque. Il subira une prostatectomie.

18 novembre — Nelligan reçoit les derniers sacrements de l'aumônier de l'hôpital, entouré des membres de sa famille. Il meurt dans sa chambre d'hôpital à 14 h 15 ; il est alors âgé de 61 ans. Comme causes du décès, la fiche médicale donne : « insuffisance cardio-rénale, artériosclérose, prostatite chronique ». Ses funérailles auront lieu le 21 novembre à la chapelle de Saint-Jean-de-Dieu. Inhumation au cimetière de la Côte-des-Neiges.

La mort biologique de Nelligan ne signifie pas la mort de l'artiste. Au contraire, son nom demeure bien vivant et est fraternellement commémoré à l'occasion de certaines dates liées à sa vie : 25e et 50e anniversaires de son décès, centenaire de sa naissance. Sa vie et son œuvre font l'objet de multiples études : articles, livres, actes de colloques, thèses de maîtrise et de doctorat. Le visage du poète revient dans des portraits exécutés par les peintres ; sa silhouette évolue dans des films ; sa parole rayonne dans la voix de Monique Leyrac, qui « chante Nelligan », et elle se fait puissante lorsque Jacques Hétu soulève vers l'horizon des mers inconnues les *Abîmes du rêve* désemparé. L'auteur du « Vaisseau d'Or » a suscité des expositions à Ottawa, à Montréal, à Paris. Réalisé par André Gagnon et Michel Tremblay, l'opéra de grande envergure, *Nelligan. Un opéra romantique*, a tenté de montrer aux spectateurs l'ampleur d'un destin tragique.

Vivante demeure surtout l'œuvre de Nelligan. En 1952, s'appuyant sur l'édition princeps conçue par Louis Dantin, Luc Lacourcière prépare l'édition critique selon le modèle de la Pléiade. Suivront deux éditions de luxe : la première publiée par les Éditions Fides (1967), la deuxième par Gilles Corbeil (1979), embellie d'estampes de James Guitet. Viendra, en 1991, la grande édition critique des *Œuvres complètes* de Nelligan, signée par Réjean Robidoux, Paul Wyczynski et Jacques Michon. Dans ces deux volumes, l'écriture de Nelligan surgit en pleine lumière de la textologie moderne. Si Nelligan grandit au fur et à mesure que les années s'écoulent, c'est qu'il a créé une œuvre qui s'impose par sa signification profonde auprès des générations montantes.

Comment expliquer cet extraordinaire enracinement de l'œuvre dans le temps ? La réponse semble simple : l'œuvre nelliganienne se démarque par l'authenticité de son message et par l'originalité de ses formes. Chercher Nelligan dans ses *Motifs du Récital des Anges*, c'est chercher en quelque sorte les éclats de notre pensée et les vibrations de notre cœur.

Bibliographie sélective

Sont regroupés les volumes et articles cités dans la *Biographie* de Nelligan, jugés indispensables pour connaître le sujet. Divisé en deux sections — « Œuvres » et « Études » — le groupement des données bibliographiques tient compte des sigles qui paraissent comme références dans le corps de l'ouvrage. L'astérisque avant le titre marque les volumes de première importance.

Œuvres

NEO-D   *Émile Nelligan et son Œuvre*, Montréal, [Beauchemin], 1903, [1904], XXXIV-164 p. Préface « Émile Nelligan » par Louis Dantin. Édition princeps préparée par Dantin avec la collaboration de Mme Nelligan et de Charles Gill. Rééditions en 1925, 1932, 1945.

NEO-R*   *Émile Nelligan et son Œuvre*, Montréal, Presses de l'Université de Montréal, collection « Bibliothèque du Nouveau Monde », 1997, 293 p. Édition critique de l'édition princeps préparée par Louis Dantin établie par Réjean Robidoux. Le texte est précédé de : « Avant-Propos », « Introduction », « Notes sur l'établissement du texte et l'iconographie » et « Chronologie ».

NEPA-W* *Émile Nelligan, Poèmes autographes*, Montréal, Fides, collection « Le Vaisseau d'Or », 1991, 175 p. Présentation, classement et commentaires de Paul Wyczynski.

NEPC-L* *Émile Nelligan, Poésies complètes 1896-1899*, Montréal/Paris, Fides, collection du « Nénuphar », 1952, 331 p. Édition critique établie par Luc Lacourcière. Rééditions en 1958 et en 1966.

NEPC-M*   *Émile Nelligan, Poèmes et textes d'asile 1900-1941*,
           Montréal, Fides, 1991, collection « Le Vaisseau
           d'Or », 615 p. Édition critique établie par Jacques
           Michon. (Deuxième volume des *Œuvres complètes*
           d'Émile Nelligan.)

NEPC-RWM NELLIGAN, Émile, *Œuvres complètes*, Montréal,
           Fides, collection « Le Vaisseau d'Or », 1991, 2 vol.
           Édition critique établie par Réjean Robidoux et Paul
           Wyczynski (1er vol.) et Jacques Michon (2e vol.).

NEPC-RW*   ——, *Poésies complètes 1896-1941*, Montréal, Fides,
           collection « Le Vaisseau d'Or », 1991, 646 p. Édition
           critique établie par Réjean Robidoux et Paul Wyczyn-
           ski. (Premier volume des *Œuvres complètes* d'Émile
           Nelligan.)

NEPC-RWBQ* ——, *Poésies complètes 1896-1941*, Montréal,
           Fides, Hurtubise-HMH et Leméac, « Bibliothèque
           québécoise », 1992, 262 p. Texte sans apparat critique,
           d'après l'édition des *Poésies complètes 1896-1941*, éta-
           blie en 1991 par Réjean Robidoux et Paul Wyczynski.

Études

BGIP   BESSETTE, Gérard, *Les Images en poésie canadienne-
           française*, Montréal, Beauchemin, 1960, 282 p. Réim-
           primé en 1972.

BGNRS   ——, « Nelligan et les remous de son subconscient »,
           dans *L'École littéraire de Montréal*, Montréal/Paris,
           Fides, collection « Archives des lettres canadiennes »,
           1963, p. 131-149.

BPNMN   BRISSETTE, Pascal, *Nelligan dans tous ses états. Un
           mythe national*, Montréal, Fides, « Nouvelles études
           québécoises », 1998, 223 p.

BSN   Biographie synthétique de Nelligan. Voir WPENB.

CJELM   CHARBONNEAU, Jean, *L'École littéraire de Montréal.
           Ses origines, ses animateurs, ses influences*, Montréal,
           Éditions Albert Lévesque, Série « Les jugements »,
           1935, 320 p.

CN-RW*   ROBIDOUX, Réjean et Paul WYCZYNSKI (dir.), *Cré-
           mazie et Nelligan*, Montréal, Fides, 1981, 188 p. Actes

du colloque des 18 et 19 octobre 1979, organisé par le département des lettres françaises de l'Université d'Ottawa avec la collaboration de la Bibliothèque nationale du Canada.

ELMS ÉCOLE LITTÉRAIRE DE MONTRÉAL, *Les Soirées du château de Ramezay*, Montréal, Eusèbe Senécal, 1900, xv-402 p.

ELM-WJM* JULIEN, o.m.i., Bernard, Jean MÉNARD et Paul WYCZYNSKI (dir.), *L'École littéraire de Montréal*, Montréal/Paris, Fides, collection « Archives des lettres canadiennes », 1963, 383 p.; 2ᵉ éd. en 1972, 353 p. Publication du Centre de recherche en civilisation canadienne-française de l'Université d'Ottawa.

ENCAM* GRISÉ, Yolande, Réjean ROBIDOUX et Paul WYCZYNSKI (dir.), *Émile Nelligan. Cinquante ans après sa mort*, Montréal, Fides, collection « Le Vaisseau d'Or », 1993, 352 p. Actes du colloque organisé par le Centre de recherche en civilisation canadienne-française de l'Université d'Ottawa les 18, 19 et 20 novembre 1991.

ENPRV-EB *Émile Nelligan, Poésie rêvée et poésie vécue*, Montréal, Le Cercle du livre de France, 1969, 191 p. Actes du colloque Émile Nelligan organisé par Jean Éthier-Blais et le Centre d'études canadiennes-françaises de l'Université McGill en 1966.

FA-D NELLIGAN, Émile, *Franges d'Autel*, Montréal, [s.é.], 1900, [79] p. Illustrations de Jean-Baptiste Lagacé. Préparé et publié par Louis Dantin sans que son nom figure sur la page de titre.

FA-R* ——, *Franges d'Autel*, Montréal, Hurtubise-HMH, collection « Documents littéraires », 1997, 122 p. Reproduction en fac-similé de l'édition de 1900, avec une présentation, une chronologie et une bibliographie de Réjean Robidoux.

GBN Grande Biographie de Nelligan. Voir WPNB.

LJMN LAROSE, Jean, *Le mythe de Nelligan*, Montréal, Les Quinze, collection « Prose exacte », 1981, 141 p.

LPHNA LEMIEUX, Pierre-H., *Nelligan amoureux*, Montréal, Fides, 1991, 287 p.

MDB   MADELÉNAT, Daniel, *La Biographie*, Paris, Presses
           universitaires de France, collection «Littératures mo-
           dernes», 1984, 222 p.

MJNRR*   MICHON, Jacques, *Émile Nelligan. Les racines du rêve*,
           Montréal/Sherbrooke, Les Presses de l'Université de
           Montréal/Les Éditions de l'Université de Sherbrooke,
           collection «Lignes québécoises», 1983, 178 p.

NGLDVO   NADEAU, Gabriel, *Louis Dantin, sa vie et son œuvre*,
           Manchester [New Hampshire], Les Éditions La-
           fayette, 1948, 253 p., surtout p. 40-42, 96-97, 225,
           235-238.

RRCN*   ROBIDOUX, Réjean, *Connaissance de Nelligan*, Mon-
           tréal, Fides, collection «Le Vaisseau d'Or», 183 p.

SMEEN   SÉGUIN, Marcel, «Entretiens sur Émile Nelligan»,
           dans *L'École canadienne*, 32ᵉ année, nº 10, juin 1957,
           p. 665-671.

WPBVLT   WYCZYNSKI, Paul, *Louis-Joseph Béliveau et la vie lit-
           téraire de son temps* suivi d'un *Album-souvenir par
           l'École littéraire de Montréal*, Montréal, Fides, 1984,
           189 p.

WPENB*   ——, *Émile Nelligan. Biographie*, Montréal, Fides,
           «Bibliothèque québécoise», 1998.

WPNB*   ——, *Nelligan 1879-1941 Biographie*, Montréal,
           Fides, collection «Le Vaisseau d'Or», 1987, 635 p.;
           2ᵉ éd. en 1990.

WPNM*   ——, *Nelligan et la musique*, Ottawa, Éditions de
           l'Université d'Ottawa, 1971, 149 p.

WPNSO   ——, *Émile Nelligan. Sources et originalité de son
           œuvre*, Ottawa, Éditions de l'Université d'Ottawa,
           collection «Visages des lettres canadiennes», 1960,
           349 p.

WPPS   ——, *Poésie et symbole*, Montréal, Librairie Déom,
           collection «Horizons», 1965, 253 p. Ill. de Zygmunt
           J. Nowak.

Liste des illustrations

INDEX
Patronymes et pseudonymes

INDEX
Poèmes de Nelligan*

---

* Sont aussi inclus les trois titres de recueils de poèmes de Nelligan (en italique gras), ainsi que les titres de sections (en italique).

Table des matières

Robert Élie
La fin des songes

Faucher de Saint-Maurice
À la brunante

Jacques Ferron
La charrette
Contes
Escarmouches

Madeleine Ferron
Cœur de sucre
Le chemin des dames

Jacques Folch-Ribas
Une aurore boréale
La chair de pierre

Jules Fournier
Mon encrier

Guy Frégault
La civilisation de la Nouvelle-France
*   1713-1744*

François-Xavier Garneau
Histoire du Canada

Hector de Saint-Denys Garneau
Journal
Regards et jeux dans l'espace
*   suivi de Les solitudes*

Jacques Garneau
La mornifle

Antoine Gérin-Lajoie
Jean Rivard, le défricheur suivi de
*   Jean Rivard, économiste*

Rodolphe Girard
Marie Calumet

André Giroux
Au-delà des visages

Jean Cléo Godin et Laurent Mailhot
Théâtre québécois (2 tomes)

Alain Grandbois
Avant le chaos

François Gravel
La note de passage

Lionel Groulx
Notre grande aventure
Une anthologie

Germaine Guèvremont
Le Survenant
Marie-Didace

Pauline Harvey
La ville aux gueux
Encore une partie pour Berri
Le deuxième monopoly des précieux

Anne Hébert
Le torrent
Le temps sauvage suivi de *La mercière*
*   assassinée et de Les invités au procès*

Louis Hémon
Maria Chapdelaine

Suzanne Jacob
La survie

Claude Jasmin
La sablière - Mario
Une duchesse à Ogunquit

Patrice Lacombe
La terre paternelle

Rina Lasnier
Mémoire sans jours

Félix Leclerc
Adagio
Allegro
Andante
Le calepin d'un flâneur
Cent chansons
Dialogues d'hommes et de bêtes
Le fou de l'île
Le hamac dans les voiles
Moi, mes souliers
Pieds nus dans l'aube
Le p'tit bonheur
Sonnez les matines

Michel Lord
Anthologie de la science-fiction
*   québécoise contemporaine*

Hugh MacLennan
Deux solitudes

Québec, Canada
1999